# 介護実習のおもな流れ

## 実習前

1. 実習施設・事業所を理解するための学習
2. 利用者を理解するための学習
3. 介護実習にのぞむためのマナーや心得の学習
4. 個人票の作成,実習先への提出
5. 実習計画書(個人)の作成,実習先への提出
6. 実習施設・事業所の事前訪問
7. 介護技術の練習

## 実習中

1. 実習計画にもとづいた実習
2. 実習指導者によるスーパービジョン
3. 実習担当教員によるスーパービジョン
4. 帰校日のスーパービジョン

## 実習後

1. 礼状を書く
2. 実習ファイル(実習ノート)の提出と記録類のふり返り
3. 実習総括レポートの作成
4. 実習報告会
5. 事例検討会
6. 自己評価と実習施設・事業所の評価,実習担当教員の評価から自己覚知,課題の明確化

# 実習Ⅰと実習Ⅱの展開

## ◆ 【実習Ⅰ】の目標

### 暮らしの場を理解し，介護サービスの利用者と出会うことができる

### 対人関係を意識したコミュニケーションをはかることができる

### 利用者の状態像を観察できる

### 安全性と快適さに配慮した介護技術を実践できる

### 利用者を取り巻く家族や近隣との関係に注目できる

## ◆【実習Ⅱ】の目標

アセスメントにもとづいた利用者ごとの介護計画の立案と介護の実施，実施後の評価や計画の修正など，一連の介護過程が展開できる。

### 自分で受けもちたい利用者のイメージをもつ

### 介護過程の展開

**アセスメント**
- 情報の収集
- 情報の解釈，関連づけ，統合化
- 生活課題の明確化

**介護計画の立案**
- 目標の設定
- 具体的な支援内容・方法の決定

**介護の実施**
- 実施状況の把握
  ・計画にもとづく実施
  ・自立支援・安全と安心・尊厳の保持
  ・利用者の反応・可能性
  ・新たな生活課題

**評価**
- 目標の達成度
- 支援内容・方法の適切性
- 今後の方針の検討
- 計画の修正の必要性

# 介護総合演習とは

実習中の巡回指導や帰校日を通じて，学習到達状況の確認と個別指導を行う

実習で体験したことを他科目で学んだこととつなげる

実習報告会などを通じて，実習体験を意味づけし，実習中の出来事や介護過程の展開をふり返る

在学中に学んだことの総まとめを通じて，自分なりの介護観や職業観を形づくる

最新
介護福祉士養成講座 10

編集　介護福祉士養成講座編集委員会

# 介護総合演習・介護実習

第2版

中央法規

# 『最新 介護福祉士養成講座』初版刊行にあたって

　1987（昭和62）年に「社会福祉士及び介護福祉士法」が制定され、介護福祉職の国家資格である介護福祉士が誕生してから30年以上が経ちました。2018（平成30）年11月末現在、資格取得者（登録者）は162万3974人に達し、施設・在宅を問わず地域における介護の中核をになう存在として厚い信頼をえています。

　近年では、世界に類を見ないスピードで進む高齢化に対応する日本の介護サービスは国際的にも注目を集めており、アジアをはじめとする海外諸国から知識と技術を学びに来る学生が増えています。

　もともと介護福祉士が生まれた背景には、戦後の高度経済成長にともなう日本社会の構造的な変化がありました。資格誕生から今日にいたるまでのあいだも社会は絶えず変化を続けており、介護福祉士に求められる役割と期待はますます大きくなっています。そのような背景のもと、今後さらに複雑化・多様化・高度化していく介護ニーズに対応できる介護福祉士を育成するために、2018（平成30）年に10年ぶりに養成カリキュラムの見直しが行われました。

　当編集委員会は、資格制度が誕生した当初から、介護福祉士養成のためのテキスト『介護福祉士養成講座』を刊行してきました。福祉関係八法の改正、社会福祉法や介護保険法の施行など、時代の動きに対応して、適宜記述内容の見直しや全面改訂を行ってきました。そして今般、本講座を新たなカリキュラムに対応した内容に刷新するべく『最新 介護福祉士養成講座』として刊行することになりました。

　『最新 介護福祉士養成講座』の特徴としては、次の事項があげられます。
① 介護福祉士養成のための標準的なテキストとして国の示したカリキュラムに対応
② 現場に出たあとでも立ち返ることができ、専門性の向上に役立つ
③ 講座全体として科目同士の関連性も見える
④ 平易な表現や読みがなにより、日本人学生と外国人留学生がともに学べる
⑤ オールカラー（11巻、15巻）、ＡＲ（拡張現実：6巻、7巻、15巻）の採用などビジュアル面への配慮

　本講座が新しい時代にふさわしい介護福祉士の養成に役立ち、さらには本講座を学んだ方々が広く介護福祉の世界をリードする人材へと成長されることを願ってやみません。

2019（平成31）年3月
介護福祉士養成講座編集委員会

# はじめに

　本書は『最新 介護福祉士養成講座』の第10巻として、「介護総合演習」と「介護実習」の2科目をまとめています。

　新しいカリキュラムでは、「介護総合演習」「介護実習」の教育内容のねらいについて、次のように示されています。

　介護総合演習は、介護実践に必要な知識や技術の統合を行うとともに、介護観を形成し、専門職としての態度を養う学習とすること。

　介護実習は、①地域におけるさまざまな場において、対象者の生活を理解し、本人や家族とのコミュニケーションや生活支援を行う基礎的能力を習得する学習とすること。②本人の望む生活の実現に向けて、多職種との協働のなかで、介護過程を実践する能力を養う学習とすること。

　この2科目を学ぶにあたって、第1章では、介護実習の指導につながる介護総合演習の全体像を示し、第2章では、介護実習の全体像を示しています。第3章では、介護実習前の準備から実習中、実習後の学習内容を学び、第4章では、実習先の特徴をそれぞれ紹介しています。第5章、第6章では、実習Ⅰ、実習Ⅱの具体的な展開方法を示し、最後の第7章では、介護総合演習を通して、実習での経験をふり返り、自己学習で深めていくことの大切さ、介護観を形成することの意義を解説しています。

　みなさんは、他科目で学んだ知識や技術をふまえて介護実習にのぞむことになります。しかし、今まで学んできたことを効果的に実習にいかすためには事前の準備がとても重要になり、また、実習が終わったあとは実習体験を整理することが大切になります。そこで介護総合演習という科目で、介護についてより考えを深めます。

　このたびの第2版の編集にあたっては、とくに第4章を中心として、近年の動向をふまえた記述の見直しを行うなど、学生のみなさんが実習現場をよりイメージできる内容となるように心がけました。また、実習先での取り組みにいかせる教材（書籍やDVDなど）の例をコラムとして紹介しています。

　本書での学びを通して、介護実習にただ行くのではなく、実習前後にも学びがあることを理解し、実習がより充実したものになれば幸いです。

　読者の視点で学んでほしいことを意識し、わかりやすい表現にできる限り努めていますが、内容面に関してお気づきの点は意見等をお寄せいただき、今後改訂を重ねていきたいと考えています。

編集委員一同

最新 介護福祉士養成講座10 **介護総合演習・介護実習** 第2版

# 目次

『最新 介護福祉士養成講座』初版刊行にあたって

はじめに

## 第1章 介護総合演習で何を学ぶか

### 第1節 介護総合演習の位置づけ……2

### 第2節 介護総合演習の目的……6
1　介護実習の指導 … 6
2　他科目での学びの統合化 … 9
3　多職種協働の意味と重要性の意識化 … 10
4　学習到達状況の把握と個別指導 … 11
5　養成教育全体の総まとめ … 12

## 第2章 介護実習で何を学ぶか

### 第1節 介護実習の意義と目的……14
1　なぜ介護実習が必要なのか … 14
2　介護実習のおもな流れ … 18

### 第2節 介護実習の種類……23
1　介護福祉士養成カリキュラムと介護実習 … 23
2　実習Ⅰの目的とおもな実習内容 … 24
3　実習Ⅱの目的とおもな実習内容 … 28

### 第3節 実習前の学びと、実習後の学びのいかし方……31
1　介護実習前に何を学ぶべきか … 32
2　介護実習での学びをどのようにいかすか … 37

最新 介護福祉士養成講座10 **介護総合演習・介護実習** 第2版

# 第3章 介護実習準備、実習中・実習後の学び

## 第1節 介護実習前の学習の内容と方法 …………………………………………… 40
1　介護実習前の学習の意義と目的 … 40
2　介護実習前の流れ … 40

## 第2節 介護実習中の学習の内容と方法 …………………………………………… 57
1　実習中の態度 … 57
2　日々の行動目標 … 58
3　観察と考察 … 59
4　報告・連絡・相談 … 60
5　実習中の事故や不測の事態への対応 … 61
6　その他 … 63

## 第3節 介護実習後の学習の内容と方法 …………………………………………… 64
1　介護実習後の学習の意義と目的 … 64
2　介護実習後の流れ … 66

# 第4章 実習先の特徴、実習先での学び

## 第1節 訪問介護 ……………………………………………………………………… 78
1　どのようなサービスなのか？ … 78
2　どのような人たちが利用しているのか？ … 79
3　どのような生活や活動をしているのか？ … 80
4　どのようなケアを行っているのか？ … 82
5　どのような人たちといっしょに働いているのか？ … 83
6　介護福祉職はどのようなチームを組んでいるのか？ … 85
7　ほかの職種の人たちとどのように協働しているのか？ … 86
8　地域をどのように意識して、取り組みにつなげているのか？ … 87
9　実習で何を学んでほしいか？ … 88

## 第2節 通所介護 ……………………………………………………………………… 90
1　どのようなサービスなのか？ … 90
2　どのような人たちが利用しているのか？ … 91
3　どのような生活や活動をしているのか？ … 93
4　どのようなケアを行っているのか？ … 94
5　どのような人たちといっしょに働いているのか？ … 96

6　介護福祉職はどのようなチームを組んでいるのか？ … 97
　　　7　ほかの職種の人たちとどのように協働しているのか？ … 98
　　　8　地域をどのように意識して、取り組みにつなげているのか？ … 99
　　　9　実習で何を学んでほしいか？ … 100

## 第3節　通所リハビリテーション …………………………………………… 101
　　　1　どのようなサービスなのか？ … 101
　　　2　どのような人たちが利用しているのか？ … 102
　　　3　どのような生活や活動をしているのか？ … 103
　　　4　どのようなケアを行っているのか？ … 104
　　　5　どのような人たちといっしょに働いているのか？ … 106
　　　6　介護福祉職はどのようなチームを組んでいるのか？ … 107
　　　7　ほかの職種の人たちとどのように協働しているのか？ … 108
　　　8　地域をどのように意識して、取り組みにつなげているのか？ … 109
　　　9　実習で何を学んでほしいか？ … 110

## 第4節　特別養護老人ホーム（介護老人福祉施設） ………………… 112
　　　1　どのようなサービスなのか？ … 112
　　　2　どのような人たちが利用しているのか？ … 113
　　　3　どのような生活や活動をしているのか？ … 114
　　　4　どのようなケアを行っているのか？ … 116
　　　5　どのような人たちといっしょに働いているのか？ … 117
　　　6　介護福祉職はどのようなチームを組んでいるのか？ … 119
　　　7　ほかの職種の人たちとどのように協働しているのか？ … 120
　　　8　地域をどのように意識して、取り組みにつなげているのか？ … 121
　　　9　実習で何を学んでほしいか？ … 122

## 第5節　介護老人保健施設 ……………………………………………………… 125
　　　1　どのようなサービスなのか？ … 125
　　　2　どのような人たちが利用しているのか？ … 126
　　　3　どのような生活や活動をしているのか？ … 128
　　　4　どのようなケアを行っているのか？ … 129
　　　5　どのような人たちといっしょに働いているのか？ … 130
　　　6　介護福祉職はどのようなチームを組んでいるのか？ … 131
　　　7　ほかの職種の人たちとどのように協働しているのか？ … 132
　　　8　地域をどのように意識して、取り組みにつなげているのか？ … 133
　　　9　実習で何を学んでほしいか？ … 135

## 第6節　養護老人ホーム ………………………………………………………… 136
　　　1　どのようなサービスなのか？ … 136

2　どのような人たちが利用しているのか？　… 137
3　どのような生活や活動をしているのか？　… 139
4　どのようなケアを行っているのか？　… 141
5　どのような人たちといっしょに働いているのか？　… 142
6　介護福祉職はどのようなチームを組んでいるのか？　… 143
7　ほかの職種の人たちとどのように協働しているのか？　… 144
8　地域をどのように意識して、取り組みにつなげているのか？　… 146
9　実習で何を学んでほしいか？　… 147

## 第7節　グループホーム … 149

1　どのようなサービスなのか？　… 149
2　どのような人たちが利用しているのか？　… 150
3　どのような生活や活動をしているのか？　… 151
4　どのようなケアを行っているのか？　… 153
5　どのような人たちといっしょに働いているのか？　… 154
6　介護福祉職はどのようなチームを組んでいるのか？　… 155
7　ほかの職種の人たちとどのように協働しているのか？　… 157
8　地域をどのように意識して、取り組みにつなげているのか？　… 158
9　実習で何を学んでほしいか？　… 159

## 第8節　小規模多機能型居宅介護・看護小規模多機能型居宅介護 … 161

1　どのようなサービスなのか？　… 161
2　どのような人たちが利用しているのか？　… 162
3　どのような生活や活動をしているのか？　… 164
4　どのようなケアを行っているのか？　… 164
5　どのような人たちといっしょに働いているのか？　… 167
6　介護福祉職はどのようなチームを組んでいるのか？　… 168
7　ほかの職種の人たちとどのように協働しているのか？　… 169
8　地域をどのように意識して、取り組みにつなげているのか？　… 170
9　実習で何を学んでほしいか？　… 171

## 第9節　軽費老人ホーム（ケアハウス） … 173

1　どのようなサービスなのか？　… 173
2　どのような人たちが利用しているのか？　… 174
3　どのような生活や活動をしているのか？　… 176
4　どのようなケアを行っているのか？　… 177
5　どのような人たちといっしょに働いているのか？　… 179
6　介護福祉職はどのようなチームを組んでいるのか？　… 180

7　ほかの職種の人たちとどのように協働しているのか？ … 181
　　8　地域をどのように意識して、取り組みにつなげているのか？ … 182
　　9　実習で何を学んでほしいか？ … 183

## 第10節　障害者支援施設 … 185
　　1　どのようなサービスなのか？ … 185
　　2　どのような人たちが利用しているのか？ … 186
　　3　どのような生活や活動をしているのか？ … 188
　　4　どのようなケアを行っているのか？ … 189
　　5　どのような人たちといっしょに働いているのか？ … 190
　　6　介護福祉職はどのようなチームを組んでいるのか？ … 191
　　7　ほかの職種の人たちとどのように協働しているのか？ … 193
　　8　地域をどのように意識して、取り組みにつなげているのか？ … 194
　　9　実習で何を学んでほしいか？ … 196

## 第11節　医療型障害児入所施設・療養介護施設 … 197
　　1　どのようなサービスなのか？ … 197
　　2　どのような人たちが利用しているのか？ … 198
　　3　どのような生活や活動をしているのか？ … 199
　　4　どのようなケアを行っているのか？ … 201
　　5　どのような人たちといっしょに働いているのか？ … 202
　　6　介護福祉職はどのようなチームを組んでいるのか？ … 204
　　7　ほかの職種の人たちとどのように協働しているのか？ … 205
　　8　地域をどのように意識して、取り組みにつなげているのか？ … 206
　　9　実習で何を学んでほしいか？ … 208

# 第5章　実習Ⅰの展開

## 第1節　実習Ⅰのねらいと実習モデル … 210
　　1　実習Ⅰのねらい … 210
　　2　想定される実習Ⅰのモデル … 211

## 第2節　実習モデル①利用者と出会い、その暮らしを知る介護実習 … 213
　　1　はじめて取り組む実習の目的 … 213
　　2　目標①　暮らしの場が理解できる … 215
　　3　目標②　介護サービスの利用者と出会うことができる … 215
　　4　目標③　生活支援の場を知ることができる … 216

5　目標④　コミュニケーションの大切さを知ることができる … 217
　　　6　実習モデル①と関連する他科目の学習内容 … 217
　演習5-1　介護サービスを利用しているさまざまな人との出会い … 220
　演習5-2　利用者の生活を支援する人たち … 221

## 第3節　実習モデル②介護技術の実践を軸にした介護実習 ……… 222
　　　1　介護技術の実践を軸にした実習の目的 … 222
　　　2　目標①　利用者の状態像を観察することができる … 223
　　　3　目標②　利用者の生活の課題を理解することができる … 223
　　　4　目標③　安全性と快適さに配慮した介護技術を実践することができる … 224
　　　5　目標④　対人関係を意識したコミュニケーションをとることができる … 225
　　　6　実習モデル②と関連する他科目の学習内容 … 226
　演習5-3　食事場面における介護技術の展開 … 228
　演習5-4　認知機能障害のある人への介護技術の展開 … 229

## 第4節　実習モデル③家族、近隣、地域にも目を向ける介護実習 ‥ 230
　　　1　家族、近隣、地域にも目を向ける実習の目的 … 230
　　　2　目標①　利用者を取り巻く家族や近隣との関係に注目できる … 231
　　　3　目標②　利用者を取り巻く社会の支援体制が理解できる … 232
　　　4　実習モデル③と関連する他科目の学習内容 … 233
　演習5-5　あなたを取り巻く家族・親族 … 234
　演習5-6　あなたを取り巻く近所の人たち … 235
　演習5-7　あなたを取り巻く福祉・介護のサービス … 236

# 第6章　実習Ⅱの展開

## 第1節　実習Ⅱのねらいと実習モデル ……………………………… 238
　　　1　実習Ⅱのねらい … 238
　　　2　実習Ⅱのモデル … 239

## 第2節　実習モデル・介護過程を展開する介護実習 …………… 240
　　　1　介護過程の展開を軸にした実習の目的 … 240
　　　2　目標①　観察、コミュニケーション、記録類を通じて介護に必要な情報が収集できる … 241
　　　3　目標②　収集した情報の解釈、関連づけ、統合化をして、利用者の生活課題を明確化できる … 242
　　　4　目標③　利用者や他職種とともに介護計画（介護目標、具体的な支援内容・方法）が立案できる … 243
　　　5　目標④　利用者の安全性、快適さ、自立に配慮した介護が実践できる … 244
　　　6　目標⑤　介護目標が達成できたかの評価ができる … 245
　　　7　目標⑥　具体的な支援内容が適切であったかの評価ができる … 246

8　目標⑦　介護計画を修正する必要があるかの判断ができる … 247
　　9　実習Ⅱのモデルと関連する他科目の学習内容 … 248
　演習6-1　「介護過程の展開」のまとめとふり返り … 249
　演習6-2　あなたが感動したこと・学んだこと … 252

# 第7章　介護総合演習の実際

## 第1節　介護総合演習における知識と技術の統合化 …254
　1　他科目で学んだ知識と技術を統合する方法 … 254
　2　質の高い介護に向けた実践研究 … 259

## 第2節　介護総合演習における介護観の形成 …269
　1　介護観とは何か … 269
　2　介護観を養う … 270
　3　介護観を発信する … 272
　演習7-1　「介護とは何か」を考える … 274

索引 … 275

**執筆者一覧**

---

本書では学習の便宜をはかることを目的として、以下のような項目を設けました。
- 学習のポイント … 各節で学ぶべきポイントを明示
- 関連項目 ………… 各節の冒頭で、『最新 介護福祉士養成講座』において内容が関連する他巻の章や節を明示
- 重要語句 ………… 学習上、とくに重要と思われる語句について色文字のゴシック体で明示
- 補足説明 ………… 専門用語や難解な用語・語句をゴシック体で明示するとともに、側注でその用語解説や補足的な説明を掲載
- 演　　習 ………… 節末や章末に、学習内容を整理するふり返りや、理解を深めるためのグループワークなどの演習課題を掲載

# 第1章 介護総合演習で何を学ぶか

第 1 節　介護総合演習の位置づけ
第 2 節　介護総合演習の目的

# 第 1 節

# 介護総合演習の位置づけ

> **学習のポイント**
> - 介護福祉士養成教育全体のなかで、「介護総合演習」がどのような位置づけになっているかを理解する
> - 「介護総合演習」と従来の「介護実習指導」を比較して、相似点と相違点を理解する

##  介護福祉士養成教育の全体像

　介護福祉士の養成教育は、①介護の根拠となる知識や技術の基本を理論的に学ぶ（＝座学）、②知識や技術の基本をふまえて学内で実際に課題に取り組む（＝演習）、③最先端の現場に出かけて、学校で学んだことや身につけた技術を実践し、自分自身の力量を試し、ふり返り、また新たな学習課題をつかむ（＝実習および実習指導）という3つの学習が交互にくり返されて教育効果を高めていきます。みなさんにとっては、これら3つの側面を自分のなかでしっかりつなげて、学びを深めていくことが大切です。

　2009（平成21）年度から実施されているカリキュラムでは、介護福祉士養成教育にかかわる科目が、「介護」「人間と社会」「こころとからだのしくみ」の3領域に分類されています。「介護」領域を中心として、それを「人間と社会」と「こころとからだのしくみ」の2領域がバックアップしていくという教育体系図が示されました（図1－1）。この体系図は、介護福祉士が学ぶ領域の整理と、科目や領域の相互関連を示したものであり、2018（平成30）年度のカリキュラム改正でも引き継がれています。

　また、2000（平成12）年度から実施されたカリキュラムでは専門科目の最後におかれていた「介護実習指導」（90時間）が、2009（平成21）年度のカリキュラムからは**「介護総合演習」**（120時間）として、「介護」の領域のなかに**「介護実習」**（450時間）とともに位置づけられ、継続指

第1節　介護総合演習の位置づけ

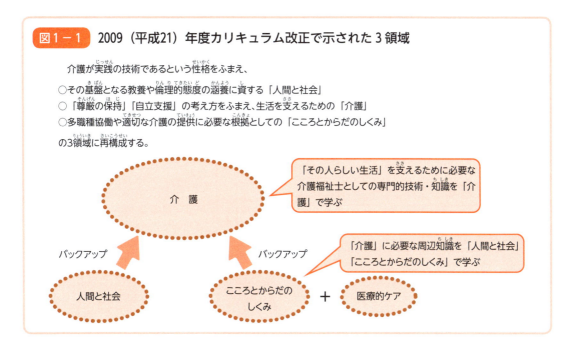

図1-1　2009（平成21）年度カリキュラム改正で示された3領域

介護が実践の技術であるという性格をふまえ、
○その基盤となる教養や倫理的態度の涵養に資する「人間と社会」
○「尊厳の保持」「自立支援」の考え方をふまえ、生活を支えるための「介護」
○多職種協働や適切な介護の提供に必要な根拠としての「こころとからだのしくみ」
の3領域に再構成する。

「その人らしい生活」を支えるために必要な介護福祉士としての専門的技術・知識を「介護」で学ぶ

「介護」に必要な周辺知識を「人間と社会」「こころとからだのしくみ」で学ぶ

導が可能な120時間の演習科目となりました（表1-1）。

## 2　介護総合演習と従来の介護実習指導

　これまでの「介護実習指導」は、各段階・各種別の介護実習の前後に配置され、その実習ごとの準備やふり返りが学習内容の中心でした。しかし、それを「介護総合演習」としたことで、これまで以上に、養成期間中に取り組まれる450時間の介護実習の全体像をふまえたうえで、目の前の個々の実習に取り組み、またそのふり返りを次の実習につなげていくことが求められるようになりました。

　実習の準備期間にみなさんがこれまでに学習している科目の統合化をリアルに意識できるかというと、実はそうではありません。どうしても準備の段階ではまだ実感はわきません。むしろ実習に行ってから、本当にそれに気づくことのほうが多いような気がします。ですから、準備期間で科目の統合化を求めるのは現実的ではありません。むしろ、介護実習終了後のふり返りのときに、実習期間中の体験がすべての科目の内容に反映されていくことになります。

　このように、「実習前」「実習中」「実習後」という一連の流れのなかで、介護福祉士の養成教育にとって大切な個々の科目の内容がつなげられ、見直されて、1つにまとまっていきます。「介護総合演習」には、

## 表1-1 カリキュラム比較表

**2000年度カリキュラム・2年課程**

| | 教育内容 | 時間数 |
|---|---|---|
| 基礎科目 | 人間とその生活の理解（内容自由） | 120 |
| | 小　計 | 120 |
| 専門科目 | 介護概論（講義） | 60 |
| | 医学一般（講義） | 90 |
| | 精神保健（講義） | 30 |
| | 社会福祉概論（講義） | 60 |
| | 老人福祉論（講義） | 60 |
| | 障害者福祉論（講義） | 30 |
| | リハビリテーション論（講義） | 30 |
| | 社会福祉援助技術（講義） | 30 |
| | 社会福祉援助技術演習（演習） | 30 |
| | レクリエーション活動援助法（演習） | 60 |
| | 老人・障害者の心理（講義） | 60 |
| | 家政学概論（講義） | 60 |
| | 家政学実習（実習） | 90 |
| | 介護技術（演習） | 150 |
| | 形態別介護技術（演習） | 150 |
| | 介護実習指導（演習） | 90 |
| | 小　計 | 1080 |
| | 介護実習（実習） | 450 |
| | 合　計 | 1650 |

**2009年度カリキュラム改正・2年課程**

| 領域 | | 教育内容 | 時間数 |
|---|---|---|---|
| 人間と社会 | 人間の理解（必修） | 人間の尊厳と自立 | 30以上 |
| | | 人間関係とコミュニケーション | 30以上 |
| | 社会の理解（必修） | 社会の理解 | 60以上 |
| | 選択 | ※上記必修科目のほか、選択科目 | |
| | | 小　計 | 240 |
| 介護 | | 介護の基本 | 180 |
| | | コミュニケーション技術 | 60 |
| | | 生活支援技術 | 300 |
| | | 介護過程 | 150 |
| | | 介護総合演習 | 120 |
| | | 介護実習 | 450 |
| | | 小　計 | 1260 |
| こころとからだのしくみ | | 発達と老化の理解 | 60 |
| | | 認知症の理解 | 60 |
| | | 障害の理解 | 60 |
| | | こころとからだのしくみ | 120 |
| | | 小　計 | 300 |
| | | 医療的ケア | 50以上 |
| | | 合　計 | 1850 |

注：2018（平成30）年度に改正された現在のカリキュラムについては、表2-1（p.33）参照。

こうした役割が期待されています。

　さらに、「介護総合演習」は、介護実習とほかの各科目との連携を意識することにより、多職種協働の重要性や必要性を意識し、体験していく機会としても位置づけられています。

　また、「介護総合演習」は、さまざまな演習や実習を通して、教員が学生の個々の状況をきちんと把握し、適切な個別指導を行う場であると同時に、最終的には、みなさんがすべての実習体験や養成教育全体をふまえて総まとめに取り組む場ともなっています。

それでは、これだけの内容が盛り込まれた「介護総合演習」の目的を、次節でもう少し具体的に考えていきましょう。

第 2 節

# 介護総合演習の目的

**学習のポイント**
- 介護総合演習の目的を理解する
- 介護総合演習で何を学ぶのかを理解する

## 1 介護実習の指導

「介護総合演習」の目的の第一は、**介護実習の指導**です。

「介護総合演習」では、450時間の実習全体の流れに軸をおいて、理論学習や演習と関連づけながら、まずはそれぞれの実習に向けて、より効果的な実習が展開できるように準備をします。そして、実習中も**巡回指導**や**帰校日**が設けられ、また、必要に応じて施設・事業所側と相談のうえ、カンファレンスや反省会を実施して、みなさんの実習が円滑に行われるようにバックアップをしていきます。そして、実習終了後にはきちんとふり返りをして、次の実習課題につなげていく継続的な学習を行います。

2009（平成21）年度のカリキュラムから、介護福祉士養成に求められる450時間の介護実習は、その目的も時期も実習場所も、各学校の独自性が認められ、各学校によって特徴のある展開となっています。

まず、自分の学校の450時間の介護実習がどのような目的で、どのような時期に、どのような現場で実習が組まれているのか、全体像を把握してください。そのうえで、自分がこれから取り組む実習が全体のなかのどこに位置するのか、さらに次はどこに続くのかを意識して、目の前の実習準備にとりかかりましょう。

とくに、2009（平成21）年度のカリキュラムで新しく設定された**実習施設・事業等(Ⅰ)**（以下、実習Ⅰ）では、実習施設・事業所の範囲が大きく広がり、生活支援の幅の広さを体験し、そこで働くさまざまな関連職種と出会い、施設入所前の、地域で暮らしている利用者やその家族とか

かわり合うことが求められています。

　この背景には、2000（平成12）年4月の介護保険制度導入後、はじめての調査結果をふまえてまとめられ、2003（平成15）年に報告された高齢者介護研究会「2015年の高齢者介護――高齢者の尊厳を支えるケアの確立に向けて」において、要介護高齢者の約半数、施設入所者の約8割に認知症の影響があるとされ、認知症高齢者の新しいケアモデルが求められ、生活の継続性を維持し、可能な限り在宅で暮らすことをめざすための新しいサービス体系が模索されはじめたことがあります（図1－2）。

　だからこそ、今、めざされている地域包括ケアシステムを理解し、地域のどこで働いていても、利用者が、多様化する地域の施設・居宅サービスをうまく利用しながら、自分の住みたい地域で、自分らしく生きることを支援できる介護福祉士の養成が求められています。

　この流れは、2008（平成20）年に政府の社会保障国民会議により報告された2025（令和7）年の医療・介護費用試算の前提となる改革の方向とシナリオでさらに強調され、その後、2008（平成20）年と2010（平成22）年の厚生労働省「地域包括ケア研究会報告書」の提言にひきつがれ、「介護サービスの基盤強化のための介護保険法等の一部を改正する法律」が一部の改正を除き、2012（平成24）年4月1日に施行されています。

　このような背景を受け、グループホームや小規模多機能型居宅介護などの地域密着型サービスでの実習が開始されました。この実習の意図は、新たなサービスに光をあて、実習を通して地域ケアの課題をより明確にし、地域で支え合うことの必要性の認識と参加をうながすことです。

　学校も実習施設・事業所も、この実習Ⅰの打ち合わせを通して、互いにこの実習の意味や実習準備のあり方を確認し、実習中にどのような経験をしくみ、指導をしていくか、どのような記録用紙を準備するかなど、ともに検討して実習にのぞみ、実習開始後もていねいにそれを検証していきます。

　そして、この実習Ⅰを確かなものにしていくには、実際に実習に行く当事者であるみなさんの積極的な実習への取り組みと、その体験からの問題提起が欠かせない条件となるはずです。

　さらに学校側では、これまで以上に実習現場や学生の声を大切にしながら、実習Ⅰでの多種の施設・事業所の組み合わせ方、実習Ⅰと**実習施**

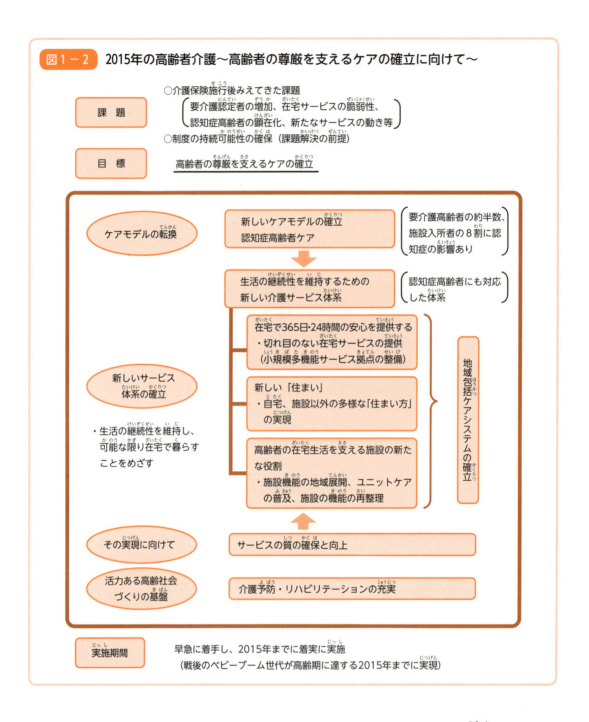

設・事業等(Ⅱ)（以下、実習Ⅱ）のつなげ方、そのための効果的な養成教育のあり方、学校と地域の実習施設・事業所との連携や協力体制のあり方などをあらためて検討していくことになります。

学生のみなさんも、これまでにもまして、自分の学校がある地域に目を向け、介護実習やボランティア活動などを通して地域の現実を学び、地域で暮らす利用者を支えるネットワークの一員としての自覚が求めら

## 2 他科目での学びの統合化

「介護総合演習」の目的の第二は、**他科目での学びの統合化**です。

現在のカリキュラムの特徴は、実習の展開を教育の流れの軸にすえ、その前後に適切な実習指導を行うと同時に、その実習に向かうために必要な知識と技術の学習や演習を、実習の時期や内容と連動させて継続的、総合的に行うことがめざされていることです。

みなさんが実習に向かうときには、学校でのそれぞれの実習ごとの目的をきちんとふまえたうえで、さらに自分なりの目標を立てて準備に入りますが、そのときには、これまで自分が学内で学んだ知識や習得した技術の再確認が必要です。

学校での各科目の進行や内容も、全体の実習の流れや目的をふまえた展開がめざされています。他科目の授業であっても、実習と関連させて積極的に学び、質問や要望を出してください。

「介護総合演習」の場でも、みなさんの実習課題への取り組み状況をみながら、他科目の学習内容や進行状況、到達目標を教員が確認します。

実習とは、それまで受講してきたすべての科目での学びを自分のなかで統合化してのぞむものであることを、きちんと自覚してください。実習に行く施設・事業所の歴史や特徴、また、利用者との向き合い方や、疾病や障害の特性、実際の介護場面での基本的な動き方等、ほとんどのことをみなさんは学んできたはずです。それらをもう一度確認して実習にのぞんでください。

しかし、だからといって、それらに必要以上にこだわることはありません。実習先でのやり方や考え方にもおおいに興味を示し、柔軟に受け入れ、なぜそうするのかという根拠を学んでください。そして、「介護総合演習」の場で、それぞれの実習施設・事業所での取り組みを情報交換し、検討してみてください。それらをさらに関連科目を学ぶときの学習課題にしていくことも可能です。

「介護総合演習」は、すべての科目を、介護実習を通じて意識的につなぎ、検証し、実習と養成教育をより効果的に展開していく要としての役割をになっています。

## 3 多職種協働の意味と重要性の意識化

　「介護総合演習」では、実習体験のみのまとめにとどまらず、体験したことを、他科目で学んできたこととどうつなげて考えていくのか、どこまでつなげて考えていけるかがとても大切です。

　たとえば、実習Ⅰでのグループホームの実習体験を通して、入居前の地域での暮らしや家庭の現実、グループホーム入居にいたる経過や葛藤、認知症の特性やそれゆえの生活のしづらさ、入居者が安心して暮らすための認知症ケアのあり方、グループホームの現状や課題、地域の理解促進と支援体制づくりなど、さまざまなことを学習すると思います。これらのことを実習後に整理する際、多くの職種がいればいるほど、多面的な視点で生活支援の課題を考えていくことが可能となります。

　つまり、実習終了後、「介護総合演習」での実習報告会や介護過程の展開を行ったケース検討会などに、他科目を担当する教員たちが参加し、それぞれの専門領域にもとづいた視点で分析したりアドバイスを行うことで、みなさんの実習体験での学びは深められ、広げられ、より確かなものになっていきます。そのことを通じて、利用者の生活支援という幅の広い課題に取り組むときの**多職種協働**の大切さを身をもって体験することになり、協働する専門職の専門性の理解にもつながっていくはずです。

　このように、「介護総合演習」は目的の第三である**多職種協働の重要性や必要性**を、学生時代から実践的に学ぶ場であるといえるでしょう。

　さらにこれからの介護福祉士養成教育は、これまで以上に大きく変化する最先端の福祉現場の状況を見すえながら、そこで働く実習指導者をはじめとする職員に加えて、利用者やその家族のおかれている現実からの学びが不可欠です。実習Ⅰでもこのことは強調されていますが、「介護総合演習」では、現場の職員や卒業生に加えて、利用者や家族も含めた意見交換の場をつくっていくことも今後は大切になるでしょう。

　介護福祉士として、これからの新たな取り組みを構想する一員となり、そこで新たな役割をつくり出し、その任務を果たしていくためには、利用者を中心としながら、それを支援する多くの関連職種との共同作業が必要です。「介護総合演習」は、その一端を体験する場としても位置づけられています。

## 4 学習到達状況の把握と個別指導

「介護総合演習」の目的の第四は、みなさんの**学習到達状況の把握**と、それをふまえた**適切な個別指導**です。

「介護総合演習」の場では、みなさんの学習到達状況と、それをベースとしたさまざまな実習場面での応用力や実践力がよくみえるはずです。実習目標や実習課題もそれに応じて、個々にていねいに設定することが大切です。実習中であっても実習担当教員や実習指導者と相談して、達成可能な実習目標に変更する勇気も必要になるかもしれません。

また、当然のことですが、実習にのぞむ姿勢も、実習現場での動き方も、利用者や職員とのかかわり方も、記録の書き方やふり返り方も、学校で原則的な勉強はしていても、実際の場面ではみなさん1人ひとり独自に展開していくこととなります。実習でのとまどいも悩みも人によって違います。それがあたりまえなのですから、もしそういう事態におちいったときは、1人でかかえこまずに自分の状況をしっかりと実習担当教員に伝え、個別相談や指導を受けてください。

とくに、実習Ⅱ（介護過程の展開を目的にした実習）では、みなさんそれぞれの学習到達状況をはじめ、実習の取り組み方の特徴が顕著にあらわれます。実習Ⅱでは、利用者への生活支援を目標とした幅広い情報収集にもとづくアセスメントと適切な目標設定、介護の実施、評価・修正に取り組みます。みなさんが利用者の介護過程の展開に取り組みながら、他科目を担当する教員や実習指導者から指導を受けることは、教育する側からみれば、みなさん1人ひとりの「教育過程の展開」に、より実践的にかかわっていくということであり、それは多職種協働で行われることが大切です。そのため、この部分は「介護総合演習」だけでなく、並行して「介護過程」という独立した科目も設定されており、きめ細かな指導がめざされています。

みなさんもまた、1人ひとりの状況がきちんと受けとめられ、それに応じた相談や指導が適切に受けられる経験を通じて、利用者1人ひとりを大切にする個別ケア（利用者の介護計画の作成やそれを実現していく介護過程の展開）の重要性が実感できるのではないでしょうか。

## 5 養成教育全体の総まとめ

「介護総合演習」の最終目的は、**養成教育全体の総まとめ**です。

日々の学びを実習の場で検証し、現実にぶつかり、またそこでの出会いや体験にはげまされながら、自分自身をふり返り、課題をつかみ直してまた学びを積み重ねて、介護福祉士をめざすあゆみは進んでいきます。

それぞれの目的で設定された実習体験を意味づけし、実習中の出来事や介護過程の展開をふり返り、記録やまとめを行い、報告・討議し合うなかで、介護をどのようにとらえるか、介護福祉士としてどうあるべきかなど、自己の介護に対するイメージがより確かなものとなり、みずからの介護観が確立していきます。

すべての実習にかかわる取り組みの終了後、「介護総合演習」では、これまでの実習体験を整理し、それぞれの実習目標の達成度を評価するとともに、養成教育全体をふまえて自己の介護観や介護福祉士としての倫理観や職業観の確立に向けて効果的な演習を行い、養成教育全体の総まとめを行います。

なお、それぞれの学校では、「介護総合演習」と同時並行で、最終学年に「課題研究」や「卒業研究」を設けていたり、「介護の基本」や「介護過程」の最後のまとめとも重なる部分が出てくるでしょう。他科目の進行状況や内容ともしっかり関連づけながら総まとめに取り組んでください。

# 第 2 章

# 介護実習で何を学ぶか

第 1 節　介護実習の意義と目的
第 2 節　介護実習の種類
第 3 節　実習前の学びと、実習後の学びのいかし方

第 1 節

# 介護実習の意義と目的

**学習のポイント**
- 介護実習の意義と目的を理解する
- 介護実習にのぞむにあたり、目標をもつことの大切さを理解する
- 介護実習では、個別ケアの視点をもつことを理解する
- 「実習前→実習中→実習後」という介護実習のおもな流れと、それぞれの時期における学習のポイントを理解する

## 1 なぜ介護実習が必要なのか

あなたはなぜ介護福祉士になりたいと思いましたか。また、あなたはどんな介護福祉士になりたいと考えていますか。

おそらく、それを考えるときには何か具体的な場面や様子を思い浮かべているのではないでしょうか。そこには介護をしている人や、介護を受けている人が登場していると思われます。

みなさんのその体験や率直なイメージが出発点になって、これから本格的に専門職になるための学習が始まります。**介護実習**は、これから2年間(大学にあっては4年間)、さまざまな形態や期間を通じて続いていきますが、1回1回、1日1日を大事な気づきと学びの機会であるととらえて、多くの人に支えてもらいながら進めていきましょう。

### 1 介護福祉士養成教育における介護実習の位置づけ

介護福祉士になるための学習をするにあたってもっとも重要なのは、まず基礎的な知識を身につけることです。さらに、それを発展させる演習を通じて応用的な思考の訓練をし、具体的な技術を習得します。そして、それらを統合して、介護サービスを利用している人のニーズに対し

て介護をどのように展開していけばよいのかを実践的に体験し、習得し、学びを深める機会が介護実習になります。

介護福祉士が学ばなければならない介護福祉学は、抽象的な学問ではなく、実践的な学問です。したがって、実習は不可欠なものであり、実習を通して介護の現場で何が求められているのか、どのような技術が必要なのかを体感することは、非常に意義があります。そして、介護の現場で1人ひとりが実習を通して抱く思いや疑問は、重要な気づきとしてのちの学習につながっていきます。

介護福祉士の実践は、まだ30年余りの歴史しかもち合わせていません。したがって、多くの課題や多くの矛盾のなかで、目の前の高齢者や障害のある人々の暮らしを何とか支えようとしてきた先輩たちの苦労の歴史を理解したうえで、よりよいケアのあり方を追求していく必要があります。介護の現場で見聞きすることを批判するのは簡単ですが、それをどのように変えることができるのかを提案することが求められます。利用者の人権を守りながら、介護者の人権も守るといった命題に挑戦するために、私たちは学んでいるのです。

また、高齢者や障害のある人々のよりよい暮らしを保障するためには、支援の方法をどのように工夫するべきか、という検討を重ねることに意義があります。介護の現場を通してあなたが感じること、考えること、これらを最終的には研究という形でまとめることができるのも、介護実習の醍醐味だと考えてみてください。

## 2 介護実習の目標

さて、介護実習にのぞむときに、忘れてならないのは目標です。「この実習で何を学習するのか」「この実習でどのような知識や技術や考え方を身につけるのか」などを目標として明確にかかげ、主体的に実習に向かってください。資格をとるために必要だから何となく実習に行く、という姿勢で向かえば、実習中の行動や実習後の成果に大きな違いが生まれます。

個々人が実習計画書を作成し、目標を明確にして介護実習にのぞむことによって、緊張やとまどいのなかで見失ってしまいがちになる自分の位置を、きちんと実習中に自分で再確認し、行動を自制することが可能になります。

そのため、毎日実習記録を書くときには、自分が作成した実習計画書を隣に置いて、目標を確認しましょう。アルバイトに来たわけでも、ボランティアに来たわけでもなく、将来、介護福祉士として働くための技術や実践力を身につけるために実習に来たことを、記録を書きながら自覚できると思います。

消極的に実習にのぞんだ場合、実習先の利用者や職員はあなたに本気で力を貸してくれないかもしれません。実習の場は、利用者にとっては生活の場であり、職員にとっては実践の場です。そこでは、利用者の生活が何よりも優先されます。それでも将来介護の仕事をする人たちを自分たちも育てたいという利用者や職員の思いがあって、実習が実現しています。だからこそ、その期待を裏切らないでほしいと思います。

それでも、どうしても消極的な状況になってしまうことがあるかもしれません。そのようなときには、話しやすい教員や現場職員や利用者に、今の自分の気持ちを正直に語り、助けを求めることがあってもよいのではないかと思います。

さて、介護実習の**ねらい**は、厚生労働省から、次のように示されています。

> ①　地域における様々な場において、対象者の生活を理解し、本人や家族とのコミュニケーションや生活支援を行う基礎的な能力を習得する学習とする。
> ②　本人の望む生活の実現に向けて、多職種との協働の中で、介護過程を実践する能力を養う学習とする。

介護実習は、厚生労働省が定める450時間という実習時間を何回かに分けて実施しますが、各学校では以下の実習が用意されます。

❶　対象者の生活と地域とのかかわりや、地域での生活を支える施設・機関の役割を理解し、地域における生活支援を実践的に学ぶ実習

❷　多職種との協働のなかで、介護福祉士としての役割を理解するとともに、サービス担当者会議やケースカンファレンス等を通じて、多職種連携やチームケアを体験的に学ぶ実習

❸　介護過程の展開を通して対象者を理解し、本人主体の生活と自立を支援するための介護過程を実践的に学ぶ実習

現在、厚生労働省は、2025（令和7）年をめどに、高齢者の尊厳の保持と自立生活の支援の目的のもとで、可能な限り住み慣れた地域で、自

分らしい暮らしを人生の最期まで続けることができるよう、地域の包括的な支援・サービス提供体制「地域包括ケアシステム」の構築を推進しています。そこでは、介護と医療の連携が重要視されています。

また、地域共生社会の実現に向けた地域づくりも進められています。地域共生社会とは、社会構造の変化や人々の暮らしの変化をふまえ、制度・分野ごとの「縦割り」や「支え手」「受け手」という関係を超えて、地域住民や地域の多様な主体が参画し、人と人、人と資源が世代や分野を超えてつながる社会のことをいいます。介護実習においては、今後、対象者を取り巻く地域を意識し、地域のなかで支えられ、支える生き方をしている対象者の支援を学ぶ実習が積極的に展開されていきます。

そして、この厚生労働省が示すねらいをもとに、各学校では、介護実習全体の目標と実習ごとの目標が作成されています。それらをふまえつつ、みなさん1人ひとりがそれぞれの実習ごとに目標をきちんと意識して実習計画を立て、介護実習に主体的にのぞんでください。

## 3 介護実習と個別ケアの視点

社会保障・社会福祉の歴史については「人間と社会」の領域の科目で学習していると思いますが、日本のみならず世界のあちらこちらで貧困者や障害のある人々、身寄りのない高齢者に対して、人権を無視した処遇を行ってきた歴史があります。大勢の人を大規模な施設に収容・保護してきた時代には、施設の運営や職員の業務の流れが重要視され、そこに暮らしている1人ひとりの願いや思いは無視されがちでした。これは大変不幸な時代です。

みなさんがこれからめざす介護は、そうした過去を直視しつつ、反省すべき点は反省し、高齢者や障害のある人々が人間としての尊厳を保持できるようにするものです。そのために、介護実習の場では、利用者1人ひとりの生活のペースや個性や価値観を理解するという「個別化」の視点に軸をおき、個別ケアが具体的に生活場面でどのように行われているのかを学ぶことになります。

個別ケアを行おうとするときには、コミュニケーション能力が不可欠であることをあらためて現場で確認することになるでしょう。視覚や聴覚、言語や認知機能などに障害のある人々の暮らしの課題は、一見しただけでは十分に理解できません。胸に秘めている思いや考えを聴かせて

もらう必要があります。そのための方法を、「コミュニケーション技術」「生活支援技術」「認知症の理解」「障害の理解」の授業で学んでおきましょう。あなたが知りたいと願う強い思いと知識が合わさったときに、コミュニケーションの障害という壁を乗り越える道がみえてくるはずです。

　また、介護福祉士は地域でも施設でも幅広く活躍していますが、介護実習を通して、介護福祉士は決して自分1人で、あるいは介護福祉士という職種だけで利用者の生活を支えているわけではないことに気づくはずです。医師や歯科医師、薬剤師、保健師、看護師、歯科衛生士、管理栄養士、社会福祉士や精神保健福祉士（相談員、ソーシャルワーカーとも呼ばれます）、理学療法士、作業療法士、言語聴覚士など、大勢の専門職とチームを組んで利用者の個別ケアに取り組んでいることを学んでください。

## 2 介護実習のおもな流れ

　はじめて介護実習にのぞむ人は、きっとドキドキしていることでしょう。だんだん実習の課題がむずかしくなるので、介護実習に出る前は、みなさんが緊張しているのがわかります。大きな不安で胸がしめつけられそうになったり、眠れなくなったりしている人もいるかもしれません。実際に、胃腸の調子をくずす人もいます。

　これまでたくさんの学生を介護実習に送り出し、伴走し、ゴールでテープを持って迎えてきましたが、指導する教員もいつも同じような心境です。見知らぬ人に接するときに緊張するのはだれでも同じです。迎える側の実習指導者も同様ではないかと想像しています。みなさんも指導する教員も実習指導者も、介護実習が始まるときは緊張しているのです。しかし、それは悪いことではありません。適度な緊張がないと、人の生命や暮らしにかかわる仕事では事故が起こってしまうことがあります。ですから、緊張することをはずかしく思ったり、否定したりする必要はありません。

　さて、そうはいってもはじめての実習にのぞむみなさんはとくに、日々高まる緊張に悩んでいるでしょうから、次は介護実習のおもな流れについて、ガイダンスを行ってみましょう。

第 1 節　介護実習の意義と目的

> **図 2 − 1**　介護実習のおもな流れ
>
> | 実習前 | ①実習施設・事業所を理解するための学習<br>②利用者を理解するための学習<br>③介護実習にのぞむためのマナーや心得の学習<br>④個人票や誓約書の作成、実習先への提出<br>⑤個人の実習計画書の作成、実習先への提出<br>⑥実習施設・事業所の事前訪問<br>⑦介護技術の練習 |
>
>
>
> | 実習中 | ①個人の実習計画書にもとづいた実習<br>②実習指導者によるスーパービジョン<br>　例）業務や利用者のガイダンス、個別ケア、介護技術やコミュニケーション技術の指導、実習計画の進め方や悩みの相談　など<br>③実習担当教員によるスーパービジョン<br>　例）記録の書き方指導、介護技術やコミュニケーション技術の実際の指導、介護過程に関する指導、悩みの相談　など<br>④帰校日のスーパービジョン<br>　例）記録の指導、介護過程のアセスメント（情報収集、課題分析）の指導、介護計画の立案の指導、悩みの相談　など |
>
>
>
> | 実習後 | ①実習施設・事業所に礼状を書く<br>②実習ファイル（実習ノート）の提出と記録類のふり返り<br>③実習総括レポートの作成<br>④実習報告会<br>⑤事例検討会<br>⑥自己評価と実習施設・事業所の評価、実習担当教員の評価から自己覚知、課題の明確化、個人面談 |

## （1）実習前（準備段階）

　介護実習を実りあるものにするためには、「介護総合演習」の授業への取り組み姿勢が問われます。「介護総合演習」は、主として介護実習の準備やふり返りのためにある科目といえるからです。

　「介護総合演習」を通じて、どのような種類の介護実習でも共通して必要となる事前学習がいくつかあります。

① 実習施設・事業所を理解するための学習

　テキストをはじめとする書籍やインターネット、卒業生が残してくれた資料などを活用して、介護実習が行われる施設や事業所の機能や役割を理解しておくことが必要です。また、そこで働いている職員の

**❶事前訪問**
p.48参照

職種や人数等を理解しておくことも必要です。そして、**事前訪問❶**を通じて実際にその施設や事業所を見学し、実習指導者に面会のうえ、直接質問をして理解を深めていきましょう。とくに、施設や事業所の理念や運営方針は、この事前訪問でしっかりと学んでおきましょう。

② 利用者を理解するための学習

高齢者や障害のある人々には、さまざまな種類の疾患や障害があります。そのため、事前訪問をした際には、その実習施設・事業所の実習指導者に、利用者に関する質問をして、疾患や障害などの特徴を事前学習しておきましょう。そして、その利用者が生活する地域の特徴なども調べておきましょう。

さらに、疾患や障害の学習をふまえて、その実習施設や事業所の利用者にふさわしい介護技術や生活支援技術について、学習や練習をしておきましょう。

③ 介護実習にのぞむためのマナーや心得の学習

対人援助サービスである介護福祉士の仕事には、対人マナーは絶対不可欠です。信頼関係を築くことからケアは始まるので、利用者から疎まれたり不快感をもたれたりしないように、社会人として当然のマナーを身につけて介護実習にのぞみましょう。ここには、身だしなみなどの要素も含まれます。また、ほうれんそう（報告・連絡・相談）といった、専門職をめざす者にとって必要な心得も習得しておきましょう。

そのほか、実習施設・事業所の実習指導者には、みなさんの自己紹介を書いた個人票や実習計画書を作成して事前に提出します。これらの書類は、実習指導者が実習生を理解し、必要な支援を行うために不可欠なものです。的確な**スーパービジョン❷**を受けるために、配慮が必要な疾病や障害等があれば個人票にきちんと記入しておくか、事前訪問のときに直接実習指導者に伝えましょう。また、実習計画書にはそれぞれの実習の目標や行動計画を記載しましょう。

なお、みなさんの個人情報の取り扱いについては、学校から実習施設・事業所に十分配慮をしてほしいことは伝えられています。安心して介護実習にのぞみましょう。その際、実習施設・事業所側からも利用者の個人情報保護について諸注意があると思いますので、遵守しましょう。それを履行する約束として、「誓約書」を提出します。

**❷スーパービジョン**
未熟な社会福祉専門職（介護福祉士をめざす学生も含む）を経験豊かな専門職が指導したり、支えたりしながら成長させていく教育と訓練の方法のこと。

## （２）実習中（活動段階）

　介護実習が始まると、実習指導者や実習担当教員からスーパービジョンを受けることになります。困っていることや悩んでいることがあったら率直に伝え、助言や支援を受けましょう。

① 実習指導者からのスーパービジョン

　利用者の理解に行きづまりを感じたり、実習目標が達成できそうにないときには、きちんとみなさんから実習指導者に相談をもちかけましょう。

　実習施設・事業所によっては、毎日夕方にミーティングの時間を設けているところもありますが、たいていは、一定の期間で区切り、「中間総括・カンファレンス」などの名称で、グループ単位でのスーパービジョンを行っています。グループのほかのメンバーの発言にも十分関心を寄せ、実習指導者の助言のなかから多くの学びをえることが大切です。

　場合によっては、ほかの専門職に直接質問できる機会や、利用者の家族と面談する機会をえられることもあります。聞き方や質問の内容について不安があるときは、実習指導者に相談してみましょう。

② 実習担当教員からのスーパービジョン

　実習担当教員が、<u>巡回指導</u>という形で、１週間に１回以上みなさんの実習施設・事業所を訪問してスーパービジョンを行ってくれます。実習の課題によって、グループスーパービジョンを行う場合と、個人スーパービジョンを行う場合があります。もちろん、グループスーパービジョンのあとで、実習課題が十分達成できていない実習生や深い悩みをもつ実習生の個人スーパービジョンを行う場合もあります。

　多くの悩みや疑問は、実習指導者による毎日のスーパービジョンで解決できるものと思われますが、それでも解決できない問題や実習生では調整できない問題が生じた場合には、巡回指導の実習担当教員が実習指導者と相談して解決の方向に導いていくことになっています。

　巡回指導によるスーパービジョンには、実習日誌の書き方や内容についての指導もあります。メモをとりながら聞いて、その日の記録や実習の取り組み方について早速修正していきましょう。また、介護技術やコミュニケーション技術の方法について、実習担当教員が利用者の暮らしの場でのみなさんの実践場面に同席して指導するライブスーパービジョンを行うこともあります。

③ 帰校日のスーパービジョン

　実習中に**帰校日**が設定してある介護実習があります。これは、多くの場合、短時間の巡回指導だけでは十分指導できない、きちんとした成果物を作成できないと学校が判断した場合に設定されます。

　たとえば、実習Ⅱ（介護過程の展開を目的にした実習）では、アセスメント（情報の収集、情報の解釈、関連づけ、統合化、生活課題の明確化）や、介護計画の立案と評価など、非常に時間を要する課題が設定されています。とくに、アセスメントや介護計画の立案は、それまでに学んできた知識をフル回転させても追いつかず、あらためてテキストに戻ったり、学習を深めたりする必要が生じます。場合によっては、介護計画の実施に必要な福祉用具（補助具）や物品などを手づくりすることもあります。

　それらの時間を保障するために、資料や道具がそろっている学校で作業を行う帰校日が設定されることがあります。帰校日には、学校で実習担当教員をはじめとする複数の教員の指導を受けながら、テキストなどを参考にして、時間をかけた学習や作業を進めることになります。

## （3）実習後（ふり返り段階）

　長い期間をかけて準備した介護実習が無事に終了すると、ホッとするでしょう。事前に立てた実習の目標が達成できていればなおさらです。そしてその思いは、実習生だけでなく、実習指導者や実習担当教員も同じです。

　しかし、介護実習はこれで終わりではありません。実習の成果は、事後の取り組みに大きく左右されます。そこで、気持ちをゆるめることなく、事後の取り組みを始めましょう。

　まず、実習施設・事業所に礼状を書きます。そして、実習ファイル（実習ノート）の最後に入っている自己評価表を記入しましょう。その後、実習ファイル（実習ノート）のふり返りをしながら、実習総括レポート（実習報告書）をまとめます。実習報告会や事例検討会、個人面談を通して自分自身をふり返ることができたとき、その実習が終わることになります。

# 第 2 節

# 介護実習の種類

### 学習のポイント

- 介護実習が「実習Ⅰ」と「実習Ⅱ」の2つに分かれていることを確認する
- 実習Ⅰの枠組み（実習の目的、内容、おもな実習先など）および実習中にもっておきたい視点について理解する
- 実習Ⅱの枠組み（実習の目的、内容、おもな実習先など）および実習中にもっておきたい視点について理解する

## 1 介護福祉士養成カリキュラムと介護実習

　介護福祉士養成カリキュラムの「介護実習」の内容は、2009（平成21）年度から、大きく変更されました。具体的には、**実習施設・事業等（Ⅰ）**（以下、実習Ⅰ）と**実習施設・事業等（Ⅱ）**（以下、実習Ⅱ）という2種類の介護実習が行われることになりました。

　この実習Ⅰと実習Ⅱでは、それぞれ実習の目的や内容に違いがあります。また、実習先に関する規定についても違いがあります。とくに、実習Ⅰは、従来の介護実習にはなかった視点を取り入れた実習になっています。まず、それを理解する必要があります。

　「生まれ育った土地で暮らし続けたい」「家族や親族、友人が近くにいる場所で、1人気ままに、自分の好きなことをして暮らしたい」「住み慣れたわが家で最期まで暮らしたい」など、人々はさまざまな思いや願いを抱いて日々の暮らしを送っています。その場所は、自宅であったり、賃貸住宅であったり、多種多様な施設であったりします。そうしたなかで、介護福祉士は、介護を必要とする高齢者や障害のある人々に対して、それぞれその人らしい生活を支援することになります。したがって、これからの介護福祉士は、今日の多様な暮らしの場を知っておく必要があり、そこでの介護実践を経験しておく必要があります。

　そのためには、「施設介護」と「在宅介護」という従来の枠組みにと

らわれることなく、介護を必要とする高齢者や障害のある人々も、私たちと同じ地域のなかで暮らしているという視点に立つことが大切になります。同じ地域のなかで、施設にいるか、自宅にいるか、あるいは新しい形態の住宅にいるかというように、あくまでも暮らしの場がどこなのかという違いだけが問われるわけです。

介護サービスの利用者がみずから選択する場所で生活を送れるように支援できる幅広い知識と技術が、今、介護福祉士には求められています。このような背景をもとに、現在のカリキュラムの介護実習は位置づけられています。

## 2 実習Ⅰの目的とおもな実習内容

### 1 厚生労働省が示す実習Ⅰの枠組み

2007（平成19）年度に厚生労働省が示した資料（「介護福祉士養成課程における教育内容等の見直しについて」）によれば、実習Ⅰのねらいは、「利用者の生活の場である多様な介護現場において、利用者の理解を中心とし、これに併せて利用者・家族との関わりを通じたコミュニケーションの実践、多職種協働の実践、介護技術の確認等を行うこと」に重点をおいた実習であると位置づけられています。

あわせて、実習Ⅰを実施する施設・事業等について、次のように定められています。

> 実習施設・事業等（Ⅰ）は、厚生労働大臣が別に定めるものであって、介護保険法その他の関係法令に基づく職員の配置に係る要件を満たすものであること。

なお、ここでいう「厚生労働大臣が別に定めるもの」とは、次の施設・事業等を意味しています。

- 労働者災害補償保険法に規定する被災労働者の受ける介護の援護を図るために必要な事業に係る施設であって、年金たる保険給付を受給しており、かつ、居宅において介護を受けることが困難な者を入所させ、当該者に対し必要な介護を提供するもの
- 児童福祉法に規定する福祉型障害児入所施設、指定発達支援医療機関及び障害児通所支援事業
- 生活保護法に規定する救護施設及び更生施設
- 老人福祉法に規定する老人デイサービスセンター、老人短期入所施設、養護老人ホーム、特別養護老人ホーム及び老人介護支援センター並びに老人居宅生活支援事業
- 介護保険法に規定する指定施設サービス等を行う施設並びに居宅サービス（訪問看護、訪問リハビリテーション、居宅療養管理指導、福祉用具貸与及び特定福祉用具販売を除く）を行う事業、指定地域密着型サービスを行う事業、介護予防サービス（介護予防訪問リハビリテーション、介護予防居宅療養管理指導、介護予防福祉用具貸与及び特定介護予防福祉用具販売を除く）を行う事業、指定地域密着型介護予防サービスを行う事業並びに第一号事業（第一号訪問事業及び第一号通所事業に限る）
- 障害者の日常生活及び社会生活を総合的に支援するための法律に規定する障害者支援施設及び地域活動支援センター並びに障害福祉サービス事業及び移動支援事業
- 身体上又は精神上著しい障害があるために常時の介護を必要とし、かつ、居宅においてこれを受けることが困難な原子爆弾被爆者を入所させ、養護することを目的とする施設
- 身体上又は精神上の障害があることにより自ら入浴するのに支障がある者に対し、その者の居宅に浴槽を搬入し、使用させる事業であって、同時に入浴の介護を行うもの

また、次のような指針も示されています。

　実習施設・事業等（Ⅰ）の選定に当たっては、実習施設・事業等（Ⅱ）を含めた介護実習全体で施設における実習に片寄ることのないよう、短期間であっても、訪問介護等の利用者の居宅を訪問して行うサービスや小規模多機能型居宅介護等のサービスを含む居宅サービスを実習施設・事業等として確保することにより、利用者の生活の場である多様な介護現場において個別ケアを体験・学習できるよう、配慮すること。
　実習施設・事業等（Ⅰ）の種別の選定に当たっては、実習施設・事業等（Ⅱ）を含めた介護実習全体で特定の施設・事業等の種別に片寄ることのないよう、高齢者関係施設・事業等、障害者関係施設・事業等及び児童関係施設・事業等で多様な経験・学習ができるよう配慮すること。

## 2 実習Ⅰでの学び

### （1）学びのポイント①
### 　　「利用者のさまざまな暮らしの場を理解する」

　実習Ⅰでは、利用者の暮らしや住まい等の理解を行うことができるように、「利用者の生活の場として、小規模多機能型居宅介護事業、認知症対応型老人共同生活援助事業等を始めとして、居宅サービスを中心とする多様な介護現場」を実習先として提案しています。

　この背景には、介護を必要とする高齢者や障害のある人々の暮らしの場が、広がりをもつようになったことがあります。それは、自宅と入所施設だけではなく、グループホームや有料老人ホーム、**サービス付き高齢者向け住宅**❶や障害者用住宅など、新しい形の暮らしの場がどんどん増えているからです。さらには、それぞれの場所で、地域のなかにあるさまざまな介護サービスを活用しながら暮らしている人も増えています。介護保険制度において、地域密着型サービスとして位置づけられている小規模多機能型居宅介護なども、その一例といえるでしょう。

　これから介護福祉士をめざすみなさんは、介護実習を通じて、そうしたさまざまな生活の場をきちんと知る必要があります。

　一方、特別養護老人ホームや介護老人保健施設といった従来の入所型介護施設においても、**ユニットケア**❷や小規模化などが進められており、これまでの集団処遇から個別ケアへと、ケアの視点も変わってきています。それにともなって、高齢者の施設での暮らし方もずいぶん変化してきました。

　したがって、同じ種別の施設や事業所で長期間実習するのではなく、短期間でも多くの実習先を回り、利用者のさまざまな暮らしの場を理解することが、実習Ⅰでは大切なポイントの1つになるといえるでしょう。

### （2）学びのポイント②
### 　　「さまざまな利用者に出会い、思いや願いにふれる」

　大規模な入所型施設で暮らしている高齢者や障害のある人々のなかには、自分のしたいことや要望を職員に伝えることを、「わがままだと思われたらどうしよう」とためらってしまう人がいるようです。実際、以前には、集団生活や平等という言葉のもとに、利用者の思いや願いがか

---

❶**サービス付き高齢者向け住宅**
高齢者の居住の安定確保に関する法律に規定する高齢者向けの賃貸住宅または有料老人ホームのうち、居住用の専用部分に高齢者を入居させ、状況把握サービス、生活相談サービスその他の高齢者が日常生活を営むために必要な福祉サービスを提供する住宅。

❷**ユニットケア**
特別養護老人ホームなどにおいて、居室をいくつかのグループに分けて1つの生活単位とし、少人数の家庭的な雰囲気のなかでケアを行うもの。個室を原則としており、10名程度の高齢者が1つのユニットを構成している。

き消されていた時代もありました。その反面、積極的に自分の要求を強く主張した利用者もいました。

　介護を必要とする高齢者や障害のある人々と一口にいっても、実にさまざまな人たちが存在します。したがって、思いや願いもそれぞれ異なっており、人の数だけあります。そこで、介護福祉士をめざすみなさんには、できるだけ早い時期に、いろいろな暮らしをしている高齢者や障害のある人々に出会い、コミュニケーションを通じて、その人たちの思いや願いにふれてほしいと思います。1人ひとりとゆっくりかかわることができる介護実習を通じて、利用者のこころにふれてみましょう。利用者の思いや願いを決して「わがまま」と受け取るのではなく、当然の権利だと認識して、耳を傾けましょう。それが、利用者のニーズを把握する第一歩となります。

## （3）学びのポイント③
### 「利用者の家族ともコミュニケーションをはかってみる」

　介護を必要とする利用者の暮らしには、家族の存在も影響を与えています。たとえば、自宅で同居している場合には、互いに何でも話し合える関係性にある一方で、家族だからこそ遠慮をしてしまうという側面もあると思います。また、介護疲れで倒れそうになりながらも、自宅介護にこだわってしまっている家族もいます。家族支援も介護福祉士の大事な役目です。

　いずれにしても、利用者の思いや願いにふれるほかに、その家族にも目を向け、家族の訴えに耳を傾けてみることは、利用者への理解を深めることにつながっていきます。

　これからはよりいっそう、利用者1人ひとりの個性や生活リズムを尊重した介護の実践が求められます。実習Ⅰでは、その基本となる利用者1人ひとりの理解が学習のポイントとなり、その際の重要な要素の1つに家族の存在があります。

## 3 実習Ⅱの目的とおもな実習内容

### 1 厚生労働省が示す実習Ⅱの枠組み

　2007(平成19)年度に厚生労働省が示した資料(「介護福祉士養成課程における教育内容等の見直しについて」)によれば、実習Ⅱのねらいは、「一つの施設・事業等において一定期間以上継続して実習を行う中で、利用者ごとの介護計画の作成、実施後の評価やこれを踏まえた計画の修正といった一連の介護過程のすべてを継続的に実践すること」に重点をおいた実習であると位置づけられています。

　あわせて、実習Ⅱを実施する施設・事業等について、次のように定められています。

> 　実習施設・事業等(Ⅱ)は、厚生労働大臣が別に定めるものであって、次に掲げる要件を満たすものであること。
> ・実習指導マニュアルを整備し、実習指導者を核とした実習指導体制を確保できるよう常勤の介護職員に占める介護福祉士の比率が3割以上であること。
> ・介護サービスの提供のためのマニュアル等が整備され、活用されていること。
> ・介護過程に関する諸記録(介護サービスの提供に先立って行われる利用者のアセスメントに係る記録、実際に提供された介護サービスの内容及びその評価に係る記録等)が適切に整備されていること。
> ・介護職員に対する教育、研修等が計画的に実施されていること。

　なお、ここでいう「厚生労働大臣が別に定めるもの」とは、実習Ⅰで示したものと同様です。

### 2 実習Ⅱでの学び

#### (1) 学びのポイント①
　　　「実習Ⅰの体験をふまえて、介護過程を展開する」

　実習Ⅱでは、「個別ケアを理解するため、介護計画の作成、実施後の評価やこれを踏まえた計画の修正といった介護福祉士としての一連の介護過程のすべてを実践する場としてふさわしい」施設や事業所を実習先として提案しています。つまり、実習Ⅰでの体験をふまえながら、介護

技術やコミュニケーション技術を用いて個別的な生活支援を展開することになります。そうした具体的な支援は、介護過程という思考や展開の手順でくり広げられます。

一連の介護過程を展開するということは、必然的に長期間の実習時間を要します。また、実習Ⅰで学んだ「利用者・家族とのコミュニケーション能力」「多職種協働についての理解と実践力」「介護技術（生活支援技術）の実践力」などをフルに活用して、担当する利用者を理解し、ケアすることになります。そのため、実習Ⅱは、介護実習の総時間数の3分の1（150時間）以上を行わなければならないことになっています。

## （2）学びのポイント②　　　「個別ケアの意味を考える」

実習Ⅱで介護過程を展開するにあたり、注意しておいてほしいことがあります。それは、個別ケアという言葉の意味を正確に理解するということです。

個別ケアとは、介護を必要とする高齢者や障害のある人々をひとくくりにするのではなく、文字どおり、利用者1人ひとりを個別的に理解し、その人のニーズに即して生活を支援していくというものです。したがって、その人の現在の状況（身体的・精神的・社会的な状況）を的確にとらえることはもちろん、今日にいたるまでの生活歴（ライフヒストリー）を知ることもとても重要になります。

人には皆、生まれ育った地域、そこでの出来事があります。また、生まれてから今日までの歴史があります。その歴史には、両親や兄弟をはじめ、多くの人々がかかわっているはずです。そうした多くの人々とのかかわりのなかで、今日のその人が存在していることを見落としてはいけません。

そのうえで、今のその人の暮らしにかかわる人たちにも目を向けて、関係性を把握しましょう。どの人がその人にとってかけがえのない人なのか、どの人といっしょにいると安心するのか、どの人と仲よくしたいと思っているのかなどの情報の収集と理解が、利用者の生活意欲を引き出すことにつながります。

利用者その人自身についての情報、そして、利用者を取り巻く環境的な情報などを総合的にとらえてはじめて、個別ケアを実践するスタート地点に立ったといえます。

### （3）学びのポイント③
### 「ケアカンファレンス等を通じて多職種協働の重要性を理解する」

　介護を必要とする利用者の生活支援は、決して介護福祉士だけがになっているのではありません。このことは、実習Ⅰでも理解できたと思います。

　実習Ⅱにおいては、その理解をさらに深めます。とくに、アセスメントから始まり、介護計画の立案・実施、評価にいたる一連の介護過程の展開を通じて、1人の利用者をたくさんの専門職が連携・協働して支えていることが具体的にわかるはずです。実習Ⅱでは、実習指導者や介護福祉職だけではなく、関連する専門職の指導や助言をえながら実習を進めていくことになります。

　また、実習中に実習施設・事業所で開催される**ケアカンファレンス**やサービス担当者会議に参加する機会をえられると思います。その場には多くの専門職が集まることになりますし、利用者やその家族が参加することもあります。貴重な機会ですから各専門職の視点を学び、利用者やその家族の希望をしっかりと受けとめましょう。そして、利用者やその家族の希望を、専門職集団がどのように介護サービス計画等に反映させていくのかを注視しましょう。

　ケアカンファレンス等は、実習生にとって、他職種の専門性を知るよい機会になると思います。

# 第3節

# 実習前の学びと、実習後の学びのいかし方

**学習のポイント**

- 想像力・創造力の必要性と、それらを養う方法を理解する
- 他科目で学んだことを介護実習のなかでどのように結びつけ、いかしていくのかを理解する
- 実習前および実習中に学んだことをどのようにいかしていくのかを理解する

## 1 介護実習を形づくる3つの段階

これまでに、介護実習はいろいろな側面をもっていることが理解できたと思います。

1つは、介護実習とは実習生が孤独にがんばる活動ではなく、実習担当教員をはじめとする学校の教員、実習施設・事業所の実習指導者や大勢の職員、実習生仲間、そして何より利用者やその家族に支えられて展開する活動だということです。

そして、介護実習を実りあるものにするためには、学校で多くの基礎的な知識を身につけ、演習を通じて技術を習得したうえでのぞむべきものだということが理解できたと思います。何の準備もなく、身体さえもっていけばできる活動ではないということが、ここまでで理解できたのではないでしょうか。

また、介護実習には実習前の**準備段階**、実習中の**活動段階**、実習後の**ふり返り段階**という3つの段階があり、それぞれの段階が連動して介護実習そのものが形づくられていることも解説しました。

## 2 介護実習と他科目との関係

さて、ここからは、ほかの科目と介護実習との関係について少し細かく説明します。

みなさんはこれまで、小学校や中学校、高等学校で、たとえば「なぜ算数や理科を勉強しないといけないの？」とか、「外国には絶対に行かないから英語の勉強は必要ない」と考えたことはありませんか。好きな科目は別ですが、そうでない授業をなぜ受ける必要があるのか、何のために学ぶのかをきちんと説明されることがないままに一方的に教えられるので、勉強する意欲がわかなかったという経験がある人もいると思います。「受験に必要な科目だから」という理由で勉強した人もいるかもしれません。

厚生労働省から示されているカリキュラムは、介護福祉士をめざすみなさんのために考えられたものであり、介護福祉士として必要のない知識や技術を学ぶための科目はまずないと思ってください。しかし、意味があるから勉強しなさいというだけでは、みなさんもとまどうことでしょう。そこで、カリキュラムにそって学習を進めていくとどうなるのかを少しイメージしてみましょう。

# 1 介護実習前に何を学ぶべきか

## 1 介護実習と関連する他科目の学習内容

介護実習は、多くの科目の学習のうえに積み上げられます。「介護福祉士として必要な知識や技術を学校の授業で身につけながら、その能力を介護の現場で確認し、利用者のニーズを把握しつつ、実践的な体験のなかで向上させる」ということを、何度もくり返していくわけです。

介護福祉士を養成する学校は、高等学校、専門学校、短期大学、大学と多様で、介護実習の構成も各科目の学年配当も異なっています。なお、現在のカリキュラムは表2-1のとおりになります。3つの領域から構成され、それぞれに教育内容が示されているところまでは、すべての学校に共通します。しかし、ここまでの説明を聞いてもみなさんは、納得できないと思っているかもしれません。それは、自分たちが学んでいる授業の名前（科目名）が出てきていないからではないでしょうか。実は、各学校で開講する授業の科目名については、教育内容ごとに自由に決めてよいことになっているため、みなさんが実際に受けている授業

### 表2-1 介護福祉士養成課程のカリキュラム

| 領域 | | 教育内容 | 時間数 |
|---|---|---|---|
| 人間と社会 | 人間の理解（必修） | 人間の尊厳と自立 | 30以上 |
| | | 人間関係とコミュニケーション | 60以上 |
| | 社会の理解（必修） | 社会の理解 | 60以上 |
| | 選択 | ※上記必修科目のほか、選択科目 | |
| | | 小　計 | 240 |
| 介護 | | 介護の基本 | 180 |
| | | コミュニケーション技術 | 60 |
| | | 生活支援技術 | 300 |
| | | 介護過程 | 150 |
| | | 介護総合演習 | 120 |
| | | 介護実習 | 450 |
| | | 小　計 | 1260 |
| こころとからだのしくみ | | 発達と老化の理解 | 60 |
| | | 認知症の理解 | 60 |
| | | 障害の理解 | 60 |
| | | こころとからだのしくみ | 120 |
| | | 小　計 | 300 |
| | | 医療的ケア | 50以上 |
| | | 合　計 | 1850 |

の科目名は、各学校で異なっています。

そのため、ここで具体的な科目名を提示することはできませんが、少なくともはじめての介護実習が実習Ⅰであることは共通ですから、はじめての介護実習に出るまでに何を学習しておくべきかを解説することにします。

### （1）はじめての介護実習に出るまでに何を学ぶか

ここでは、**表2-1**の教育内容の名称を科目とあらわして進めます。

まず、「人間の尊厳と自立」で、人間の尊厳とは何かを正しく理解し

てください。このことを自分の言葉で説明できるようになってほしいと思います。

　人間の尊厳、あるいは人権は、非常に奥深い概念ですが、介護の現場で実践するためには、みなさんがその概念を理解し、実際に行動に移せなければ意味がありません。入学して、最初からむずかしい勉強だと思うかもしれませんが、見方を変えるとみなさんのこころのなかにあることとそう違いはありません。

　たとえば、健康な人や強い人は、無理解のために無意識のうちに障害のある人や高齢者を言葉や行動で傷つけてしまうことがあります。それが人権をおかすということに通じます。みなさんは障害のある人や高齢者を大切にしたいと思う気持ちで介護福祉士の勉強を始めていると思いますから、みなさんの今の素直な気持ちが人間の尊厳という概念に通じます。そう信じてしっかりと学び、介護実習につなげてください。

　また、「人間関係とコミュニケーション」では、介護実習で高齢者や障害のある人々を理解するときに必要なさまざまなコミュニケーション方法について、ぜひ基本を学び、最初の介護実習にのぞんでください。

　さらに、介護について学ぶ「介護の基本」や「生活支援技術」で、生活支援についてしっかりと知識をつけ、介護技術については具体的な学習を進めて、1つでもできる技術を習得したうえで介護実習にのぞんでほしいと思います。なぜなら、利用者とのコミュニケーションは、会話（言語）のみではなく、介護技術の展開そのものもコミュニケーションになるからです。介護技術が実践できるようになることで、利用者との関係が良好になります。

　ただし、「生活支援技術」をしっかりと習得するためには、その基礎となる「こころとからだのしくみ」「発達と老化の理解」の学習を同時に行う必要があります。人間のこころのしくみやからだのしくみを理解しなければ、なぜこのような介護の方法になるのかといったことが説明できません。物真似や見よう見真似に終わらない、根拠のある介護を身につけていきましょう。

　そのほかに、認知症のある人が暮らす特別養護老人ホームやグループホームなどで実習をする前には、「認知症の理解」の学習が大変重要です。同じように、障害のある人々を対象とする施設や事業所での実習の前には、「障害の理解」の学習が必要でしょう。どちらにも共通する科目としては、「コミュニケーション技術」や「生活支援技術」がありま

す。これらは、さまざまな障害や疾病のある利用者に向き合うときに、その人にふさわしい介護を行うための方法を学習する科目です。基本的な知識や技術はまず学校で習得し、介護実習では、出会う利用者1人ひとりに合わせて応用する方法を学びましょう。

## 2 想像力と創造力

次に、社会福祉や介護福祉に関係する仕事をする人には、「想像力」と「創造力」が必要ですので、それについて説明します。

### (1) 想像力

**想像力**とは、考える力であり、思いはかる力です。社会福祉や介護福祉の分野の利用者は、視力や聴力、認知機能等の低下などにより、多くの場合、コミュニケーションに障害があります。あるいは、それまでの人生において人間不信におちいっていたりするために、自分の思いを人に伝えることが苦手な人もいます。そのため、すべての人が、言葉でストレートに思いや願いを伝えられるわけではありません。したがって、この分野で働く人は、いろいろな知識や技術や経験を駆使して、そうした人たちの思いを推しはかることがまず求められます。そのときに不可欠なのが、想像力です。

想像力は、先入観をもつこととは少し違い、「こんな思いかな」「こうしてほしいのかな」と想像して、仮説を立てながらコミュニケーションをとることです。わからないからといってあきらめてはいけません。一生懸命努力する姿勢が相手に伝わり、利用者の気持ちを動かすこともあります。あなたの想像力と、互いの努力で新しい関係が生まれる可能性もあります。わからないとあきらめずに、想像力をはたらかせるようにしてください。

人はだれしも相手に何かを伝えたいという思いがあります。しかし、だれにでも伝えたいわけではありません。あなたが「伝えたい」と思われる人になるためには、この想像力をもつことがとても重要です。伝えたい人に思いが伝えられ、それが受けとめられたときに、人は幸福を感じます。

## （2）想像力を身につけるには

では、想像力はどのようにすれば身につくのでしょうか。実はこれは難題です。念じたり、瞑想したりすれば想像力がつくという単純なものではありません。

### 1 言葉をたくさん知る

まず、言葉をたくさん知ることが不可欠です。想像力は考える力ですから、当然考えるための道具が必要です。その道具は「言語」以外には考えにくいです。言葉をもつということは、自分の気持ちを整理できるということであり、自分やほかの人の思いを表現できるということです。言葉をたくさん知ることは、相手の気持ちをより幅広く理解する手段になります。ほかの人と語り合ったり、本を読んだり、インターネットの情報にふれたりして、使える言葉の数を増やしましょう。

### 2 数学的な思考（推論）を試みる

数学的な思考（推論）も、想像力には必要だといわれています。数学的な思考（推論）とは、仮説で立てた「○○な気持ち」が違っていた場合、次に「△△ではないか」と考え、それも違っていたら、「○○と△△ではどちらのほうが近いか」と考え、それをもとに次に「□□かもしれない」と考えを進めていくという考え方です。

数学が苦手だった人は、大変だと思うかもしれませんが、たとえば、犯人を推理するミステリーを読むのは効果があるかもしれません。

### 3 共感力をはぐくむ

1、2に加えて、想像力の根底にある共感力は、多くの人に出会う体験をもとにはぐくまれる力です。年齢も、暮らす地域も、文化も異なる多様な人たちに接し、そうした人たちと語らい合うことから、いろいろな人の考えや価値観、生きざまを学ぶと、共感力が育っていきます。

これまで、家族や同年代の友人としか接したことのない人は、ボランティア活動に積極的に参加したり、アルバイトをしたりして、共感力を育ててみましょう。そして、学校と自宅の往復だけという学生生活は送らずに、旅行に出かけたり、町を歩いたりしながら、人の暮らしを意識してながめたり、町のにおいをかいだりして、五感をみがきましょう。思いはかる力には、感性と知識が必要です。

## （3）創造力

創造力とは、みずからがつくり出す力のことです。自分のなかにある

知識や発想力をしぼり出し、アイデアをあれこれ思い浮かべ、目的にふさわしい答えを導き出します。「ああでもない、こうでもない」と考える時間を苦痛に感じなくなると、創造力の入り口に立っているといえるのかもしれません。

社会福祉や介護福祉の世界では、答えが簡単にみつからない問題ばかりがあなたの前に提示されるかもしれませんが、つくり出す過程を前向きにとらえる力がつけば、きっと適切な方法がみつけられます。

これまでの学校生活のなかで、問題を解く前に解答を見て答えを書いていた人や、むずかしい問題には最初からチャレンジしなかった人は、創造することが苦手かもしれません。そのような場合には、創造力が豊富な人といっしょに取り組むのも1つの方法です。創造力が豊富な人から、創造する姿勢や方法を学びましょう。

創造力は、介護の工夫が必要なときや介護計画を作成するときに、あなたを助けてくれる力となるはずです。

## 2 介護実習での学びをどのようにいかすか

介護実習でえた知識と技術は、そのあとの学校での学習のなかでさらに深めていきます。とくに、介護実習での疑問は、「介護総合演習」「生活支援技術」「介護過程」の授業のなかで解決していくことになるでしょう。介護実習で深く関心をもったり、疑問を感じた事柄は、教員の力を借りながら研究として自己学習を進め、「卒業研究」としてまとめることもあります。詳しいことは、**第3章第3節**や**第7章**を参照してください。

# 第3章 介護実習準備、実習中・実習後の学び

第 1 節　**介護実習前の学習の内容と方法**

第 2 節　**介護実習中の学習の内容と方法**

第 3 節　**介護実習後の学習の内容と方法**

# 第 1 節

# 介護実習前の学習の内容と方法

**学習のポイント**
- 実習前の学習の意義と目的を理解する
- 介護実習が始まるまでの流れと実習前の学習の内容を理解する

## 1 介護実習前の学習の意義と目的

　これまでに、介護実習を行う意味や介護実習のおもな流れについて理解できたと思います。ここでは、実習前に必要な学習について説明します。

　みなさんは、講義や演習を通して、「人間と社会」「介護」「こころとからだのしくみ」「医療的ケア」などの専門的な知識や技術についてしっかり学んでいると思います。その学びを実際の介護現場において実践し、自己の課題に向き合い、新たな学びの習得へと成長していく機会が介護実習となります。そのため、実習の目的と内容を明確にし、具体的に目標をかかげることは、実習の**事前学習**としてとても重要です。

　みなさんは、今回の実習でどのようなことを学びたいと思っているでしょうか。実習Ⅰと実習Ⅱでは、目的や期間が異なります。自分のなかで目標は明確になっているでしょうか。それらを自分の言葉で実習指導者や実習担当教員に伝えることはできるでしょうか。表3−1にあげた介護実習の目標の例を参考にして、実習で「何を学ぶか」について具体的に整理してみましょう。

## 2 介護実習前の流れ

　学校によって多少の違いはありますが、以下が、介護実習を始めるま

## 表3-1 介護実習の目標の例

（実習Ⅰ）
① 施設・事業所の概要と職員の業務内容および役割について学ぶ
② 人権とプライバシーを尊重した態度について学ぶ
③ 個人情報保護の遵守について学ぶ
④ 利用者の個々のニーズに応じたコミュニケーション方法について学ぶ
⑤ 家族とのコミュニケーション方法について学ぶ
⑥ 利用者の個々の生活リズムを知り、利用者の個々のニーズに応じた生活支援技術の方法を学ぶ
⑦ リスクマネジメントを理解し、それにもとづく日常生活の支援方法について学ぶ
⑧ 他職種の業務を理解し、連携や調整方法について学ぶ
⑨ 申し送りやカンファレンスに参加し、チームの一員としての役割と責任について学ぶ
⑩ 適切な表現を用いて実習日誌を記録することができる
⑪ 施設・事業所におけるさまざまな記録の方法について学ぶ
⑫ さまざまなプログラムへの参加や変則勤務体験を通して、介護福祉職チームが行っている生活支援の全体像を把握する

（実習Ⅱ）
① 利用者の個々のニーズに応じたコミュニケーション技術と生活支援技術の展開ができる
② 利用者の個々のニーズに応じた福祉用具を活用することができる
③ 利用者の身体面、精神面、社会面など多面的にアセスメントをすることができる
④ アセスメントに加え、介護計画の立案、実践、評価を通して、個別性に配慮した介護過程の展開ができる
⑤ 介護福祉士の専門性を理解し、専門職として自己を分析することができる
⑥ 組織の一員としての責任とチームワークの重要性を理解することができる
⑦ 住み慣れた地域で生活を継続する意義、地域との連携の重要性について理解できる

---

でのおもな流れになります。介護実践における対象者の安全を確保するために、日ごろから健康管理を徹底することに加え、全体の流れをイメージしながらしっかり準備を整えることが大切です。

### （1）実習の全体像と目的・目標を確認する

　介護実習（450時間）は、**表3-2**、**表3-3**のように、各学校がそ

表3-2　A学校における介護実習の展開例

①実習区分　②時期、期間　③実習施設

| 1年前期 | 夏休み | 1年後期 | 春休み |
|---|---|---|---|
| 【介護実習1】<br>①実習Ⅰ<br>②5〜7月（12日間）分散型、6種別を各2日間ずつ<br>③高齢者施設、通所介護、通所リハ、ケアハウス、グループホーム、障害者支援施設 | 【介護実習2】<br>①実習Ⅰ<br>②7〜8月（3週間・120時間）集中型<br>③特養、老健 | 【介護実習3】<br>①実習Ⅰ<br>②10〜2月（11日間）週1回分散型<br>③同一訪問介護事業所に毎週1日、11回 | |

| 2年前期 | 夏休み | 2年後期 |
|---|---|---|
| 【介護実習4】<br>①実習Ⅱ<br>②5〜7月（5週間・200時間）集中型<br>③原則、介護実習2で行った特養、老健で行う | | |

れぞれの教育課程のなかで、いつの時期に、何日間（何時間）、実習施設・事業所の種類、実習Ⅰなのか実習Ⅱなのかを、独自に設定しています。どのように設定されているのか、まずは確認しましょう。

### （2）実習先（施設・事業所）を決める

　実習先は、学校から配付される「実習の手引き」「実習要綱」に一覧が掲載されています。「自宅近くの○○施設がよい」と勝手に決めることはできません。学校が厚生労働省に届出をし、実習施設として認められている施設・事業所でなければ、実習を行うことができません。

　施設か在宅か、高齢者施設か障害者施設かなど、多種多様な実習先が選択できるようになっていますので、実習担当教員や先輩の話を聞いて、交通の利便性なども考えて自分の行きたい実習先を決めましょう。先輩がまとめた「実習報告書」を参考にするのもよいでしょう。また、最近は、施設・事業所がホームページを開設していることも多いので、インターネットを活用するのもよいでしょう。

## 表3-3　B学校における介護実習の展開例

①実習区分　②時期、期間　③実習施設

| 1年前期 | 夏休み | 1年後期 | 春休み |
|---|---|---|---|
|  |  | 【介護実習A】<br>①実習Ⅰ<br>②10～1月（15日間・90時間）週1回分散型、3種別を各5日間ずつ<br>③グループホーム、小規模多機能型、通所介護等 | 【介護実習B】<br>①実習Ⅰ<br>②2月（1週間・45時間）集中型<br>③訪問介護事業所 |
| **2年前期** | **夏休み** | **2年後期** |  |
| 【介護実習C】<br>①実習Ⅰ<br>②7月（2週間・90時間）集中型<br>③特養、老健、療養型、障害者支援施設等 | 【介護実習D】<br>①実習Ⅱ<br>②9～10月（4週間・180時間）集中型<br>③特養、老健、障害者支援施設等 | 【介護実習E】<br>①実習Ⅰ<br>②10月（1週間・45時間）集中型<br>③特養、老健、障害者支援施設等 |  |

## （3）実習ファイル（実習ノート）が配布される

　実習ファイル（実習ノート）には、「実習目標（実習計画書）」「出席簿」「健康管理表」「施設概要」「実習日誌」「自己評価表」などが含まれます。各学校で様式は多少違いますが、記入する内容はほぼ同じです。

## （4）提出書類を作成する

　各学校で様式は多少違いますが、「個人票（**表3-4、表3-5**）」「守秘義務に関する誓約書」「自家用車使用届」など、事前に準備する必要のある書類があります。未成年者の場合は保護者の押印が必要なものもあるため、自宅外から通学している人は、書類をそろえるのに時間がかかることも考えられます。しかし、これらの書類を準備するときから、すでに実習は始まっています。いつまでにどの書類を準備しなければならないのか、スケジュールを自分で組み立てて、下書きをし、誤字脱字がないか確認したうえで、ていねいに清書し、期限までにきちんと提出しましょう。

## 表3-4　個人票の様式例、記入するときのポイント

○○福祉専門学校　個人票

年　　月　　日現在

| ①実習施設名 | 写真 |
|---|---|
| ②実習生所属・氏名<br>所属：介護福祉科　　年<br>（ふりがな）<br>氏名：　　　　　　　　　　　印<br>　　　　　　　　　　　　年　　月　　日生 | |

③本人住所・電話番号
　・現住所
　　　　　　　　　　　　　　　　　　TEL：
　・実習期間中の住所
　　　　　　　　　　　　　　　　　　TEL：

④実習期間中の緊急連絡先
　　氏名：　　　　　　　　　　本人との続柄（　　　　）
　　　　　　　　　　　　　　　TEL：

⑤実習中の通勤方法

⑥実習に向けての抱負
　　　　　　　【実習でがんばりたいことをしっかり書く】

⑦自己PR
　　　　　　　【得意なこと、好きなことを書く】

⑧実習経験
　　　　　　　【すでに実施した実習と実習先の種別を書く】

⑨連絡先　〒　　　　○○県○○市○○町大字○○1111　　TEL：000-555-6666
　　　　　　　　　○○福祉専門学校　介護福祉科　担当教員（　　　　　　　）

【書き方の注意点】
・下書きしたものを先生に確認してもらったあとに、ボールペンで清書する。
・最初から最後まで同じボールペンを使う。
・文字のバランスに注意しながらていねいに書く。
・修正ペンは使わない。

第1節 介護実習前の学習の内容と方法

表3-5 個人票の記入例

○○福祉専門学校　個人票

年　　月　　日現在

| ①実習施設名 特別養護老人ホーム○○ | 写真 |
|---|---|
| ②実習生所属・氏名 所属：介護福祉科　1年 （ふりがな）　かいご　はなこ 氏名：　　介護　花子　　　　　印 　　　　　　　　　　　　　　　　年　　月　　日生 | |

| ③本人住所・電話番号 ・現住所 　○○県○○市○○町1丁目1111番地　□アパート203号室 　　　　　　　　　　　　　　TEL：000－1111－2222 ・実習期間中の住所 　同上　　　　　　　　　　　TEL：同上 |
|---|
| ④実習期間中の緊急連絡先 　氏名：介護　太郎　　　　　　本人との続柄（　父　） 　　　　　　　　　　　　　　　TEL：000－3333－4444 |
| ⑤実習中の通勤方法 　電車 |
| ⑥実習に向けての抱負 　はじめての特別養護老人ホームでの実習に向けて「生活支援技術」や「認知症の理解」についての勉強をがんばっています。また、この実習を通して認知症のある人とのコミュニケーション方法や、ユニット型施設の特性について学びたいと思っています。 |
| ⑦自己PR 　私は子どものときから祖父母といっしょに過ごすことが多かったので、高齢者と話をすることが好きです。初対面の人に対しては少し人見知りをする性格ですが、頼まれたことは最後までしっかりやりとげるので友人からは信頼されています。絵を描くことが好きなので利用者といっしょに創作活動をして喜んでもらいたいと思っています。 |
| ⑧実習経験 　実習Ⅰ-①　　　　　　実習Ⅰ-② 　[　　　　　　　　]　[　　　　　　　　　　] |
| ⑨連絡先　〒　　　○○県○○市○○町大字○○1111　　TEL：000－555－6666 　　　　　　　　　○○福祉専門学校　介護福祉科　担当教員（　山田　愛子　） |

第3章　介護実習準備、実習中・実習後の学び

> **表3-6** 実習計画書（実習目標）の様式例、記入するときのポイント

実 習 目 標

| ○○福祉専門学校　介護福祉科　　　　年 | 氏名： |
|---|---|

実習期間：

　　　　　　　　　　　　　　　　　　　　　実習施設名：

1. 実習（総括目標）

　　　　　　　学校が提示する総合的な目標を記入する（大項目）

2. 総括目標を達成するための行動目標（前段階の反省をふまえた目標を含む）

　　・上記の総括目標をどうすれば達成できるか、より具体的な行動目標を設定する（小項目）
　　・自分の言葉で実現可能な目標を設定する

| 実習指導者名　　　　　　　　　　　印 | 担当教員名　　　　　　　　　　　印 |
|---|---|

## 表3-7 実習計画書（実習目標）の記入例

実 習 目 標

| ○○福祉専門学校　介護福祉科　1年 | 氏名：　介護　花子 |
|---|---|

実習期間：2019年8月21日（水）～2019年9月22日（日）（10日間）
　　　　　　　　　　　　　　　　　　　　　実習施設名：特別養護老人ホーム○○

1．実習（総括目標）
1．施設・事業所の概要と職員の業務内容および役割について学ぶ。

2．利用者の個々のニーズに応じたコミュニケーション方法について学ぶ。

3．利用者の個々の生活リズムを知り、利用者の個々のニーズに応じた生活支援技術の方法を学ぶ。

4．他職種の業務を理解し、連携や調整方法について学ぶ。

5．適切な表現を用いて実習日誌を記録することができる。

2．総括目標を達成するための行動目標（前段階の反省をふまえた目標を含む）
1－① 施設の理念と運営方針について学ぶ。

1－② 施設で働く職員の職種と人数を知り、それぞれの業務や役割を学ぶ。

2－① 利用者の表情等を観察し、受容・傾聴・共感の姿勢でかかわり、コミュニケーションを成立させる。

2－② 利用者の居室や食堂など、さまざまな場面におけるコミュニケーションを工夫する。

3－① 利用者の個々の1日の過ごし方、1週間、1か月の過ごし方を理解する。

3－② 利用者の状況や障害に応じた生活支援技術を理解する。

4－① 他職種の業務を見学して、それぞれの専門職について理解する。

4－② 申し送りやカンファレンス、サービス担当者会議に参加し、他職種との連携を学ぶ。

5－① 実習指導者や職員から指導されたことは状況を考慮しながらメモをとり、整理して、毎日記録する。

5－② 毎日「本日の目標」を立て、目標達成に向けて取り組む。

| 実習指導者名　　　　　　　　　　　　　　印 | 担当教員名　　　　　　　　　　　　　　印 |
|---|---|

## （5）実習計画書を作成する（実習目標を記入する）

　実習先が決まると、次はそこでの実習で何を学びたいか、何をしたいのかを考え、具体的に実習目標を設定します。実習ごとに計画書を作成するので、実習Ⅰと実習Ⅱでは目標とする内容も異なりますが、**表3－6、表3－7**を参考にしながら、自分の言葉で整理して記入しましょう。

　**実習計画書**は、実習先の実習指導者に提出します。実習指導者は、この計画書を読んで、実習生が何のために実習に来るのか、何をしたいのかについて知ります。実習生と実習指導者が共通理解のうえに実習を進めていくためのものだと思ってよいでしょう。そのため、自分の言葉で実現可能な目標を設定しましょう。

　しかし、多くの人がこの実習計画書を作成することを苦手だととらえているようです。また、はじめての実習の場合ではとくにむずかしいと感じているようです。

　それでは、今まで学んできた科目のテキストを開いてみてください。たとえば、「生活支援技術Ⅱ」ではどのようなことを学んだでしょうか。演習を中心に、自立支援に視点をおいた生活支援の方法について、知識と技術を習得してきたと思います。また、「介護過程」においては、ICFの考え方や事例を通して、介護計画について学んだのではないでしょうか。

　今まで学校で学んだことを実際の介護現場でどう発展させたいか、自分のなかで目標を明確にすることが、実習計画書の作成につながります。

## （6）事前訪問をする

　実習のおおよそ1か月～1週間前までに、実習先に**事前訪問**をして、あいさつをします。その目的としては、以下のことがあげられます。

> ・実習先の場所・交通手段・所要時間を確認する
> ・実習指導者へあいさつと自己紹介をする
> ・実習先の基本理念を理解する
> ・実習期間中のスケジュール（行事等）を確認する

- 感染予防に関する注意事項を確認する
- 休憩室・実習生通用口・駐車場（駐輪場）など実習先の構造を確認する

## 1 事前訪問までの準備

　実習にあたっては、学校から実習先へ「実習依頼文」という文書を渡し、実習の依頼をします。その後、実習先から学校へ届けられる「実習承諾書」という文書によって、正式に実習先が決まります。その実習承諾書には、実習指導者の名前や注意事項等が記載されています。実習担当教員から見せてもらい、確認しましょう。

　そして、実習先に事前訪問日時を確定する電話をかけます。電話をかける時間帯についても注意が必要です。朝の9時〜10時の間は朝礼が行われている場合がありますので避けましょう。また、昼食時や夕食時なども忙しい状況であることが予想されますので避けたほうがよいでしょう。図3－1のように電話をかける前の準備をしたら、以下のように電話をかけます。

① 施設・事業所の代表の電話にかかったら、実習指導者に取り次いでもらう

　　その際、学校名、学科・コース名、氏名、実習日を伝え、「事前訪問の件でお電話いたしました。実習指導者の○○様はいらっしゃいますでしょうか」とはっきりと言います。

② 実習指導者につながった場合

- 事前訪問の日時や必要事項について確認をします。
- 最後に必ず「お忙しいなか、ありがとうございました」と時間をとってもらったお礼を言い、実習指導者が電話を切ったことを確認してから切りましょう。

③ 実習指導者が不在の場合

　　「いつごろお戻りでしょうか。そのころお電話を差し上げてもよろしいでしょうか」と了承をとりますが、もしその日のうちに連絡できない場合には、「また日をあらためてお電話いたします。ご都合のよい日を教えていただけますでしょうか」と、ていねいな言葉で対応をします。

　相手の顔が見えないと緊張しますので、いろいろなパターンを想定して、ロールプレイングを通して練習しておきましょう。

## 2 事前訪問に行く

　事前訪問する当日は、**図3－2**のような流れで進めていきます。事前訪問が終わったら、事前訪問報告書を作成して学校に提出します。

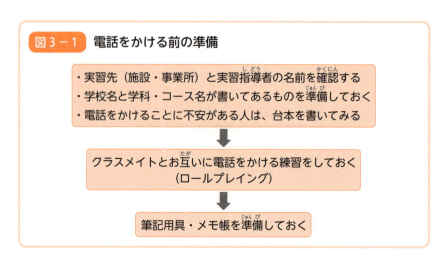

図3－1　電話をかける前の準備

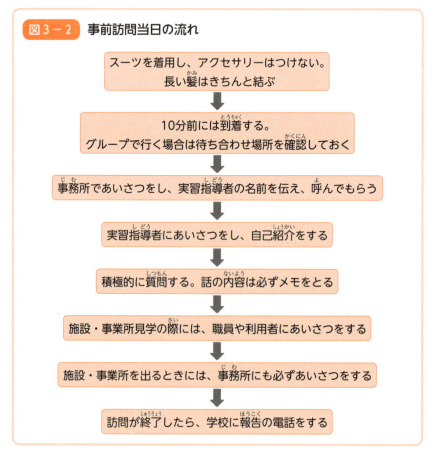

図3－2　事前訪問当日の流れ

## （7）実習日誌の書き方を学んでおく

　実習中は毎日、**実習日誌**を記入し、実習指導者に提出します。実習日誌の記録は、かなり時間がかかるものです。そのため、**表3－8**、**表3－9**を参考にしながら、実習前に実習日誌の書き方を習得しておきましょう。書き終わったものは、実習担当教員に点検をしてもらうとよいでしょう。実習日誌の書式は学校ごとに多少の違いはありますが、記入する目的は次のとおりです。

> ・体験したことやアドバイスを受けたことを記録に残すことで、実習内容をふり返ることができる
> ・毎日の実習目標について、行動した内容を考察することで、自己評価ができる
> ・実習の状況について、実習指導者に記録を通して確認してもらうことで、共通認識ができる

　実習日誌の提出の仕方については、実習先で異なります。毎日記録の時間を設けてあり、その時間に記入してその日のうちに実習指導者に提出する場合や、翌日の朝に所定の場所に提出する場合などがあります。いずれの場合も、指定された期日をきちんと厳守します。

　毎日の記録は時間もかかりますし、苦手とする人もいると思います。しかし、この記録はみなさんの実習の足跡であり、軌跡であり、大きな財産になります。実習Ⅰの記録が次の実習Ⅱに向けて、課題をみつけることにつながり、新たな目標へとステップアップできていきます。

　また、利用者との会話のやりとりや、実習指導者からのアドバイスは大きなはげみになります。わからない言葉や漢字については、テキストや専門用語辞典等を使い、調べて書くようにしましょう。

## （8）マナーや心得を確認しておく

　介護実習は、定められた実習施設・事業所において、実習指導者の指導のもとに行います。学ぶ立場であるということを念頭において、指導を謙虚に受けとめ、常に明るく実習生としての自覚をもって取り組むことが大切です。そのためには、実習にのぞむにあたって、**表3－10**にあげた**マナー**や**心得**についてしっかりと確認しておきましょう。

> **表 3 − 8** 実習日誌の様式例、記入するときのポイント

実 習 日 誌（表）

学籍番号：　　　　　氏名：
実習施設：

（　　）年（　　）月（　　）日　　実習（　　）日目

| 配属先 | | 担当職員 | |

本日の目標

　　実習計画書を見ながら、毎日、その日の実習目標を具体的に記入する

実習スケジュール

| 時　間 | 実 習 内 容 |
|---|---|
| | ・時系列にわかりやすく書く<br>・利用者の名前はイニシャルで書く |

## 実 習 日 誌（裏）

### 目標に対する達成状況

（表）の本日の目標について、達成状況や反省点などをふり返り、自己評価をする

### 本日の実習のふり返り

- 目標に書いたこと以外で学んだことについて考察する
- 実習指導者からアドバイスを受けたことがあれば、記録に残す

### 指導者の助言

指導者氏名　　　　　　印

【書き方の注意点】
- 利用者の名前はイニシャルで書き、個人が特定されないようにする。
- ボールペンで記入し、間違えた場合は2本線を引き訂正印を押す。また、修正ペンは使わない。訂正印をたくさん押すと読みにくくなるため、その場合は最初から書き直す。
- 文字はていねいに同じ大きさで書く。
- 「である調」で書き、「ですます調」が混じらないようにする。
- 「ご飯→食事」「お風呂→入浴」などと表現する。
- 授業で学んだ専門用語は漢字で書く。

第1節　介護実習前の学習の内容と方法

第3章　介護実習準備、実習中・実習後の学び

表3-9 実習日誌の記入例

実 習 日 誌（表）

学籍番号： 18015　　氏名：介護　花子
実習施設：特別養護老人ホーム○○

| ( 2019 )年（ 8 ）月（ 23 ）日 | 実習（ 3 ）日目 |
|---|---|
| 配属先　こすもすユニット | 担当職員　田中　太郎さん |

本日の目標　3-②
利用者の状況や障害に応じた着脱介助の方法について理解する。

実習スケジュール

| 時　間 | 実習内容 |
|---|---|
| 9：00 | 実習開始。リビングにて利用者とラジオ体操（Cさんの隣でいっしょに歌いながら行った） |
| 9：05 | スタッフルームにて朝礼に参加し本日の目標を伝えた |
| 9：20 | 居室・トイレ・廊下の清掃を行った |
| 9：40 | 担当職員の指導のもと、ベッドメイキングを行った |
| 10：40 | Dさんの排泄介助の見学を行った |
| | Dさんの車いすからベッドへの移乗介助の見学を行った |
| 11：00 | リビングにて3人（Eさん、Fさん、Jさん）とコミュニケーションをとった |
| 11：30 | 食堂準備（配膳など）を行った |
| 12：00 | 担当職員の指導のもと、Dさんの食事介助を行った |
| | Dさんの口腔ケアの見学をした |
| 13：00 | 休憩 |
| 14：00 | 浴室までの移動介助（Eさん、Fさん、Gさん）を行った |
| 14：30 | 脱衣室で着脱介助（Hさん、Jさん）を行った |
| | リビングで整髪介助（Dさん、Hさん、Eさん、Fさん、Gさん）を行った |
| 16：30 | 日誌の記録 |
| 17：00 | 食堂準備を行った |
| 17：20 | 担当職員の指導のもと、Dさんの食事介助を行った |
| 18：00 | あいさつをして終了 |

実 習 日 誌（裏）

## 目標に対する達成状況

　利用者の状況を把握し、障害の程度に応じた介助の方法について理解することを目標にあげた。今日は浴室には入らなかったが、脱衣室でHさん（87歳、女性、要介護3、脳梗塞による右上下肢麻痺）の着脱介助をした。入浴後はタオルでふいても汗が出ていて、下着の着衣介助をするときに右側の袖をスムーズに通すのがむずかしかった。私があせっているのがHさんにも伝わったようで、拘縮している右上肢に力が入りさらに拘縮が強くなってしまい、少し無理をさせてしまったのではないかと反省している。入浴後に水分を摂取してもらうことは理解していたが、脱水症状にならないように、入浴前にも必ず水分を摂取してもらうことは職員から教えてもらい、授業で勉強したことを思い出し理解が深まった。明日は入浴前の水分摂取についても自分から利用者にすすめたいと思う。

　リビングに移動しドライヤーで髪を乾かし、Hさんの手持ちの化粧水を肌につけた。加減がわからず「もう少し強くパタパタしてください」と言われた。着脱や身だしなみなどいろいろな支援を含めて「入浴介助」だということが理解できた。

## 本日の実習のふり返り

　実習3日目となり、毎日いろいろなことを学んでいる。今日はおもにDさんの介助について勉強した。車いすからトイレ、トイレから車いすに移乗する際の職員の介助方法の見学や、トイレでは立位になっているときにズボンを上げる介助をした。食事ではDさんはいつもは自分でとっているが、今日の昼食はうどんだったのでお椀に少しずつ移して手渡しする介助を行った。Dさんから「時間がかかるね〜ごめんね〜」と言われたときに「大丈夫です。ゆっくり食べてください」という返答をしたが、その言葉かけでよかったのか、少し心配になった。食後に、職員が義歯の洗浄をしているところもはじめて見た。細かいところまでていねいに、手早くみがいていて、Dさんは短い待ち時間で装着することができたので、満足そうな表情をしていた。

　Dさんが入浴後の整髪介助の際に、「あなたがかわいいから私も若くなろうかしら」と言われ、車いすのポケットから髪飾りを出されて髪に付けていたり、化粧水をつけているのを見て、利用者1人ひとりにこだわりや価値観があるということもあらためて知ることができた。

　帰り際にDさんが私のことを名前で呼んで、「明日も来てね」と言ってもらえたことがとてもうれしかった。

## 指導者の助言

指導者氏名　　　　　　　　　　　　　　㊞

表3-10 実習にのぞむためのマナーや心得

- 職員の指導や助言を謙虚に受け入れ、ほうれんそう（報告・連絡・相談）を確実に行う。
- 職員の指示を待つのではなく、積極的に行動する。
- 利用者の立場に立って考え、言葉づかいや態度、服装に気をつける。
- 利用者の安全を第一に考え、異常の発見、事故の防止に注意を払う。
- 利用者からの金品の受け取りや、軽々しい約束はしない。
- 実習施設・事業所から無断で離れない。
- やむをえず遅刻・早退・欠席をする場合は、施設や担当教員に必ず連絡をする。
- 感染予防を徹底するため、ケアの前後は必ず手洗いをする。
- 実習中は、実習生同士で私語をしない。また、実習生同士の名前の呼び方にも注意する。
- 清潔な身だしなみを心がける。

# 第2節 介護実習中の学習の内容と方法

> **学習のポイント**
> ■ 実習にのぞむ態度や姿勢を理解する
> ■ 実習中の学習内容を理解する

## 1 実習中の態度

### （1）日本介護福祉士会倫理綱領や倫理基準（行動規範）

　実習前に、「介護総合演習」（実習指導）や「介護の基本」「人間の尊厳と自立」の授業において、人間の尊厳、人権、自立支援、守秘義務などの抽象的な言葉にとまどってきた人もいると思います。

　実習では、人間の尊厳とは何か、自立支援とはどういう支援なのか、守秘義務の意義はどこにあるのかなどを、利用者自身から、また、利用者の生活の場で支援する職員の対応や説明から、具体的に学ぶことになります。

　もし、それらについて実習中に迷ったり、よくわからなくなったりした場合は、「日本介護福祉士会倫理綱領」や「日本介護福祉士会倫理基準（行動規範）」を読み返してみることをおすすめします。また、具体的な場面で納得のいかないことが生じた場合は、これらを示して実習指導者や職員に疑問を投げかけてみるのもよいと思います。そうすれば、より具体的に学べる機会になるでしょう。もしかすると、これまでだれも気づかなかった大事な視点を提示することになるかもしれません。

### （2）実習生としての態度

　実習前に、遅刻をしない、時間を守る、あいさつをする、身だしなみを整える等の、実習生として守るべきマナーは確認しているはずです。

しかし、どんなに気をつけていても、極度の緊張で眠れなかったために初日にぎりぎりに実習施設・事業所に駆けこむ、途中で事故に巻きこまれて遅刻してしまうなど、予想もしていなかったことが起きる可能性があります。また、実習生同士でスケジュールを確認しているときに、私語と誤解されて注意を受けることもあります。いつも職員や利用者から見られている環境で過ごすことは、大変なストレスだと思います。大事なことは、失敗したときにはきちんと謝ることと、そのことをくよくよ悩まず、気持ちを早く切り替えてリカバリーに向かうことです。もちろん、実習指導者や実習担当教員に失敗したことを報告することを忘れてはいけません。

　実習生が来ると利用者が明るい表情になる、利用者は若い実習生と話すことを楽しみにしている、とよく聞きます。みなさんはそれぞれ目標をもって介護実習にのぞむわけですが、そこで暮らしている利用者は、あなたとの出会いをこころ待ちにしているのです。ていねいに失礼のないようにかかわろうとすれば、お互いの関係は良好に進みます。そうなるとみなさんの緊張もほぐれ、笑顔が浮かんでくることでしょう。

## 2 日々の行動目標

　実習前にみなさんは、それぞれが実習計画書を作成し、この実習で自分は何を学びたいのか、何を体験してみたいのか等を、事前訪問のときに実習指導者に説明しています。そして、実習指導者は、みなさんの実習計画書にそって実習スケジュールを作成し、初日を迎えています。

　これからみなさんが自分の実習目標を達成するためには、実習計画書を無視して思いつきで表3-8の「本日の目標」を立てて行動してはいけません。実習計画書にもとづき、「本日の目標」を考える必要があります。

　たとえば、実習計画書に「利用者や家族へのコミュニケーション方法について学ぶ」という目標を書いたとします。すると、初日の目標は、**表3-11**のような**行動目標**となります。2日目は、「初日に何ができて、何がわかったので、さらにどのような行動をとるか」ということを目標にします。毎日自分が何をするのかという行動目標におき換えることで、実習の目標達成をめざします。

## 第2節 介護実習中の学習の内容と方法

**表3-11　行動目標の例**

| 初日 | 利用者にあいさつをし、自己紹介をしてから相手の氏名を聞く。そのときに自分の好きな季節を話し、相手にも質問する。話し方や聞き方を注意して観察し、会話が成立しない場合は職員に理由をたずねる。 |
|---|---|
| 2日目 | 昨日と同じ行動目標を続ける。初日に話したAさんは、脳梗塞による構音障害があるが、聞き慣れると言葉が理解できるようになると職員に教わったので、今日もあいさつに行き、好きな食べ物について会話をしてみる。わかりにくいときは閉じられた質問（クローズドクエスチョン）を用いる。 |

　毎日、実習開始時には、実習指導者やその日の担当職員にその日の行動目標である「本日の目標」を伝えます。そして、夕方の記録の時間や実習後に実習日誌を書くときに、その目標の達成度をふり返り、翌日の行動目標を考えます。

## 3 観察と考察

　実習が始まったばかりのころは、実習施設・事業所内で見学をすることが多いですが、見学時に何を見たらよいのか、1日を通して何を質問したらよいのかがわからず、不安になることもあるでしょう。まず、疑問に思ったことは率直に質問してみましょう。

　そのうえで、実習では**観察**が重要です。何を観察したらよいのかわからない人は、まず、利用者の表情や行動を観察することから始めます。「職員が話しかけても無表情でいる」「職員がズボンを下げようとすると急に怒りはじめる」など、それら1つひとつに理由があります。

　観察したことの理由について、「なぜBさんは、職員が話しかけても無表情なのですか」「なぜCさんは、職員がズボンを下げようとしたときに急に怒りはじめたのですか」と職員や実習指導者に質問して回答をえることで、その利用者のことが少しずつ理解できるようになります。

　介護福祉士は、利用者の生活を支援することが仕事です。したがって、利用者が何を求めているのか、何に困っているのかを把握することは、とても大切です。しかし、さまざまな疾病や障害があり、個人因子が異なる利用者のニーズは、簡単に理解できることばかりではありませ

ん。観察するなかから推察することも多いのですが、実習生にはむずかしいので、まず場面の出来事を実習指導者に説明して質問してみましょう。

また、実習Ⅱ（介護過程の展開を目的にした実習）では、「生活支援技術」や「介護過程」等の授業で学んだ食事や排泄等の観察の視点やそれぞれの介護技術の展開ごとの観察の視点から、利用者の食事や排泄等の生活場面を観察します。すると、行っている介護の方法が利用者ごとに異なることに気づき、それには理由（根拠）があることが明らかになります。観察によって利用者を理解するための情報を収集し、現在行われている支援や介護方法が適切かどうかを考察していくことにより、利用者の生活課題がみえてきます。これらをスーパービジョンを通して深めていきます。

## 4 報告・連絡・相談

1人の利用者の生活を24時間ケアしていくためには、複数の介護福祉職、多職種の職員がかかわる必要があります。そういうチームで仕事をするときに不可欠なのは、**情報の共有**です。自分が見聞きしたことは、すぐに「情報」になります。それは、伝言という形でも、記録という形でも、会議での発言という形でもよいので、チームのメンバーに伝える必要があります。たとえ実習生であっても、あなたが見聞きしたことも、そのチームの「情報」になりますので、1人でかかえこんでいてはいけません。

情報共有の方法について、報告・連絡・相談の頭文字をとって「ほうれんそう」とよくいいます。

**報告**とは、起こった事実について、経過と結果をあとから5W1Hで伝えることです。実習生は、職員に指示された仕事を終えたときには指示した職員に、利用者とのコミュニケーションのなかで知った事実は近くの職員や実習指導者に、実習中に起きた事故や不測の事態は実習指導者や実習担当教員に報告する必要があります。

**連絡**とは、これから起こることや予定を知らせることです。たとえば、「明日は、言語聴覚士から見学の許可が出たので午後2時からプログラムの見学に行きます」や、「レクリエーションを実習最終日の午前

10時に行います」といった予定を実習指導者や職員に伝えることです。

　**相談**とは、利用者の対応などにどうしたらよいか悩んでいるときや迷っているときに、判断に必要な情報をえるために行うことです。友人や職員、実習指導者、実習担当教員など、守秘義務を負う人のなかで話を聴いてくれて意見を寄せてくれる人はたくさんいるはずです。実習指導者や実習担当教員に相談すると、スーパービジョンを受けることができます。

　たとえば、車いすを自走していた利用者がつらそうにしていたのを見て、あなたが「お手伝いしましょうか」と言葉かけをしたときに、利用者からの反応がなかったとします。

　だれにも相談しなければ、あなたは1人で傷ついて、その利用者に再び言葉をかけられなくなってしまうかもしれません。しかし、友人に相談すると、自分も同じことがあったと話してくれるかもしれません。職員に相談すると、その人は難聴だから聞こえづらかったのかもしれないと教えてくれるかもしれません。相談することによって、体験したことの意味が形を変えていきます。

## 5 実習中の事故や不測の事態への対応

　実習中には、事故や不測の事態が起こる可能性があります。その場合の対応方法について理解しておきましょう。

### （1）実習生が起こした事故

　不注意によって、利用者の私物や実習施設の備品等を破損、紛失してしまうことがあります。その場合は、ただちに実習指導者へ報告し、指示に従って対処します。同時に、実習担当教員（大学等にあっては実習センターや実習事務室等）にも報告します。また、実習生が利用者を含む他人にけがをさせた場合も同様です。なぜ事故が起きたのかを実習指導者や実習担当教員とふり返り、どうすれば二度と同じ事故が起こらないのかを考えます。

　実習生自身がけがをした場合や、実習中に他人にけがをさせたり、実習施設の物品を壊したりした場合に備えて、学校は傷害保険や賠償責任保険等に加入しています。実習後には、その手続きを行います。

## （2）感染

　感染予防については、実習前の「介護総合演習」の実習指導や「生活支援技術」「介護の基本」等の授業で学んで実習にのぞんでいると思います。何よりも、日ごろからの健康管理が大切なことはいうまでもありません。検温や手洗い、うがいの習慣を身につけ、食生活や睡眠管理に気を配り、自分の体調管理をしながら実習を進めていきましょう。実習施設・事業所においても、リスクマネジメントとして感染予防に努力しています。事前訪問や実習ガイダンスのときに、実習施設・事業所の感染予防のためのルールが説明されると思いますので、必ず守りましょう。

　しかし、それでも実習生が利用者の吐瀉物や血液、体液に触れてしまうことがあるかもしれません。その場合は、ただちに近くにいる職員や実習指導者に報告して、応急処置をお願いしてください。そして、学校や実習担当教員にも連絡し、指示を求めるようにします。

## （3）ハラスメントや虐待

　「日本介護クラフトユニオン（NCCU）」が、2018（平成30）年4月～5月に、訪問介護（ホームヘルプサービス）や施設介護などにたずさわる全国約7万8000人を対象に行った調査（回答数2411人）では、回答者の74.2％が、要介護者やその家族からセクシャルハラスメントやパワーハラスメントなどの何らかのハラスメントを受けたことがあると回答しています。

　実習中に、あなた自身が利用者や職員からハラスメントを受けることもあるかもしれません。また、利用者が職員からのハラスメントの被害にあっている場面や身体拘束や虐待を受けている場面に出くわさないとも限りません。これらは、大変悲しい出来事です。自分がハラスメントを受けた場合は、がまんせずに、実習指導者や実習担当教員にできるだけ早く相談してください。あなたの尊厳を守るために、実習指導者や実習担当教員は動きます。

　また、利用者が被害にあっている場面を黙って見過ごさないでください。まず、実習指導者に報告して、対応をお願いしましょう。あなたや利用者の人権を守ることは、何よりも大事なことです。

## 6 その他

　実習中に、よくお世話をしてくれるからとか、実習をよくがんばっているからと、激励の意味で、利用者が実習生へお菓子やお金を渡そうとする場面が時々見受けられます。しかし、事前の実習指導で教わっているように、実習生としてはそれを受け取るわけにはいきません。「お気持ちは大変ありがたいです。うれしいです。しかし勉強に来ているので、受け取ることはできない規則になっています。申し訳ありません」とはっきり断る勇気をもちましょう。それでも断りきれない場合には、近くにいる職員に助けを求めましょう。また、利用者からの贈り物には、単に激励の意味だけではなく、いろいろな意味があるかもしれないので、そのことを実習指導者に報告したうえで、その利用者の背景や贈り物の意図を解説してもらうとよいでしょう。

---

◆ 参考文献
- 日本精神保健福祉士養成校協会編『新・精神保健福祉士養成講座9　精神保健福祉援助実習指導・実習』中央法規出版、2012年
- 新版精神保健福祉士養成セミナー編集委員会編『新版精神保健福祉士養成セミナー8　精神保健福祉援助実習指導・現場実習』へるす出版、2013年
- UAゼンセン日本介護クラフトユニオンホームページ　http://www.nccu.gr.jp/index.php

第3節

# 介護実習後の学習の内容と方法

**学習のポイント**
- 実習後の学習の意義と目的を理解する
- 実習後の学習内容を理解する

## 1 介護実習後の学習の意義と目的

### (1) 実習体験の客観視――「体験」から「経験」へ

　みなさんは、学校が設定した実習課題に向かって、各自が実習目標をかかげ、実習先での実習を行ってきました。実習を終えた今、どんな気持ちでしょうか。達成感とともに、後悔や苦い思い出もあるかもしれません。

　実習中に体験したさまざまなことを冷静にふり返り、客観視することで、実習が貴重な学びとして整理できます。実習前と実習後の自分自身の変化と成長を自覚し、次への課題を明らかにすることが、**事後学習**の意義です（図3-3）。

　自分が身をもって実際に行うことを「体験」といいます。それに対して、自分で実際に見たり聞いたりしたことを知識や技術などとして身につけることを「経験」といいます。実習を単なる体験として終わらせず、介護福祉士という目標に向かって成長するための貴重な「経験」にしていくことが必要です。

### (2) 実習後の学習の目標

　グループとして同じ実習施設・事業所で同じ日程で実習したとしても、1人ひとりの体験はそれぞれ異なったものになります。介護を必要とする人に、1人ひとり個別の支援が必要なように、みなさん1人ひとりが

第3節 介護実習後の学習の内容と方法

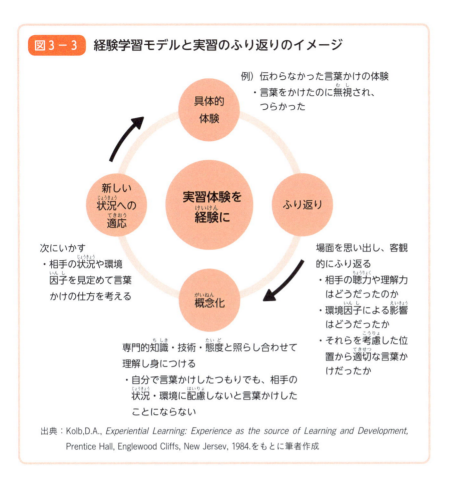

図3-3 経験学習モデルと実習のふり返りのイメージ

出典：Kolb, D.A., *Experiential Learning: Experience as the source of Learning and Development*, Prentice Hall, Englewood Cliffs, New Jersev, 1984.をもとに筆者作成

個別の存在であるので、実習指導者や実習担当教員からそれぞれていねいに指導を受けてきたはずです。ほかの実習メンバーと比べるのではなく、自分自身の体験を学びに変えていくことが必要です。

実習後の学習の目標として、以下の2点があります。

・各学校の実習課題と各自の実習目標に照らし合わせて、自分自身の学びを言葉にして説明できる。
・介護福祉士をめざす者として、自分自身の成長と課題を具体的にふり返り、今後の課題を明確にできる。

## 2 介護実習後の流れ

### (1) 実習終了報告と施設・事業所への礼状の送付

　実習最終日を無事に終えたら、まずは学校や実習担当教員へ終了報告を行います。電話やメールでの報告、書類の提出、登校してから直接報告するなど、学校によって方法は違いますが、それぞれの学校の指示に従って報告しましょう。

　次に、実習施設・事業所へ礼状を書きます。実習期間の長短はありますが、利用者を含め、実習施設・事業所職員の尽力なしには実習は成立しません。礼状は、社会人の常識として、また、感謝を伝える手段として、自分なりの文章でこころを込めて書きます。基本的な手紙の書き方を覚えるという意味でも、礼状の書き方について調べながら、ぜひ手書きで書いてみましょう。

　大切なことは、体験から何を学んだか、印象に残った出来事はどのようなことだったのか等にふれながら、みなさんの思いが伝わる礼状を書くことです。礼状は、実習が終了してから1週間以内に出すようにします。グループで実習に行った場合には、連名で書いてもかまいません（図3－4）。

　実習が終了しても、実習施設・事業所との交流は続きます。実習施設・事業所からのボランティア依頼があった場合は、積極的に参加しましょう。また、学校側としては、実習先となった施設・事業所へ授業への講師の派遣や研究活動への協力、学校行事への協力について依頼をすることもあります。就職先の候補の1つとなる場合もあるでしょう。卒業後に介護福祉士として働きはじめてからは、実習先の職員や実習指導者とは専門職同士として研修会等で会うことになったりする場合もあります。実習での出会いを大切にして、その後の学びの糧にしてください。

### (2) 実習ファイル（実習ノート）の提出

　実習後は、実習前に配付された実習ファイル（実習ノート）をふり返り、整理して、決められた期日までに学校に提出する必要があります。

　とくに、適切に実習が行われたことを証明するための記録である出席簿や実習評価表などは、重要な書類です。実習評価表は、学校と実習施設・事業所間でやりとりされることが多いですが、出席簿は実習期間を

### 図3-4　礼状の基本的な書き方

①　拝啓
②　初夏の候、貴施設の皆様には、ますますご清祥のこととお喜び申し上げます。
③　先日の介護実習におきましては、私たち実習生のために貴重な時間を割いてご指導いただき、深く感謝申し上げます。
④　今回の実習では……

**実習中の印象的な学びや、具体的なエピソードなどを書く**

このような貴重な経験をもとに、立派な介護福祉士を目指して今後も学内での学習や演習にしっかり取り組んでいきたいと思っております。また、機会がありましたらご指導くださいますようお願い申し上げます。
⑤　末筆ながら、貴施設の皆様のご健勝をお祈り申し上げます。
⑥　敬具

⑦　〇〇年〇月〇日
⑧　〇〇福祉専門学校　介護福祉科
　　　山本　花子
　　　斎藤　太郎
⑨　特別養護老人ホーム　〇〇
　　施設長　〇〇　〇〇様
　　実習指導者　〇〇　〇〇様

【書き方の説明・注意点】
① 頭語
② 時候のあいさつ
③ はじめの言葉
④ 用件
⑤ 結びのあいさつ
⑥ 結語
⑦ 日付
⑧ 差出人署名
⑨ 受取人氏名

・ボールペンで書く。横書きでもよい。
・敬語を使う。誤字脱字がないことを確認する。
・間違えた場合は、修正ペンや二重線で消さず、書き直す。
・書き終えた便箋は三つ折りにし、封筒に入れる。

通してみなさんが管理しています。必要な箇所に実習指導者の印鑑がきちんと押されているかを確認して、実習終了後はすみやかに学校の指示に従って提出します。

## （3）記録類のふり返り

　次に、実習の学びを深め、整理するという視点から、実習日誌や実習記録類についてのふり返りの要点を紹介します。

　「記録がなかったら実習は楽しいのだけど」という実習生の言葉を聞くことがあります。しかし、記録のない実習はありえません。体験は、言葉や文字にすることで、はじめて他者に伝達でき、共有したり、ともに考えたりすることができるのです。言語化することと説明することは、専門職としての基本的な技術であり、責任です。実習を通して着実に力をつけていくことができます。

### ❶ 実習日誌のふり返り

　毎日の実習の記録が実習日誌です。1日をふり返って、その1日の体験と学びを書いたものです。

　実習中は毎晩、書くことに一生懸命になり、実習指導者からのコメント入りで返却された記録をじっくり考えながら読み返すゆとりがなかったかもしれません。実習終了後に、コメントとあわせて読み返すことで、ケアの根拠などについて、あらためて気づきをえることがあるのではないでしょうか。

　また、実習中に疲れた状況のうえ、限られた時間で書いた記録には、うっかり適切でない表現が混ざってしまうことがあります。たとえば、「機嫌が悪かった」といった利用者の尊厳を傷つける表現や、「～してあげた」「～させた」という利用者に対する実習生の姿勢を問われるような表現です。実習後に記録を点検し、言葉を適切なものにおき換えていく作業が必要になりますが、これは自分自身との対話にもなります。どのような表現を使う傾向があるのか、それは記録では書かれていないほかの実習場面で発言していなかったかなど、自分自身で、また、実習担当教員との共同作業のなかでふり返ってみましょう。

　また、実習指導者に提出することを前提とした記録類には、あえて書かなかったこと、書けなかったこともあるかもしれません。たとえば、実習施設・事業所の批判になることは、どう書こうか悩んだすえ、書かずにこころにしまったりしたかもしれません。なぜそう感じたのかにつ

いて深く考察することも、大きな成長のカギとなります。

### 2 プロセスレコードのふり返り

　介護という活動は、利用者との信頼関係のうえに成り立っています。授業で学んだ「コミュニケーション技術」は、実習先でどう発揮できたでしょうか。実習中、みなさんは慣れない環境で緊張しています。ましてや、実習開始当初は、冷静に相手の心身の状況や環境からの影響を観察し、アセスメントすることがむずかしい状況になります。

　プロセスレコードなど、利用者とのコミュニケーションをふり返ることのできる記録類を見直してみましょう。実習が終わった今、記録を読むことで、場面の状況を思い出すことができますか。その記録は第三者が読んでも同じように場面が想像できるでしょうか。利用者の表情、発言、動作、実習生の言動とその根拠など、あらためて説明しなければならないとすれば、その記録の記述が十分でないことがわかります。

　記述を追加したり表現を修正したりすることで、場面の状況が伝わる記録になると、グループやクラスで共有し、いっしょにふり返って考えることができるようになります。すべての記録を他者と共有することはできませんが、印象的な場面や失敗だったと思える場面についての記録は、再検討する意義が大きいです。記録を再検討することは、介護を必要とする人たちの多面的な理解につながる作業になります。

　また、みなさん自身が傷ついた場面もあるのではないでしょうか。勇気を出して実習担当教員とふり返ることで、場面の解釈の幅が広がり、安心できたり前向きに考えられたりすることも多くあります。

### 3 介護過程（介護過程に関する記録）のふり返り

　実習Ⅱでは、介護過程の展開が重要な課題として設定されています。実習までに介護過程の展開についてはある程度の理解をしていても、いざ利用者とかかわってみると、必要な情報がえられない、どう聞いてよいかわからないなど、さまざまな不安とあせりを感じてしまうこともあると思います。そういった場合、職員の説明をそのまま情報として記録に書いてしまったり、介護記録を転記してしまったりなど、記録用紙を文字でうめることに一生懸命になりがちです。実習期間中に指導を受けながら修正を重ねた介護過程の展開に関する記録は、あらためて実習後に見直すことで、新たな発見があります。

　実習中にみなさんは利用者と直接かかわり、また、実習指導者の助言をえながら、担当する利用者のその人らしさや願いについて考え、ニー

ズをとらえたと思います。実習後にもう一度、テキスト等を確認しながら全体を見直すことで、健康状態や環境が生活に及ぼす影響や、多職種のかかわりの意図や内容など、利用者の生活が明確に浮かび上がってくるかもしれません。ケアカンファレンスで受けた助言のもつ意味など、なんとなくわかっていたつもりになっていたことも、あらためて深い納得につながります。

　介護計画の立案・実践・評価・修正といったプロセスを体験した実習であれば、具体的な支援の内容や方法は適切だったか、目標に向かって利用者の生活は変化していたか、そのように評価できる客観的事実は何だったかなど、ふり返る材料はたくさんあります。個人で、また、実習担当教員とともに、さらには実習グループでブラッシュアップしましょう。

　実習の段階に応じて、事例報告としてレポートにまとめる場合もあります。実習という貴重な学びの場で出会った利用者に感謝をして、確実に専門職としての自身の能力を育てていく努力をしていきましょう。

　そのほか、介護実習においては、地域におけるさまざまな場において対象者の生活を理解すること、多職種との協働のなかで介護過程の展開をすることが教育内容として示されています。したがって、実習記録においても、地域生活や多職種連携に関する記録用紙が準備されていることもあります。

　実習後は記録のねらいをしっかり理解したうえで、説明不足の部分や不適切な表現、誤字脱字がないかを見直しましょう。

　実習期間中に力をふりしぼって書いた記録類は、みなさんにとってはかけがえのない宝物です。利用者の個人情報が書かれているものは、シュレッダーにかけたうえで廃棄をしますが、みなさん自身が保管できる記録類は大切に持っておいてください。みなさんが将来指導する立場の介護福祉士になった際に、初心に戻るための大切なツールになります。

## （4）実習総括レポートの作成

　介護実習では、学校などでさまざまな科目を通して学んだことを、実習施設・事業所でその場の状況に応じて統合しつつ、介護活動の実際を学びます。実習を積み重ねることで、みなさん1人ひとりが介護とは何か、介護福祉士として何を大切にするのか、といったことについて語ることができるようになります。すなわち、介護観を形成し、専門職とし

### 図3-5 実習体験を俯瞰するイメージ図

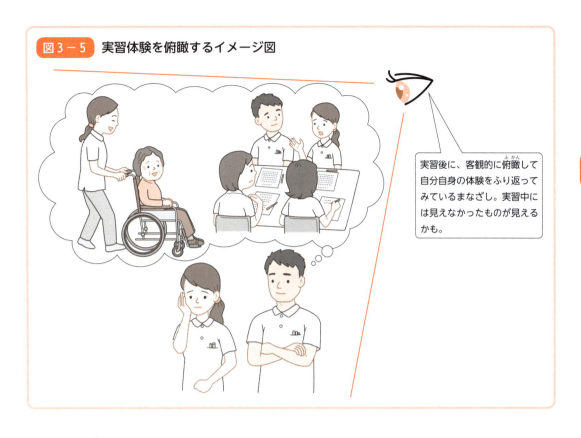

実習後に、客観的に俯瞰して自分自身の体験をふり返ってみているまなざし。実習中には見えなかったものが見えるかも。

ての自覚と誇りを身につけていくという成長があります（**第7章第2節**）。

そのために、1回ずつの実習において、終了時に実習目標に照らした自分の学びについて総括し、実習総括レポートを書きます。学校によってさまざまな名称がありますが、最終反省会に向けて実習中に書く場合と、実習が終了したあとに書いて実習施設・事業所に送る場合があります。それぞれの実習の到達目標と自分自身の学びを比較しながら書いてみてください。

実習期間中は、どうしても利用者の個々の生活支援をどうすべきか、利用者とのかかわりをどうすべきかという目の前の課題に気持ちが向きがちです。実習を終えた今、自分自身のまなざしを高いところにおいて、実習全体を俯瞰（高いところから見下ろし、ながめること）してみましょう（**図3-5**）。実習生である自分自身を、他者を見るまなざしでふり返ってみてください。慣れない環境で一生懸命がんばったこと、利用者に言われた一言が胸に突き刺さって動けなくなったこと、利用者の感謝の言葉に舞い上がったこと、記録をがんばろうと思いつつ眠気に負けたことなど、実習が終わったときだからこそ余裕をもち、広い視野

で客観的に冷静に見直すことができるのではないでしょうか。

　よくがんばった自分を認めつつ、次の課題として何が設定できるのか、学校の提示した到達目標と照らし合わせたうえで、再考し、総括レポートの見直しをしてみましょう。

### （5）実習報告会

　介護福祉士には、みずからの実践をふり返る力と、チームに対するコミュニケーション力が必要になります。

　1回ずつの実習と事後学習が終了すると、実習での学びをまとめたうえで発表する**実習報告会**を行います。実習報告会は、単に実習施設・事業所や実習体験を紹介する場ではありません。実習体験から何を学び、どういった介護観をはぐくんだかということを、参加者と共有する場です。個人での学びの整理を、クラスメイトや上級生、または下級生と共有して、ともに考え、学び合うことが目的です。

　個人での発表、グループでの発表、スライドを用いた発表、レジュメを用いた発表を、クラスで行う、上級生や下級生も参加して行う、実習指導者を招いて行うなど、実習報告会の方法や規模はそれぞれで、各学校が工夫しています（表3－12、表3－13）。

　個人での発表が主となる場合は、実習報告会までの資料づくりの作業により、学びの整理ができます。具体的な実習体験を自分自身の言葉で説明できること、ふり返りを通してどのような学びが身についたか、次にどういかすことができるか、制限時間内でどのように発表すれば参加

#### 表3－12　実習報告会の方法

| 方法 | 内容 | 特徴 |
|---|---|---|
| 個人発表 | 実習生全員が1人ずつ報告する | 実習生の数に応じて報告するので、長時間を要し、発表することが目的になりがちである。報告会までの準備を通して、発表内容・発表する技術の学びがえられる。報告会での学びをえるために、実習担当教員や上級生、実習指導者といった経験者からの助言が重要となる。 |
| 共同発表 | 実習目標に応じたテーマで、グループごとに体験と学びを報告する | 発表数が少なくてすむため、質疑応答や発表後の全体討議に時間を十分使うことができる。報告会の場で、参加者全員の学びを深めることができる。 |

> **表 3-13 実習報告会の発表内容例**
>
> ① 実習施設・事業所名・種別、実習期間、実習生氏名
> ② 実習施設・事業所の概要：サービス内容、規模、理念など
> ③ 実習目標に応じた具体的な学び
> 　　（例）・利用者とのコミュニケーション
> 　　　　・見学した（実践した）生活支援技術の根拠と利用者像
> 　　　　・介護過程展開（介護計画）
> 　　　　・多職種連携・チームケア
> 　　　　・地域における生活支援
> ④ 学びのまとめ
> ⑤ 今後の課題

者に伝わるかなどを整理し、準備しておきます。

　発表後に参加者による議論が予定されている場合は、実習報告会までの資料づくりのなかで、あえて参加者に問いかける課題を提示できるように準備することもあります。その際には、議論を深めるための情報をどう提示するかを検討し、準備する必要があります。

　レジュメを配付して発表する場合も、スライドやポスターを使用する場合も、発表するときの原稿は別途作成します。参加者の立場に立って、わかりやすい言葉を選び、制限時間内で発表できるように練習を重ねて当日を迎えましょう。実習報告会で自分の発表がうまくできるかどうかばかりが気になって、クラスメイトの発表に集中できないということもあります。準備をしっかり重ねて、自信をもって実習報告会にのぞみ、議論に参加して、参加者としても有意義な学びにつなげるようにします。

　参加者として実習報告会に参加する場合は、自分自身の体験と照らし合わせながら、発表者の報告を共感的姿勢で聴き、考察しましょう。上級生の発表であれば、近い将来の自分の姿としてのイメージをもって参加すると、有意義な時間になります。

　実習報告会の運営は、みなさん自身が行います。実習生以外の参加者には、案内時に今回の実習の到達目標や設定された課題について知らせておくと、参加者も一定の心づもりをもって参加することができます。実習報告会で実習指導者にコメントを求める場合には、案内時にその旨についてお願いしておきましょう。実習報告会までに、参加人数の把握

表3-14 実習報告会の役割

| 役割 | 人数 | 内容 |
|---|---|---|
| 司会（進行） | 1人 | 進行（発表者紹介、質疑応答、その他）開会・閉会のあいさつ |
| タイムキーパー | 1人 | 時間管理（タイマーとベルを用いて、参加者に時間を知らせる） |
| 会場係 | 1人以上（必要に応じて） | 実習指導者や来客の着席誘導 照明管理（スライド使用時等） 質問者へマイクを運ぶ など |

注：報告会が長時間で、途中に休憩時間を設ける場合は、複数人で役割交代をする。

と会場設営を行い、報告会時の役割分担を明確にしておきます（**表3-14**）。また、発表に集中できるよう、役割をどの時点で交代するのかといったところまで決めておくとよいでしょう。下級生が参加する場合は、下級生が発言しやすい雰囲気をつくる工夫も必要です。

はじめての実習報告会は、実習担当教員の指示のもとに運営を行うことになりますが、回数を重ねるごとに、より自主的に動けるようになります。積極的に役割をもつように参加してください。実りの多い報告会を計画・運営すること自体がみなさんにとって貴重な経験になります。

## （6）実習の評価

介護実習は授業科目である以上、必ず評価をともないます。学校によって方法は違うかもしれませんが、実習指導者からの評価に加え、みなさん自身による自己評価表などを参考にしながら、実習担当教員が総合的に最終評価をしています。

実習指導者からの評価は、学校から示された実習課題と評価基準にそって、利用者の様子やほかの職員からの情報なども加味して書かれています。実習指導者からの評価が学校に届いた時点で、個別面談が行われます。そのときには、みなさんがふり返って書いた自己評価表と実習指導者の実習評価表を照らし合わせてみることが、学びのきっかけになります。実習指導者は、点数評価だけではなく、具体的にコメントを示しています。今一度、実習指導者からのコメントを受けとめ、自分自身の課題を確認しましょう。実習指導者のとらえたあなたの姿も、あなた

を形づくっている一側面です。納得できないところがあれば、遠慮せず、実習担当教員にそのことを伝えましょう。必要があれば、実習担当教員は実習指導者に評価やコメントの詳細について連絡をとりながら、再度面談の設定をするなど、学生のサポートをします。

実習指導者や実習担当教員、また、いっしょに実習をしたグループのメンバーといった他者からの評価は、自分自身を客観的にみる貴重な材料となります（図3-6）。自分自身では意識していない強みについて、他者が気づかせてくれることもあります。グループメンバーといっしょに、実習をふり返る過程のなかで、尊重し合う姿勢をもって相互評価をしてみるのもよい学びになります。

評価については、高いからよい、低いから悪いといった単純な解釈で一喜一憂する材料にしないようにしましょう。自分自身の実践を適切にふり返り、今後の成長の糧にすることが大切です。

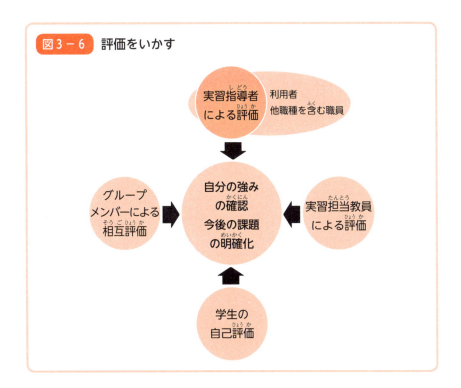

図3-6 評価をいかす

◆ 参考文献
- ドナルド・ショーン、佐藤学・秋田喜代美訳『専門家の知恵——反省的実践家は行為しながら考える』ゆみる出版、2001年

# 第 4 章

# 実習先の特徴、実習先での学び

| 第 1 節 | 訪問介護 |
| 第 2 節 | 通所介護 |
| 第 3 節 | 通所リハビリテーション |
| 第 4 節 | 特別養護老人ホーム（介護老人福祉施設） |
| 第 5 節 | 介護老人保健施設 |
| 第 6 節 | 養護老人ホーム |
| 第 7 節 | グループホーム |
| 第 8 節 | 小規模多機能型居宅介護・看護小規模多機能型居宅介護 |
| 第 9 節 | 軽費老人ホーム（ケアハウス） |
| 第 10 節 | 障害者支援施設 |
| 第 11 節 | 医療型障害児入所施設・療養介護施設 |

# 第 1 節

# 訪問介護

> **学習のポイント**
> - 訪問介護におけるサービス内容や利用者像などを理解する
> - 訪問介護の支援の視点を理解する
> - 訪問介護の実習で学ぶべきポイントを理解する

## 1 どのようなサービスなのか？

**訪問介護（ホームヘルプサービス）** は、介護福祉士などの訪問介護員が、利用者の居宅を訪問し、入浴・排泄・食事などの介護、調理・洗濯・そうじなどの家事等を提供するサービスで、介護保険法に位置づけられます。

訪問介護の始まりは、1956（昭和31）年に長野県の上田市や諏訪市など、13市町村で行われた「家庭養護婦派遣事業」にさかのぼります。

1958（昭和33）年には大阪市において、「臨時家政婦派遣制度」が創設され、翌年には「家庭奉仕員派遣制度」と改称されました。不治の疾病、障害などのために家事処理者が通常の家事業務を行うことが困難な場合に、原則として1か月の期間内で派遣されました。

その後、1963（昭和38）年に老人福祉法が制定され、老人家庭奉仕員事業は国が費用の一部を負担する国庫補助事業となり、家庭奉仕員は「老人の家庭を訪問して老人の日常生活上の世話を行う者」として法でも示されました。

1989（平成元）年には、**高齢者保健福祉推進十か年戦略（ゴールドプラン）**[1]で、緊急に整備すべき施設と在宅サービスの数値目標が定められました。そして、このときから、「家庭奉仕員」は **ホームヘルパー** という名称が用いられるようになりました。

そして、2000（平成12）年に開始した介護保険制度では、ホームヘルプサービスは、「訪問介護サービス」として制度化され、ホームヘル

[1] **高齢者保健福祉推進十か年戦略（ゴールドプラン）**
1989（平成元）年12月に厚生・大蔵・自治3大臣のもとで策定された在宅福祉・施設福祉等の事業について新たな整備目標や上乗せなどを盛り込んだ1990（平成2）年度から1999（平成11）年度までに実現をはかるべき具体的目標をかかげた十か年計画。

パーは**訪問介護員**と改称されました。

　介護保険制度では、民間企業などの参入もはかられ、サービスは利用者と事業者間での契約によって始まるようになりました。

　また、要支援者を対象とした介護予防訪問介護は、2015（平成27）年の介護保険法の改正により、介護予防・日常生活支援総合事業に移行されました。そのなかで、介護予防・生活支援サービス事業の「訪問型サービス」として位置づけられました。これにより、NPO、民間事業者などの多様なにない手による生活支援サービスが提供され、利用者も多様なサービスを選択することが可能となっています。

## 2 どのような人たちが利用しているのか？

　訪問介護は、介護保険制度の要介護認定において、要介護1～5の認定を受けた人が対象になります。

　対象となる人は、1人暮らしであったり、夫婦2人暮らしであったり、子ども夫婦と同居していたりとさまざまな暮らしをしていますが、支援が行われるのは利用者になります。また、認知症や身体機能疾患、精神疾患のある人など、症状もさまざまです。それに加えて、今までの生活歴は1人ひとり違い、自宅内の生活習慣は個々により大きな差があります。こうした利用者のニーズとしては、外出が困難になったことによるごみ出しや買い物の支援などがあげられます。

　具体的にどのような人が利用しているのか紹介します。

**事例1**　**自宅でできることをしながら暮らすAさん（85歳・男性・要介護1）**

　妻と2人暮らしのAさん。妻は要支援2の認定を受けており、そうじなど家のことすべてを行うことがむずかしくなってきていました。

　2人とも以前は町内会の役員を務めるなど、社交的な生活を送っていました。しかし、もの忘れや、今までどおりのことができなくなってきた体験を重ねるうちに、生活リズムが変わり、外出機会が少なくなっていきました。

　そのような生活のなかで徐々にAさんの認知症も進行し、妻といっ

しょに外出した際に自宅への戻り方がわからなくなることが多くなり、訪問介護を週5回利用することになりました。

　Aさんは、認知症の症状として記憶障害があるため、先ほどまでやっていたことを覚えていません。また、片づけなどの方法や段取りが1人ではむずかしい状態になっています。そのための訪問介護員による支援として、そうじ、食材の管理、調理、体調把握などを行っています。

　ただ、Aさんは自宅のそうじや片づけなどをする体力は十分にあります。そのため、近隣に住む2人の娘の協力もあおぎながら、Aさんの同意をえていっしょに取り組んでいます。

　このように、訪問介護は、利用者がどのような状況になっても住み慣れた家で生活を送ることができるようにサービスを提供しています。

## 3 どのような生活や活動をしているのか？

　訪問介護を利用しているときに、利用者はどのように過ごしているのでしょうか。

　Aさんの例でみると、週5回訪問介護を利用していますが、利用していない時間帯や曜日には、通所介護（デイサービス）を利用したり、家族が支援しています（表4−1）。

　訪問介護を利用しているときは、Aさんもいっしょにそうじをしたりして、訪問介護員の言葉かけや会話のなかで、何をしたらよいのかを判断し、自分のペースで行っています。

　そうじといっても、どこをそうじするかは、利用者によってニーズが違います。身体の状態などから、自身の力で十分にできないことなどは代わりに行います。

　たとえば、お風呂のそうじは、利用者が浴槽をそうじするために前傾姿勢になったり、足元がすべりやすい所があったりするなど、転倒のリスクが高いという理由から、訪問介護員が実施したとします。そのと

### 表4-1 訪問介護の1週間のサービスの例

| | | 月 | 火 | 水 | 木 | 金 | 土 | 日 | おもな日常生活上の活動 |
|---|---|---|---|---|---|---|---|---|---|
| 早朝 | 6:00 | | | | | | | | 起床・朝食 |
| | 7:00 | | 迎え | | 迎え | | 迎え | | |
| | 8:00 | | | | | | | | デイサービスに行く準備 |
| 午前 | 9:00 | | デイサービス | | デイサービス | | デイサービス | | 近くのスーパーへ買い物 |
| | 10:00 | 家族が支援（長女） | | | | | | 家族が支援（長女） | |
| | 11:00 | | | 訪問介護 | | 訪問介護 | | | |
| | 12:00 | | | 食材管理・そうじ | | 食材管理・そうじ | | | 昼食 |
| 午後 | 13:00 | | | | | | | | 昼寝 |
| | 14:00 | 家族が支援（次女） | | 家族が支援（次女） | | 家族が支援（次女） | 家族が支援（次女） | | |
| | 15:00 | | | | | | | | |
| | 16:00 | 訪問介護 | | 訪問介護 | | 訪問介護 | | | 夕食準備（惣菜など） |
| | 17:00 | 食材管理・そうじ | | 食材管理・そうじ | | 食材管理・そうじ | | | 夕食 |
| 夜間 | 18:00 | | | | | | | | |
| | 19:00 | | | | | | | | |
| | 20:00 | | | | | | | | 就寝 |

注：深夜欄は省略している。

き、利用者は何もせずに過ごしているわけではなく、そうじ道具の準備ができればやり、片づけなども自分でできるところは自分で行います。

ほかには、リウマチで手に力が入りにくく、重たいごみ袋を片手でごみ出し場まで持っていくことがむずかしい場合、ごみ出しをする前にごみの種類を分別するなどのできる作業は行います。

このように、訪問介護員が訪問しているときに、利用者は座って何もしないのではなく、できることは自分でしながら過ごしています。利用者がもてる力をいかしながら、訪問介護員といっしょに在宅での生活に必要なことに取り組んでいるのです。

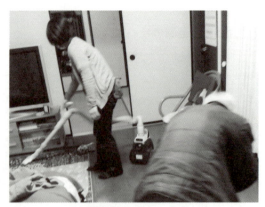

いっしょにそうじをしている様子

# 4 どのようなケアを行っているのか？

　訪問介護におけるケアは、**生活援助**、**身体介護**、通院等乗降介助に分けられます。ここでは、メインとなる生活援助と身体介護について説明します。

### 1 生活援助

　生活援助の内容としては、そうじ、洗濯、調理、買い物、ごみ出しなどがあげられます。

　たとえば、洗濯をする場合、どの作業がむずかしいのかについて、担当の介護支援専門員（ケアマネジャー）と共有します。そのなかで、洗濯機を動かしたり、洗濯物を干す作業がむずかしいのか、または洗濯物を取りこむ作業、たたむ作業などの、どの作業がむずかしいと感じているのかを把握する必要があります。こうした情報は、多くの場合、訪問介護や通所介護（デイサービス）、医療機関などの関係事業所や関係者が参加する話し合いの場で確認します。

　そして、情報を共有するなかで把握できたむずかしい部分、転倒などのリスクが高い部分を介護します。

　また、訪問介護員は、日ごろから利用者の自宅へ支援に入ることで、継続してその人の生活を見ていくことができます。

　継続して見ていくことで、今までできていたごみの分別ができなくなっていたり、冷蔵庫の中に同じような物ばかり買っている様子がみられたりすることに、いちばんに気づくことができます。そのような視点が生活援助では大切であり、その人の生活の変化に気づく観察力や考察

力をもっているのが訪問介護員なのです。

### 2 身体介護

身体介護の内容としては、食事介助、排泄介助、入浴介助、移乗や移動介助、通院などの介助などがあげられます。

身体介護は、日常生活のなかで、利用者自身の力ではむずかしいことや、家族が行うには負担が大きい場合に行います。

介護を行う際には、多くの場合、決まった時間に決まった訪問介護員が対応します。これは、利用者のふだんの様子を把握できている訪問介護員が対応することで、ふだんと違う状態を感じたときに必要な対応ができるからです。それには、いつもより立位動作が安定せず、転倒のリスクが高い状態になっている場合や、逆に徐々に身体の動きがスムーズになり安定してきた場合などに、早期に気づく観察力が必要になります。

また、多くの場合は1人での訪問になるので、訪問介護員個人の介護技術や知識が必要になります。それぞれの自宅での環境は、施設のようなバリアフリーでなかったり、専門的な器具などがない場合も多いため、個々の環境に合わせた対応を考え、最善の介護を行うことができる力を身につけておく必要があります。

利用者や家族が自宅で過ごしているときに、いかに不快な思いや苦痛を感じないように過ごすことができるかを工夫し、介護していく視点が身体介護には大切になります。

## 5 どのような人たちといっしょに働いているのか？

① 医師

利用者の日常的な診療や健康管理を行います。最近では定期的に通院することがむずかしくなってきた人を対象に、訪問診療を行う場合もあります。

② 看護師（准看護師・保健師）

訪問看護サービスとして、看護師等が自宅に訪問します。医療的なニーズに対応したり、身体介護にあたるケアを行う場合もあります。訪問介護とともに、定期的に生活にかかわりながら、医療面と生活面をあわせて総合的にケアを行います。

③　介護支援専門員（ケアマネジャー）
　　介護保険サービスが利用できるように、各種手続きや申請を行います。また、他職種がかかわる場合は、チームのまとめ役として、さまざまな情報をまとめ、今後の介護の方針などを示していきます。
④　薬剤師
　　自宅に処方薬を持っていったり、服薬指導などの居宅療養管理指導を行ったりします。また、必要に応じて体調を確認し、主治医に服薬処方の相談などを行います。
⑤　管理栄養士
　　自宅を訪問して、食事指導や栄養相談などの居宅療養管理指導を行います。また、利用者や家族に、利用者本人に合わせた調理の方法なども指導します。
⑥　理学療法士（PT）・作業療法士（OT）
　　訪問リハビリテーションや訪問看護のなかで、リハビリテーション専門職として訪問します。自宅での実際の生活上の動きに合わせたリハビリテーションを行います。病院で行うリハビリテーションよりも、より個々の生活環境や身体機能に合わせたリハビリテーションを実施することも可能です。
　　また、利用者や家族に自宅でもできるリハビリテーションの方法を指導し、専門職がかかわることができない時間も、より効果的に継続した支援を行うことができるように取り組みます。
⑦　言語聴覚士（ST）
　　訪問リハビリテーションや訪問看護のなかで、リハビリテーションの専門職として訪問します。さまざまな言語障害への対応や、誤嚥を予防する訓練などを効果的に実施します。
⑧　歯科衛生士
　　歯科医師などの指示のもとで訪問し、口腔ケアを定期的に行います。また、利用者や家族、訪問介護員も取り組むことができるように、自宅でできることは指導を行います。
⑨　福祉用具専門相談員
　　1人ひとり違う家庭環境のなかで、筋力の低下や、骨折などによる一時的な身体機能の低下がある場合に、どこに手すりや福祉用具を設置すれば1人で安全に動くことができるかなどを提案します。

⑩ 民生委員

　1人暮らしの高齢者、生活に困っている人、障害のある人々を対象に、生活状況の把握や安否確認の訪問をします。また、必要に応じて地域包括支援センターに相談します。

## 6 介護福祉職はどのようなチームを組んでいるのか？

　利用者の自宅に訪問するのは1人の決まった訪問介護員だけとは限りません。サービスの利用回数が多ければ、複数の訪問介護員が担当することもあります。

　その場合に、担当する訪問介護員によって支援の内容が大きく違っていてはいけません。訪問する訪問介護員が複数になっても、統一された支援を提供するためには、互いに次のような情報を共有していく必要があります。

### 1 身体機能の変化

　自宅のそうじや洗濯物の片づけなど、いつもはできている家事ができていない場合や、季節に合った空調管理や衣類の選択ができていないことに気づいたときに、すぐに情報を共有する必要があります。

　身体機能の変化については、転倒してしまったあとなどには、今までできていた動作ができなくなることもあります。また、歩行や日常生活動作（ADL：Activities of Daily Living）などが不安定になってきたときに早期に気づく必要があります。

### 2 自宅の生活環境の変化

　自宅が片づけられているかや物の位置などが大きく変化していないかをまずは把握する必要があります。また、手すりが取れかかっていないか、冷蔵庫や洗濯機の調子が悪くなっていないかなども、利用者の生活を見ていくなかで気づく必要があります。

### 3 家族の変化

　自宅で介護をしている家族や離れて暮らしている家族がどのような状態にあるのかを把握していく必要があります。とくに、近くでいつも介護をしている家族の身体的な変化や精神的な変化は早期に気づき、必要な対応をしていくことが大切です。

　自宅で介護をしている家族は、いつもそばで利用者のことを考えてい

ます。ふだんとの表情の違いやふと漏れた言葉などに気づき、情報を共有することが求められます。

　このように、複数の訪問介護員がかかわっている場合には、利用者の状態の変化などで気づいたことについて、早期に情報を共有し、対応していく必要があります。そのときに、原因や根拠（エビデンス）がある情報を共有できると、より支援の仕方を工夫することができます。そのためには、「なぜそのような状態になっているのか？」ということを探求する視点も必要になります。原因や根拠（エビデンス）がある情報を共有していけるように、専門的知識や観察力を身につけるようにしましょう。

## 7　ほかの職種の人たちとどのように協働しているのか？

　1人の利用者の生活をサポートしていくためには、さまざまな職種の人がかかわっているということがわかってきたと思います。

　訪問介護では、1冊のノートを共有しており、訪問介護員だけでなく、ほかの職種の人たちも訪問時の記録を記入します。訪問するときには、まずノートを読み、利用者の様子を確認することが大切です。そうすることで、ほかの職種の人たちとどのような情報を共有すればよいかがみえてきます。

> **例：排便の記録を確認する場合**
> ・いつから排便がないのか
> ・その間の食事や水分の摂取状況はどうなのか
> ・下剤を服用するべきなのか（主治医の指示の再確認）
> ・いつもと違う様子がみられるので、ほかの事業所に報告し、対応方法を確認するべきか
> などを記録から読み取り、必要な対応を行います。

　その際、1人では判断できないことや不安に感じたことなどは、そのつど報告・連絡・相談を行いながら、かかわっている事業所全体で情報共有していくことが求められます。改善が必要な項目に関しては、介護

支援専門員とともに取り組み事項を検討し、改善につなげます。

ノート以外での情報共有の方法としては、事業所独自の記録用紙やファイルへの記録、電話連絡、タブレット端末を利用した情報共有、ケアカンファレンスの実施などがあります。

たとえばケアカンファレンスは、利用者の状況などで、ノートや間接的な情報共有では解決がむずかしい場合や、早期の対応が必要な場合などに実施します。訪問介護を行う職員が集まって必要な情報をその場で共有し、統一した対応をできるようにします。

## 8 地域をどのように意識して、取り組みにつなげているのか？

訪問介護を利用しながら生活を送るとは、
・住み慣れた家や地域で継続して生活を送る
・**サービス付き高齢者向け住宅❷**などに移り住み、新たな場所で生活を送る
・遠方の家族のところや、住みたい場所などに移り住み、新たな場所で生活を送る

といったことが考えられます。

❷サービス付き高齢者向け住宅
p.26参照

訪問介護員として訪問する回数は、多くの場合、1日に1～2回程度です。また、その時間も1時間前後になるので、限られた時間のなかで、利用者や家族が、地域のなかでどのように生活を送ろうとしているのかを知る必要があります。

今までの近所や地域住民との関係や役割はどのようなものだったのか、そして、今はどのようになればよいと思っているのかを把握する必要があります。

「今までのように近所の人との交流をもちながら楽しく生活を送りたい」と思っていたり、なかには「介護を受けるようになったから、あまり近所の人には知られたくない」と思っていることもあると思います。

前者であれば、情報を近所の人や民生委員とも共有しながら、地域の行事に参加したり、出かける機会につなげることもあります。

後者であれば、地域のなかでの過ごし方をいっしょに考え、利用者や家族のよき理解者として安心や安全につながる生活をあゆみ出せるよう

に、関係形成から積み重ねていくようにします。

地域のなかで生活を続けていくためには、地域と何らかのかかわりをもちながら生活を送らなければなりません。そのときに、いかに支え合える関係を築いていくことができるかが大切です。ふだんからの訪問介護員のかかわり方によって、利用者の生活にも地域とのつながりが生まれていくようになります。

地域との関係を築いていくにあたっては、地域の人と顔が見える関係を築いていくことが大切になります。そのための基本的なことは、あいさつをすることです。訪問に行った際に、近所の人に会った場合などは、元気よくあいさつをし、関係を少しずつつくっていきましょう。

また、事業所としては、認知症のことや介護保険制度のしくみ、訪問介護のしくみなどを知ってもらう努力をすることも求められています。地域サロンや老人会での行事で勉強会がある場合に積極的に情報を提供したりすることも、事業所の役割の1つといえます。

認知症や介護保険制度についての地域の人の理解が進めば、より住みやすい地域をつくっていくことができます。すぐに大きな変化を起こすことはむずかしいですが、事業所としてできることを続けていくことが大切になります。

## 9 実習で何を学んでほしいか？

訪問介護の実習では、次のようなことを学んでほしいと思います。

### 1 利用者の生活環境の背景を知ること

訪問介護は、利用者の自宅に入って介護をする仕事です。自宅での生活というものは、人によって大きな違いがあります。それは、今まで過ごしてきた生活様式や時代、地域によっても違いがあります。訪問介護員として大切なことは、どの生活もその人にとってはそれがふつうの生活であるという視点をもつことです。

自分とは違う生活であったとしても、自分の基準でほかの人の生活を評価しないようにします。まずは、その人の生活の状況を受け入れることが大切です。そして、なぜそのような現状なのかを、生活の背景を知りながら考えていきます。

そのためには、今までの時代の背景を学習し、障害や疾病の理解、高

齢者の身体的・精神的変化の理解など、他分野における総合的な知識を統合する必要もあります。

訪問介護の生活援助はだれでもできることではないか、という議論が出ることがありますが、専門的知識や技術を学んだ介護福祉士が訪問介護員として介護するからこそ、利用者が望む、利用者らしい生活を送ることができる環境をつくれるのではないかと思います。

### 2 自宅での安心・安全な生活の工夫

自宅での生活は、施設での生活と違って、段差があったり、車いすも通れない廊下があるなど、不便な場合が多々あります。

そのなかで求められることは、安心・安全な生活を送れるようにすることです。どんな環境にあっても、その環境に合わせた安心・安全な生活を送れるように工夫をして、支援するようにします。そう考えると、訪問介護における実践は、介護に関する知識と技術を統合し、力を発揮する場面があるといえるのではないでしょうか。

また、1対1での介護になる場合が多いので、環境や身体機能に合わせた介護ができないといけません。そのためには、まずどのような工夫をして自宅内にある段差を解消したり、安心・安全に入浴したりするのかを、目で見て学んでください。

### 3 在宅生活を続けていくためのさまざまな職種の人とのかかわり

在宅での生活を続けるために、主治医や介護支援専門員を中心に、さまざまな職種の人や事業所がかかわっています。また、公的機関などのフォーマルなサービスだけではなく、家族や地域などのインフォーマルなサービスも多くかかわっています。そのなかで、利用者にいちばん多くかかわり、生活に入りこむ場面が多い訪問介護員の気づきや情報は、日々の変化をとらえたものであり、支援の方向性を決めていく際に大切な情報になります。

それぞれの職種の人とのかかわりを通じて、訪問介護員として何が求められているのかを学んでください。

第 2 節

# 通所介護

## 学習のポイント

- 通所介護におけるサービス内容や利用者像などを理解する
- 通所介護の支援の視点を理解する
- 通所介護の実習で学ぶべきポイントを理解する

## 1 どのようなサービスなのか？

通所介護は、一般的にデイサービスと呼ばれています。介護保険法に規定されている数ある介護保険サービスのなかでも、在宅介護をしていくうえで必要とされるサービスの1つです。

高齢になると家に閉じこもるようになり、気づかないうちに運動機能もおとろえ、全身機能の低下による廃用症候群❶などを引き起こし、社会的にも孤立することがあるため、心身ともに衰弱していくことにつながります。

通所介護は、利用者がそのような状態になることを防ぎ、もっている能力に応じて可能な限り自立した在宅での日常生活ができるよう、必要な介護を日帰りで行うサービスです。また、利用者だけではなく、在宅で生活を支えている家族の介護負担軽減をはかる役割もになっています。

高齢者の通所介護は、1979（昭和54）年に在宅で寝たきり等の人を対象とした通所サービスが始まりとされています。2000（平成12）年に介護保険制度が開始されてからは、居宅サービスの1つとして位置づけられました。2006（平成18）年の介護保険法改正では、介護予防重視の観点から介護予防通所介護が創設されました。

また、高齢者が要介護状態になっても可能な限り住み慣れた地域で生活を続けられることを目的とした地域密着型サービスも創設され、そのサービスの1つとして、認知症の症状がある人に対して少人数で質の高いケアを実践する目的で認知症対応型通所介護も開始されました。

❶廃用症候群
心身の不使用により起こるさまざまな機能低下のこと。身体的には筋や骨の萎縮や関節拘縮など、精神的には意欲の減衰や記憶力低下等がある。「生活不活発病」とも呼ばれている。

第 2 節　通所介護

　2015（平成27）年の介護保険法の改正で、介護予防通所介護は、介護予防・日常生活支援総合事業へ移行されました。これは、市町村が中心となって地域の支え合いの体制づくりを推進し、多様なサービスを総合的に提供することができるしくみ（地域包括ケアシステム）づくりを目的としており、要支援者と介護予防・生活支援サービス事業対象者を対象としています。

　通所介護事業所の規模は、10人以下の小規模なものから100人を超える大規模なものまでさまざまです。サービス提供時間も、3時間以上では1時間ごとに細かく区切られており、その人に合ったサービスを必要な時間だけ選んで受けることも可能です。

　2016（平成28）年からは、定員18人以下の小規模な通所介護は地域密着型サービスに移行し、地域密着型通所介護となりました。

　おもなサービス内容としては、自宅からの送迎・入浴・食事・日常生活上の訓練・レクリエーションなどが受けられます。

## 2 どのような人たちが利用しているのか？

　通所介護は、基本的に、要介護認定を受けた65歳以上の人（第1号被保険者）が利用しています。また、がん末期や骨折をともなう骨粗鬆症などの16種類の特定疾病により要介護状態となり、要介護認定を受けた40〜64歳の人（第2号被保険者）も利用しています。

　要介護認定を受けたら、介護支援専門員（ケアマネジャー）に相談をします。相談を受けた介護支援専門員は、利用者のニーズを把握し、ニーズに合ったサービスを提案します。利用者は事業所を見学することもでき、利用者の自己決定にもとづいて事業所と契約し、サービスを利用するしくみとなっています。

　利用者のニーズには、
・自宅で入浴が困難なため、からだを清潔に保ちたい
・自分のできることを維持して自宅で安全な生活を継続したい
・ふらつきに注意して転ばないようにしたい
・生活にリズムをつくり、認知症の進行を予防したい
・他者との交流の機会を増やしたい
など、日常生活上の介護・機能訓練に加え、社会的な交流を通じた認知

第4章　実習先の特徴、実習先での学び

症予防、または利用者の家族の介護負担の軽減などがあります。
具体的にどのような人が利用しているのか紹介します。

**事例1**　**週6回デイサービスを利用するBさん**
　　　　　　（80歳・女性・要介護3）

　Bさんは夫と2人暮らしをしています。20代前半で結婚し、30代なかばごろに夫は仕事の都合で遠方に単身赴任することになりました。夫が家族のもとに帰ってくるまでの10年ほどは、5人の子どもを育てながら、義母の身の回りのこともBさん1人でお世話をしていました。
　Bさんは70歳を過ぎてからアルツハイマー型認知症を患い、2年間は夫が自宅で介護をしていましたが、介護負担軽減を目的にデイサービスの利用を始めました。利用当初は、夫を探して「うちへ帰る！」と1日に何度もフロア外へ出て行きました。職員は「お父さんは仕事に行っているから、終わったらお迎えに来ます」と言葉かけを統一し、対応していました。しかし、その言葉かけにBさんも窮屈さを感じたのか「嘘をつくな！」と言うことが増え、職員への怒りがつのり、手をふり払うなどの行動が目立つようになってきました。職員間で話し合いの場を設け、Bさんの「うちに帰りたい」という思いに対する解決策を考えるのではなく、その言葉に秘められている不安な思い（夫や家族を心配する気持ち）に寄り添い、Bさんが安心する環境をつくるようにしました。まずはフロアの出入り口近くに、Bさんのお気に入りのソファを置き、フロア外から帰ってきたときに、職員といっしょにソファへ座りひと休みできるようにしました。利用者への対応はそれぞれ違いますが、Bさんの場合はソファがあることで落ち着けるという発見がありました。3か月後、Bさんはフロア外へ出ていくことはなくなり、お気に入りのソファでほかの利用者や職員とともにおだやかな時間を過ごすようになりました。

**事例2**　**進行性筋ジストロフィーのあるCさん**
　　　　　　（65歳・男性・要介護5）

　Cさんは65歳でデイサービスを利用しはじめました。進行性筋ジストロフィーのため全身の筋肉が萎縮しており、自分で動くことはできません。入所はせず在宅生活を続けたいとの希望があり、家族の介護負担軽減と清潔保持を目的に、週2回デイサービスを利用することに

なりました。

　利用当初は口数も少なく、表情にもかたさがみられました。「食事も自分でとることができないし、排泄の量が増え余計に職員に手間をかけさせることになるからあまり食べたくない……」。Cさんはそんな気持ちをかかえていました。職員はCさんに積極的な言葉かけを行い、生活歴を知ることに努めました。Cさんは、自分の趣味を理解してもらえる、知識を語ることができるということを実感することで、疎外感の軽減につながっていきました。

　また、ケアの方法・手順については、Cさんに恐怖心と不安感を与えてしまわないように移乗方法の工夫をしたり、必ずやわらかい表情でCさんの言葉を復唱したりして、ケアにあたりました。今では、ケア方法の変更の提案や機能訓練にも前向きな姿勢を示すことが多くなり、ほかの利用者とカラオケで歌う姿も見ることができるようになりました。家族からも「以前に比べるとかなり表情や考え方がやわらかくなりました」と言ってもらえるようになっています。

## 3 どのような生活や活動をしているのか？

　通所介護は、「心身機能の維持・向上」と「活動と参加の維持・向上促進」を目的としています。通所介護では、日常生活のなかで必要に応じて食事・入浴・排泄などの介護を受け、心身機能の維持・向上、社会参加の向上のためのレクリエーションを行います。

　運動器具を使うトレーニングだけではなく、送迎車の乗り降り、昼食の配膳・下膳、食器洗い、口腔ケア、整容などの日常生活のなかで必要

送迎時の様子

食事の配膳の様子

**表4-2　通所介護の1日の例**

| 時刻 | 内容 |
|---|---|
| 8：25 | 朝の申し送り |
| 8：30 | 各コースに分かれての送迎 |
| 9：20 | 到着した人からティータイム |
| | バイタルチェック |
| | 入浴・個別機能訓練・趣味活動・脳トレなど、利用者のニーズに合わせた活動 |
| 11：20 | 口腔体操 |
| 11：30 | 食事の準備・配膳（セルフサービス） |
| 12：00 | 昼食 |
| | 昼食の片づけ・口腔ケア・排泄の介護 |
| 13：00 | 静養・雑談・趣味活動等の自由時間 |
| 14：00 | レクリエーション（グループ・個別） |
| | 個別機能訓練・カラオケ・ゲーム・おやつづくり・工作教室 |
| | 脳トレ教室・健康教室・書道・囲碁・将棋・季節に合わせた行事 |
| 15：00 | おやつ・雑談などの自由時間 |
| | 排泄の介護 |
| 16：00 | 認知症予防の体操 |
| 16：30 | 各コースに分かれての送迎 |
| 17：30 | 1日の申し送り |

な動作の訓練を行います。自宅で過ごしているあいだの生活動作を自分でできるよう支援しています。

利用者によってニーズはさまざまですが、平均して週に2～3回、1日に6～7時間利用しています。

事業所へ到着したあと、「今日1日をどのように過ごしたいか」を利用者がみずから複数あるメニューから選択し、決定します。自分の得意なことや新たにチャレンジしてみたいことなどを自由に選べることで、積極的に活動に参加できるようになります。主体的な在宅生活を送ることができるように、利用者が「自己選択」「自己決定」する活動の習慣をつけており、日によって利用者の活動も異なります。

ここで、具体的にデイサービスの日課を紹介します（**表4-2**）。

## 4　どのようなケアを行っているのか？

通所介護の介護福祉職は、次のようなケアを行っています。

・食事・入浴・排泄などの日常生活の介護
・身体機能・精神機能・日常生活動作（ADL：Activities of Daily Living）の維持を目的とした機能訓練やレクリエーションなど
・利用者の自宅への送迎

　食事の介護は、自宅でとる食事の形状・好みなどを聴き取り、事業所で嚥下の状態を確認し、利用者に合わせた食事を提供します。利用者全員が安全に食事ができるように、食事のペース・姿勢・一口の量などに目配り、気配りすることが大切です。

　入浴の介護は、施設・事業所によって設備の違いはありますが、利用者の身体の状態に合わせて歩浴・座浴・寝浴で介護を提供します。入浴は転倒のリスクがもっとも高い場面です。細心の注意を払って介護をすることが大切です。

　排泄の介護は、利用者の排泄リズムに合わせた案内が必要です。通所介護では、日中をほかの利用者といっしょに過ごします。そのため、言葉かけのときは、羞恥心への配慮も大切です。

　介護サービスのなかでは、グループで行うレクリエーションと個別で行うレクリエーションがあります。グループで行うものは「ふれあい」や「つながり」が生まれ、互いを知り親しくなることにもつながり、よい人間関係が築けるという利点があります。その一方で、グループで何かを行うことが苦手な人にとっては、自分の思うようにできない、やりたくないのにやらされているという感覚が生まれることもあります。そのような人のために必要になるのが個別レクリエーションです。個別レクリエーションでは、自分のできることを再発見して自分らしさを取り戻し、その人の生きがいにつながるようなアプローチが必要です。

　送迎は、安心・安全に送迎車に乗ってもらえるように、運転技術の向上に努めます。送迎時に重要なのが、利用者や家族とのコミュニケーションです。自宅での様子を聴き、そこでえた情報を事業所内で共有して、その日のケアにいかしていきます。また、家族からの相談も聴き、介護に関する助言を行ったり、不安や悩みを受けとめ、家族といっしょに解決策をみつけていくのも重要な役割になります。

　すべてのケアにおいて重要なのは、利用者についての情報です。ケアを提供するときは、必ず利用者の状態・体調・気分などをしっかり観察します。事業所での様子や状態の変化・気づきを、家族や訪問介護・訪問看護といった関係事業所や介護支援専門員へ適切に報告し、連携する

こtoo重要です。

## 5 どのような人たちといっしょに働いているのか？

① 管理者
運営管理などを行う、事業所の責任者です。

② 看護師（准看護師）
バイタルチェックや利用者の体調管理、服薬管理を行います。緊急時の対応も行います。機能訓練指導員として配置することも可能で、機能訓練の指導や個別機能訓練計画の作成も行います。

③ 生活相談員
事業所の窓口となる役割をにないます。家族や介護支援専門員からの利用相談や利用受付、初回面接（インテーク）、利用契約などを行います。その他、外部との連絡調整も行います。

④ 理学療法士（PT）・作業療法士（OT）・言語聴覚士（ST）・歯科衛生士
訓練計画の作成や訓練指導を行います。機能訓練指導員・口腔機能訓練指導員として配置している事業所もあります。

⑤ 管理栄養士・栄養士・調理員
利用者の献立作成やカロリー管理、調理などを行います。また、利用者の栄養状態に応じて、栄養面での相談・指導なども行います。

⑥ 事務員
電話対応や物品管理など、職員の事務的サポートを行います。

言語聴覚士による単語理解の訓練の様子

⑦ 送迎運転手
　自宅・事業所間の送迎車の運転を担当します。

## 6 介護福祉職はどのようなチームを組んでいるのか？

　通所介護では、介護福祉職1人で何人かの利用者の見守りをし、ケアを行います。介護福祉職は当日の役割によっても業務内容が異なるため、サービス利用時間を通してずっと利用者につきっきりでいるということはむずかしい状況があり、介護福祉職同士の連携が必要かつ重要になります。

　自分がその場を離れる場合は、利用者の身体状態や業務の進捗状況等をほかの職員に伝えていなければ、業務が滞り円滑に行うことができなくなるなどの問題が発生します。情報を共有する方法としては、口頭での申し送りと記録物での伝達があります。

　口頭での申し送りは、伝えたいことに優先度や重要度をつけて説明することにより、すばやく短時間で伝えられるのがメリットです。しかし、口頭での伝達は記録として残らないため、不正確なものになりやすいことがデメリットでもあります。

　そのため、口頭だけでなく、記録として残される日誌等を活用しながら全職員で情報の共有や介護のひきつぎを行います。記録は個々の利用者の経過を観察していくうえでとても重要となり、勤務形態が違っていても情報を閲覧・周知することができます。情報を共有するには、内容を補完し合う口頭伝達と記録の両方が大切となります。

〈情報共有の例〉
・フロアで体調不良に気づいた場合や、入浴時に傷・けがなどを発見した場合は、全職員に周知しておく必要があります。フロア担当は、入浴担当へ体調不良の申し送りを行うことで、入浴の順番への配慮や入浴のよしあしを看護師と相談し、適切な状況判断をすることができます。また、入浴担当が入浴時の傷やけがを当日の責任者や生活相談員へ申し送りすることで、家族へ迅速に状態を伝えることができます。

> ・職員の休憩時間は、利用者の見守りが手薄になるため、人が入れ替わる際は互いに申し送りを行い、状況を把握することで、スムーズで安全に介護にあたることができます。

　また、近年は、ICT（Information and Communication Technology：情報通信技術）の導入・活用も進んでいます。介護にたずさわる全職員が情報共有のために時間を割くことはむずかしいため、持ち歩きできるタブレット端末から利用者についての情報をその場で入力し、共有できるようなしくみが整えられています。ICTを活用することで、記録の重複入力や申し送りの漏れなどの問題が解消できると期待されています。

　情報の共有は、介護現場でよりよいチームを築くために、とても重要なことです。ふだんから職員同士がしっかりとコミュニケーションをはかり、報告・連絡・相談はこまめに積極的に行うことが大切です。

## 7 ほかの職種の人たちとどのように協働しているのか？

　前述したように、通所介護ではさまざまな職種の人といっしょにケアを提供し、情報共有がされています。たとえば、通所介護の利用中に体調が急変してしまった場合、いちばん早く気づけるのはケアを提供している介護福祉職です。介護福祉職は、ふだんとの様子の違いを把握し、看護職員に報告します。報告を受けた看護職員は、利用者の状態を確認し、様子をみるのか、必要な処置を行うのか、病院を受診する必要があるかなどを判断します。必要に応じて介護福祉職もいっしょに対応します。生活相談員は、すべての対応を把握し、家族・介護支援専門員・病院などと連携をとる役割をになります。このように、それぞれの職種が役割をもってかかわり、常に報告・連絡・相談を行うことが重要です。

　また、利用者の状況に応じた個別機能訓練をするうえでは、個別機能訓練計画の作成が必要になります。個別機能訓練計画は、多職種が共同して作成することが義務づけられています。計画作成時には、機能訓練指導員（看護職員等）・介護福祉職・生活相談員がそれぞれの視点から意見を出し合い、アセスメントや評価を行います。

## 8 地域をどのように意識して、取り組みにつなげているのか？

　通所介護では、2016（平成28）年度から新たに地域密着型通所介護事業所、認知症対応型通所介護事業所に、運営推進会議をおおむね6か月に1回の頻度で開催することが義務づけられました。この会議は、利用者や家族、市町村の職員、地域住民の代表者等に対し、提供しているサービス内容等を明らかにすることにより、事業所による利用者の「抱えこみ」を防止し、地域に開かれたサービスとすることで、サービスの質の確保をはかることを目的としています。運営推進会議を通じて事業所のことをより詳しく知ってもらうために、

・事業所の特色の紹介
・職員の紹介
・利用者状況（利用人数や平均介護度など）
・活動状況の紹介（行事報告や事故事例の報告など）

等の報告を行います。参加者に意見や助言をもらい、これからの活動にいかしてサービスの質の向上に努めていくことが事業所としての役割です。また、会議を通して利用者や家族、地域の人とのつながりができ、相談し合える関係づくりの場ともなっています。運営推進会議を通じて、利用者が必要としているサービスを地域で考え、体操教室や認知症サロン（教室）なども開催されています。

　利用者や家族、地域の人が参加できる祭り行事やごみ拾い運動などの地域貢献活動なども行っていくことで、地域の人にとってより身近で気軽に立ち寄りやすい事業所としての役割も期待されています。

地域交流の祭り風景

## 9 実習で何を学んでほしいか？

通所介護の実習では、次のようなことを学んでほしいと思います。

### 1 どのような流れで1日のケアが提供されているのか

通所介護では、朝の送迎から始まり、健康チェック、入浴、食事、レクリエーションなどのさまざまなケアが、限られた時間のなかで提供されています。そのなかで、個々のニーズに合わせたサービスを職員がしっかり連携をとりながら提供しています。

### 2 ケアや利用者の活動がどのような意味で展開されているか

通所介護でのケアや活動は、利用者のニーズにもとづいて提供されています。必ずケアの注意点・根拠があるため、よく観察して職員に聞いてください。

### 3 多くの利用者とコミュニケーションをはかること

通所介護の利用者の顔ぶれは、毎日変わります。多くの利用者とコミュニケーションがはかれるように意識して実習にのぞんでほしいと思います。また、職員が1人ひとりの利用者に対して、どのような工夫をして言葉かけを行っているかをよく観察して、参考になる点を見つけてください。

### 4 自宅での生活を継続していくためのサポート

利用者には、サービス利用時間中に、職員やほかの利用者とのかかわりや活動を楽しんでもらうことはもちろん大切ですが、それに加えて、利用者が自宅で生活を継続するためのサポートも重要です。利用者がどのような目的をもってサービスを利用しているのか、利用中にどんな支援が必要なのか、職員の動きや利用者とのかかわりのなかからしっかりと学んでほしいと思います。

実習では、自分が何を学びたいのかについて、毎日具体的にまとめて職員に伝えてください。自分が学びたいことをしっかりと伝えることができれば、より学びや気づきが増え、充実した実習になると思います。

また、利用者も温かく笑顔で迎えてくれます。人生の先輩を尊敬する気持ちをもって、元気に笑顔で接することで、たくさんのことを教えてもらえると思います。

第 3 節

# 通所リハビリテーション

**学習のポイント**
- 通所リハビリテーションにおけるサービス内容や利用者像などを理解する
- 通所リハビリテーションの支援の視点を理解する
- 通所リハビリテーションの実習で学ぶべきポイントを理解する

## 1 どのようなサービスなのか？

**通所リハビリテーション**は、医師の指示のもと、リハビリテーション計画にもとづいてリハビリテーションを行い、心身機能の維持や回復、生活機能の維持や向上をはかることを目的としたサービスです。介護保険制度の居宅サービスの1つに位置づけられており、一般的に**デイケア**と呼ばれています。

2000（平成12）年の介護保険制度の導入により創設された通所リハビリテーションの前身には、1986（昭和61）年に老人保健法に位置づけられたデイケアがあります。これは、医療機関において、精神疾患や脳卒中後遺症等のある高齢者の心身機能の維持や回復を目的としたものでした。なお、現在通所リハビリテーションを提供する施設としては、病院、診療所、介護老人保健施設、介護医療院があります。

通所リハビリテーションのサービス提供時間は、制度として「1時間以上2時間未満」から「7時間以上8時間未満」まで1時間きざみで選択肢があります。厚生労働省の「介護給付費等実態統計」によれば、「6時間以上7時間未満」の利用がもっとも多い状況が続いています。また、サービス内容については、「医師の診察」と「リハビリテーション」はすべての通所リハビリテーションに共通しています。そのため、専任の医師が配置されており、「リハビリテーション」を行う専門職は、理学療法士、作業療法士、言語聴覚士に限定されている（「1時間以上2時間未満」のサービスでは適切な研修を受けた看護職員等でもよいと

されています）といった特徴があります。一方で、それ以外の、たとえば送迎や入浴、食事等のサービスを提供しているかどうかは、事業所によって異なっています。

　通所リハビリテーションがもつ役割は、施設内でリハビリテーションを行い、利用者の心身機能・生活機能の維持や改善を支援することだけではありません。生活環境や家族の協力体制の調整をしたり、設定した目標どおりに心身機能の改善がみられた場合等には、通所介護（デイサービス）や地域サロン等へ移行するための支援をしたりする役割もになっています。

## 2 どのような人たちが利用しているのか？

　通所リハビリテーションは、心身の機能回復のためのリハビリテーションを必要とする要支援・要介護の認定を受けた人がサービス利用の対象となります。

　通所リハビリテーションの利用者の多くは、脳卒中や骨折、認知症などの傷病が原因でリハビリテーションが必要になった人です。そのため、実施されるリハビリテーションの内容は、筋力向上訓練や歩行・移動練習、関節可動域訓練、体力向上訓練など、身体機能の改善に関するものの割合が高くなっています。

　具体的にどのような人が利用しているのか紹介します。

**事例1　自宅で脳梗塞を発症したDさん（78歳・男性・要介護1）**

　Dさんは4歳年下の妻と2人暮らしです。いつものようにいっしょに朝食をとっていましたが、その日のDさんは箸をうまく握れず、顔色も悪く呂律も回っていなかったため、妻は救急車を呼び、近くの総合病院へ入院となりました。Dさんは軽度の脳梗塞と診断され、血栓を溶かすための点滴が施されました。早期治療により良好な経過がえられ、1週間後から点滴と並行してベッドサイドで廃用症候群を予防するためのリハビリテーションが開始されました。しかし、右半身に力が入らず歩行にもふらつきがあるため、入院中に介護保険の申請と認定調査を受け、要介護1と認定されました。

6週間で自宅退院してからは、近くの通所リハビリテーションに週2回通うこととなりました。病院から自宅に戻った当初は疲労の訴えが多く、横になっている時間が長かったのですが、通所リハビリテーションの利用開始から6か月後には、発症前の8割程度まで体力が回復し、体重も戻ってきました。また、介護支援専門員（ケアマネジャー）や通所リハビリテーションのリハビリテーション専門職に自宅環境の評価をしてもらい、手すりの設置や玄関の昇降と浴槽の出入りについてアドバイスを受け、自宅でも動作訓練を継続したところ、以前とほぼ同じように生活できるようになっていきました。

利用開始から1年後の介護保険の更新認定では、要介護1から要支援2に改善がみられました。Dさんは、野菜の栽培やガーデニングが趣味だったこともあり、地域包括支援センターの紹介で、地域の公園や道路の花壇でガーデニングに取り組んでいる地域サロンや老人会へ参加するようになり、通所リハビリテーションの利用は終了となりました。

## 3 どのような生活や活動をしているのか？

通所リハビリテーションの利用者は、家庭生活や社会生活を続けながら、おもに身体機能の改善を目標にして利用しています。その目標は利用者ごとに違い、日常生活動作（ADL：Activities of Daily Living）の改善や自立を目標にする人もいれば、地域への社会参加や就労復帰を目標にする人もいます。

表4-3は、一般的な「6時間以上7時間未満」のサービス提供を行う通所リハビリテーションの1日の例を示したものです。

「リハビリテーション」では、利用者個々の目標達成のために、リハビリテーション専門職の指導のもとで、個別に作成されたリハビリテーション計画にそった個別のプログラ

平行棒を使って歩行運動している様子

表4-3　通所リハビリテーションの1日の例

| 時刻 | 内容 |
|---|---|
| 9:00 | 送迎開始 |
| 9:30 | バイタルチェック・診察 |
| 9:45 | 朝の会 |
| 10:00 | リハビリテーション<br>趣味・レクリエーション活動（手芸、園芸、将棋等）<br>入浴<br>水分補給 |
| 11:45 | 口腔体操<br>食事の準備 |
| 12:00 | 昼食<br>口腔ケア |
| 13:30 | リハビリテーション<br>趣味・レクリエーション活動（手芸、園芸、将棋等） |
| 15:30 | おやつ<br>終わりの会 |
| 16:00 | 送迎 |

ムを実施したり、マシンを使用して行うパワーリハビリテーションや集団体操を行ったりします。

また、通所リハビリテーションの利用頻度は、多くの利用者が週1～3回であり、目標の達成のためには居宅での過ごし方も重要となります。居宅では、医師やリハビリテーション専門職のアドバイスを受けて自主訓練に取り組んだり、日常生活のなかの応用動作（玄関や階段の昇降、トイレ動作や入浴時の浴槽の出入り動作等）を訓練の1つとして意識して行うように支援します。

# 4　どのようなケアを行っているのか？

通所リハビリテーションの介護福祉職がかかわるケアについて、一般的な「6時間以上7時間未満」のサービス提供を行う通所リハビリテーションを例にとって説明します。

## 1 送迎

送迎では、大きく2つのことを意識します。1つ目は、利用者の生活

環境や生活の様子について、目で見て確認したり、利用者や家族から聞いたりして情報を集めることです。利用者についての情報は、早期に体調不良を発見する機会になるなど、サービス提供のあり方に大きくかかわるため、とても重要です。2つ目は、送迎車両に乗り降りするための一連の動作を機能訓練の機会とすることです。利用者自身の身体機能や筋力をいかした乗り降りの支援を行います。

### 2 入浴

入浴では、清潔保持という目的を果たすだけでなく、麻痺や皮膚等の身体の状態確認も行います。また、リラックス効果から利用者のさまざまな気持ちを聞き出せる機会となるため、コミュニケーションをとることを意識します。利用者から聞くことができたサービスの提供にかかわる重要な情報は、医師や介護支援専門員等の他職種に報告します。また、入浴における洗身や洗髪は機能訓練の機会となるため、利用者自身ができるだけ自分で行えるよう配慮します。浴槽の出入りについても、利用者の安全を第一に考えながら、機能訓練の機会としてかかわります。

### 3 食事

食事は、「楽しみの時間」であると同時に、「栄養補給の時間」でもあります。1人暮らしの高齢者は、自宅での食事メニューだけでは低栄養状態となることが少なくありません。通所リハビリテーションの提供食でそれをカバーしていく場合もあります。介護福祉職は、必要な栄養素やカロリーを昼食時等に無理なく楽しくとってもらうために、食前に口腔体操を実施したりしています。

### 4 趣味・レクリエーション活動

「リハビリテーション」以外の時間には、趣味活動やレクリエーション活動を行います。個別に編み物等の作業をする人もいれば、グループで大きな貼り絵等の作品づくりや風船バレーボールをする人、畑がある事業所であれば、屋外で園芸に取り組む人もいます。活動内容は利用者の要望をもとに決めますが、個別の「リハビリテーション」と無関係に実施しているわけではなく、利用者の体力や心身機能にマッチし、リハビリテーション計画の目標の達成に結びつけられるようなものを行っています。介護福祉職は、利用者や家族と相談するとともに、リハビリテーション専門職と連携して活動内容を決め、その実施にかかわっています。

送迎時の様子

風船バレーボールをしている様子

**5** フロア全般のかかわり

　介護福祉職は、1日の通所リハビリテーションのプログラムを円滑に進行するために、トイレ介助や水分補給の声かけ、おやつの提供、口腔ケア等のフロア全般のケアにたずさわっています。

## 5 どのような人たちといっしょに働いているのか？

　通所リハビリテーションは、提供する施設（病院、診療所、介護老人保健施設、介護医療院）や提供するサービスによって、配置している職種に違いがあります。ここでは、一般的な「6時間以上7時間未満」のサービス提供を行う通所リハビリテーションを例にとって説明します。

① 医師

　リハビリテーションの目標や方針、留意点等を記載したリハビリテーション計画を作成するために、利用者の心身機能の評価を行い、利用者の体調管理に責任をもちます。

② 看護師（准看護師）

　バイタルチェック等による利用者の体調管理や服薬管理、褥瘡等の身体の処置などを行います。また、口腔機能の評価や摂食嚥下機能の評価、栄養状態の評価を、リハビリテーション専門職や管理栄養士（栄養士）と連携して行います。

③ リハビリテーション専門職（理学療法士（PT）・作業療法士（OT）・言語聴覚士（ST））

医師の指示やリハビリテーション計画をもとに、ADL訓練、応用動作訓練、心身機能の評価を行います。また、利用者の居宅環境の評価やアドバイスも行います。ほかにも、口腔機能の評価、摂食嚥下機能の評価、栄養状態の評価とその改善にもかかわります。

④ 管理栄養士（栄養士）

栄養バランスや、食欲が増す献立・盛りつけを考えた食事提供を行い、利用者の食事全体に責任をもちます。高血圧症や糖尿病等のある利用者に対しては、医師の指示に対応した減塩食、糖尿病食等の治療食の提供を行います。また、摂食嚥下機能が低下している利用者には、きざみ食やソフト食などの食事形態を工夫した食事を提供します。

⑤ 事務職

来訪者への対応や電話対応、医療保険や介護保険等の請求事務、使用する物品の管理、職員の労務管理等を行います。

## 6 介護福祉職はどのようなチームを組んでいるのか？

通所リハビリテーションの介護福祉職は、業務全般にかかわるため、役割分担が決められています。たとえば、送迎担当、入浴担当、食事担当、趣味・レクリエーション活動担当、フロア担当（利用者の見守り、トイレ介助、水分補給の声かけ、記録等）などがあり、同じ介護福祉職でも担当する業務は日によって違います。

そのため、情報共有がとても重要になります。介護福祉職間では、朝の送迎前のミーティング、昼の申し送り、夕方の送迎後のミーティング等で情報共有をしています。これらの場では、利用者ごとに、送迎を含めたサービス提供中の様子についてふり返ります。心身の具合や入浴の様子、リハビリテーションの様子、食事の様子、趣味・レクリエーション活動の様子、フロアでの様子等について情報共有をしていきます。このときに、介護支援専門員が作成したケアプランや医師の指示、リハビリテーション計画の目標がどの程度実行・達成されたのかを確認していくことになります。あわせて、利用者の心境の変化や送迎時に家族からえた情報があれば、それらについても共有します。情報共有はミーティングで行うことが多いですが、タブレットやインカム等を導入し、サー

ビス提供中にリアルタイムで情報共有を行っている事業所もあります。

## 7 ほかの職種の人たちとどのように協働しているのか？

　介護福祉職は、業務全般にかかわる中心的な職種であり、他職種と連携しながら業務を行っています。ここでは、どのように他職種と連携しているかについて、一般的な「6時間以上7時間未満」のサービス提供を行う通所リハビリテーションを例にとって説明します。

### 1 送迎
　朝の送迎は、その日の利用者の体調を最初にキャッチする機会です。利用者や家族とのコミュニケーションや、送迎車内での利用者の様子を観察することで、情報をえることができます。利用者の体調がいつもと異なる場合には、事業所到着後に看護職員へ報告し、対応してもらいます。

### 2 バイタルチェック
　基本的には看護職員が行う業務ですが、利用者数の多い事業所では介護福祉職もその補助に入り、通所リハビリテーションの日課が円滑に進行するようにします。看護職員から利用者の体調等について気をつけるべきことなどの報告があった場合は、その点に注意して利用者にかかわるようにします。

### 3 リハビリテーション
　リハビリテーション専門職が行う業務ですが、介護福祉職が訓練室まで送っていく、あるいは訓練終了者を迎えにいくようにしている事業所もあります。介護福祉職は、利用者の体調や訓練をプログラムどおり実施できたのか等の情報をリハビリテーション専門職からもらい、その情報を趣味活動やレクリエーション活動を行う場面でいかしていきます。

### 4 昼食・口腔ケア
　介護福祉職は、配膳・下膳に加え、必要に応じて食事の介助や食後の口腔ケアを、看護職員と連携して行います。食事中は、誤嚥に注意して咀嚼や摂食嚥下機能の状態を観察したり、食事量を確認したりします。利用者の状態に変化がみられた場合には、医師や看護職員、管理栄養士（栄養士）等に報告します。

### 5 趣味・レクリエーション活動

趣味・レクリエーション活動は、利用者本人が取り組んでみたいことがベースとなります。介護福祉職は、利用者の要望を聞くことに加え、リハビリテーション専門職から活動プログラムや活動量等についてのアドバイスをもらい、活動内容を決めていきます。

### 6 ケアカンファレンス、サービス担当者会議

サービス提供時間以外で他職種と協働する場面として、事業所の職員が集まって行うケアカンファレンスや、介護支援専門員が主催し、利用者・家族をはじめ、利用者に関係するさまざまな地域のサービス事業所の担当者が集まって行われるサービス担当者会議があります。介護福祉職は、どちらの会議にも介護の専門職として参加し、情報提供・情報共有を行います。

## 8 地域をどのように意識して、取り組みにつなげているのか？

通所リハビリテーションは、地域で利用者の在宅生活を支えるサービスであり、社会資源の1つです。そのため、地域の一員として、①地域をよく知ること、②地域の人に施設・事業所の存在を知ってもらい、連携することが求められます。なお、その前提として、利用者が地域でどのような暮らしをしているかについて知ることが重要です。

### 1 地域をよく知る

利用者の在宅生活を継続していくために、利用者の生活圏にある医療・介護・福祉サービスといったフォーマルな社会資源について知ることに加え、家族や親戚、知人を含めた地域住民の結びつきや協力によるインフォーマルな社会資源についても知ることが求められます。地域をよく知ることで、利用者にどのようなかかわりが今後必要になってくるのかを広い視野で考え、調整することができるようになります。

### 2 地域の人に施設・事業所の存在を知ってもらい、連携する

通所リハビリテーションは、地域の一員として、地域の安心・安全に寄与することが求められます。その第一歩として、通所リハビリテーションでは、地域で互いに支え合い助け合える関係づくりに取り組んでいます。

互いに支え合い助け合える関係とは、災害時を例に考えると、あってはならないことですが、施設で火災が発生し、至急利用者に屋外へ避難してもらわなければならないときに、近隣住民が応援にかけつけてくれたり、地震や風水害に見舞われた際に、地域住民が施設へ避難してきたりすることなどが想定されます。これらは、どちらの場合も、地域の人に施設・事業所の存在を知ってもらい、日ごろから顔が見えるような関係ができていてこそ成立するものです。

　このような関係づくりのために、具体的には、通所リハビリテーションの事業所が所有する建物で健康体操教室を開催したり、地域の健康祭りや敬老会の運営に通所リハビリテーションの職員がかかわったりなど、さまざまな取り組みをしています。

## 9　実習で何を学んでほしいか？

　通所リハビリテーションの実習では、次のようなことを学んでほしいと思います。

### ❶ 利用者を知ること

　利用者を知るというのは、病名や心身機能の状態、介護度を知るということだけではありません。地域での暮らし方や1日の過ごし方までを広くとらえる視点が大切です。それが理解できてはじめて、1人ひとりの利用者がどのような思いや目的をもって通所リハビリテーションを利用しているのかについて理解できるようになります。

　機会があれば、個別のケース記録や介護支援専門員が作成するケアプラン等を閲覧させてもらい、その説明を担当職員にお願いしてみましょう。その際、守秘義務を守り、個人情報の管理を徹底することには注意が必要です。ケース記録やケアプラン等には、利用者の生活歴や家族構成などの個人情報が大量に含まれています。実習で知りえたすべての個人情報については、実習終了後も守秘義務を守らなければなりません。関連して、個人情報管理という視点で、通所リハビリテーション事業所がケース記録をどのように管理しているのかについても学びましょう。

### ❷ 介護福祉職の役割を知ること

　通所リハビリテーションでの介護福祉職の役割は、前述のとおり、送迎や入浴、食事など、多岐にわたります。また、これらのサービス提供

を滞りなく進められるように、準備や計画、調整をする役割もになっています。実習では、実際に介護福祉職がどのように準備や計画、調整をしてケアにかかわっているのかを学びましょう。

また、サービス提供時間中に、利用者にいちばん長くかかわり、いちばん身近にいる介護福祉職が、利用者とどのようにコミュニケーションをとっているのかについても学びましょう。

### 3 他職種の役割、介護福祉職との連携について知ること

通所リハビリテーションでは、医師やリハビリテーション専門職をはじめとするさまざまな専門職が働いています。実習は、それぞれの専門職の役割を実際に見て知る貴重な機会です。同時に、介護福祉職が他職種とどのように連携しているのか、その実際を学びましょう。

### 4 ほかのサービスや地域との連携について知ること

通所リハビリテーションのサービスは、それだけで完結するのではなく、利用者の在宅生活を支えるために、ほかのさまざまなサービスや地域と連携して機能し、役割を果たしています。介護支援専門員が主催するサービス担当者会議や地域包括支援センターが開催する地域ネットワーク会議にも関心をもって目を向けてみましょう。

第 **4** 節

# 特別養護老人ホーム（介護老人福祉施設）

**学習のポイント**
- 特別養護老人ホームにおけるサービス内容や利用者像などを理解する
- 特別養護老人ホームの支援の視点を理解する
- 特別養護老人ホームの実習で学ぶべきポイントを理解する

## 1 どのようなサービスなのか？

　**特別養護老人ホーム**（以下、特養）は、老人福祉法（昭和38年法律第133号）の第5条の3に定められている老人ホームのなかの1つとして創設された施設です。おもに身体上、または精神上いちじるしい障害があるために常時介護を必要とし、在宅での生活が困難となった高齢者が長期的に入所できる施設として位置づけられ、入所にあたっては、地方自治体が老人福祉法にもとづく措置制度によって判断し、決定されていました。

　2000（平成12）年4月から介護保険法が施行されたことにより、老人福祉法で設置されていた特養が、都道府県より指定を受け運営を行う形となり、介護保険法上では**指定介護老人福祉施設**として位置づけられました。介護保険制度では、身体の状況や介護の手間、医師の意見をもとに介護が必要であるかどうかを認定し、その要介護度に応じて利用できるサービスに制限を設けました。特養は、要介護1～5の認定を受けていれば、入所を希望する人が直接施設と契約して入所できるようになりました。

　特養では、利用者が認知症や疾病にともなう障害があっても安心して生活を送ることができるよう、食事、入浴、排泄などの介護と日常生活における医療サービスを提供します。現在は、従来の多床室のほかに、

第4節　特別養護老人ホーム（介護老人福祉施設）

個室を中心とした従来型個室介護、全室個室で1ユニット10人程度の小単位で生活するユニット型個室介護など、さまざまな形で介護が提供されています。2006（平成18）年4月からは、入所定員が29人以下の施設は地域密着型介護老人福祉施設となっています。また、2015（平成27）年の介護保険法改正の施行により、入所の基準が要介護3以上に限定されました。施設の形態も増え、より状態の重度な人が入所する施設となりましたが、入所後もその人の意思や人格を尊重し、必要なサービスを提供するとともに、その人らしい生活の維持と、自立した生活を営むことができるよう支援していくことが求められています。

このように、特養は**介護保険施設**の1つとして機能しています。ただし、65歳以上の高齢者が家族の虐待により居宅で介護を受けることが困難な場合等のやむをえない事由があるときは、老人福祉法にもとづいて措置入所となることもあります。

また、特養は、短期入所生活介護（ショートステイ）を併設していることが多く、その利用者が特養入所者と同じフロアで生活していることも多くあります。なお、特養に併設されている短期入所生活介護の利用定員数は、本体である特養の利用定員数とは別に定められています。

## 2 どのような人たちが利用しているのか？

特養の入所者は、原則として、要介護3以上の認定を受けた65歳以上の第1号被保険者および40〜64歳の第2号被保険者（特定疾病に該当し、介護が必要と判断された人）が対象となります。

入所者には、認知症の悪化や急な病気による状態の変更により自分1人での生活が困難になったり、同居する家族の都合により在宅での生活が困難である人、また、入院治療を終えたものの、在宅に復帰することができなかったり、1人での生活に不安を感じ、相談機関を通して入所する人など、さまざまな理由をもつ人が施設へ入所しています。

通常は、入所を希望する人または家族が直接施設に申し込みを行い、契約を行ったあとに入所となりますが、それ以外にも市町村において虐待の認定を受けると、措置による入所となる場合があります。また、要介護1、2であっても重度の認知症や精神疾患等で日常生活において生命の危険がある人や、やむをえない理由により在宅生活の継続が困難な

場合に、市町村により入所の必要性があると判断されれば、特例入所として特養に入所することが可能です。

具体的にどのような人が利用しているのか紹介します。

**事例1** **アルツハイマー型認知症と診断されたEさん**
**（79歳・男性・要介護5）**

> Eさんは、若いころより兄弟で自営業を営み、結婚して子どもが2人います。市議会議員、県議会議員を務め、議員退任後はボランティア活動や保育園の理事等を務めていましたが、車を運転している途中に目的地がわからなくなったり、銀行の暗証番号がわからなくなったりしたため、病院を受診し、アルツハイマー型認知症と診断を受けました。その後、デイサービスやショートステイ等の介護サービスを利用していましたが、もの忘れが進行し、不眠や職員への暴言、徘徊、介護への抵抗が強くなったため、医療機関へ入院しました。妻はEさんをなるべく自宅で生活させたいと希望していましたが、妻1人で対応することはむずかしく、医療機関と協議した結果、特別養護老人ホームへ入所することとなりました。
> 
> 入所後は環境の変化により落ち着きがなく、介護への抵抗や職員への暴言もみられましたが、多職種で連携してEさんの状態に応じた介護を提供したことで、少しずつ落ち着きを取り戻し、安定した生活を送ることができています。

## 3 どのような生活や活動をしているのか？

特養では、基本的な生活の流れが決まっていますが、入所者の個々の病気や状態に応じて提供される介護サービスの内容や回数が違います。従来型の施設では、個室のほかにも2～4名が同時に入所する多床室が整備されている施設もあり、決められた時間に食事や入浴を提供する集団的ケアが比較的多く実施されています。一方で、ユニット型施設では、全室個室で在宅に近い居住環境で、入所者の個性や生活リズムに応じた個別ケアを行い、他人との人間関係を築きながら日常生活を営めるような介護が行われています。ここでは、ユニット型施設で生活する認知症のあるFさんと医療的ケアを必要とするGさんのそれぞれのスケジュールをみてみましょう（**表4-4**）。

## 第4節 特別養護老人ホーム（介護老人福祉施設）

### 表4-4 特養の1日の例

| | 認知症のあるFさん | | 医療的ケアを必要とするGさん |
|---|---|---|---|
| | | 6：00 | 起床<br>排泄介助・顔拭き・検温 |
| 6：30 | 起床<br>洗面・トイレ誘導・検温 | | |
| 7：30 | 離床（着替え・整容） | | |
| 8：00 | 朝食<br>服薬・口腔ケア | | |
| | | 8：30 | 朝食（経管栄養）<br>※食後1時間は安静 |
| 9：00 | フロアにて自由活動<br>・テレビ視聴<br>・集団体操<br>・個別リハビリ | | |
| | | 10：00 | 口腔ケア・排泄介助・体位変換 |
| 11：30 | トイレ誘導 | 11：30 | 水分摂取（経管）<br>※摂取後30分は安静 |
| 12：00 | 昼食<br>服薬・口腔ケア | 12：00 | 排泄介助・体位変換・検温 |
| 14：00 | 入浴（個別浴）（週2回）<br>※行事、レクリエーションなど<br>　曜日に応じて実施 | 14：00 | 入浴（機械浴）（週2回）<br>※行事、レクリエーションなど<br>　曜日に応じて実施 |
| 15：00 | 間食、趣味活動など | 15：00 | 体位変換 |
| | | 16：00 | 夕食（経管栄養）<br>※食後1時間は安静 |
| 17：00 | トイレ誘導 | | |
| 18：00 | 夕食<br>服薬・口腔ケア | | |
| | | 19：00 | 排泄介助・体位変換・口腔ケア |
| 20：00 | 就寝準備<br>トイレ誘導 | | |
| 21：00 | 就寝 | 21：00 | 就寝・体位変換 |
| | 定期巡回・トイレ誘導 | | 夜間2〜3時間ごとに体位変換<br>排泄交換2回実施<br>必要時に喀痰吸引 |

注：本人の状況に合わせ、日々時間は変動します。

趣味の園芸をしている様子

リビングで体操している様子

## 4 どのようなケアを行っているのか？

　　特養では、食事、入浴、排泄、衣類の準備や着脱、移乗と移動、身体状況の確認など、日常生活における介護全般をサービスとして提供しています。

　　介護といえば食事、入浴、排泄と思われがちですが、それ以外にも衣類の準備や着脱、移動の支援、車いすを利用する人であれば車いすへの移動・移乗、歯みがき、髪をとかす、顔を洗う等、その業務は多岐にわたります。直接的な介護以外にも、入所している人の身体状況を確認し、異変があれば看護職員に連絡したり、会話のなかで精神的に落ち込んだり、不安を感じたりしているような発言があれば、はげますような言葉かけを行う必要があります。特養では、介護の技術だけでなく、入所者の変化に気づく観察力も求められます。

　　ケアを提供するうえで、情報の共有も重要です。在宅から特養への入所前に、介護支援専門員（ケアマネジャー）が自宅または病院、施設等を訪問調査して情報を集め、施設サービス計画を作成します。施設サービス計画は、入所者に必要と思われる介護サービスを、どの介護福祉職がたずさわっても共通して提供できるように書面化したものであり、必ず確認してケアを行う必要があります。

　　近年、在宅支援と同様に、自立支援の視点が大きく求められるようになりました。介護福祉職は、入所者の生活のすべてを介護するのではなく、できることはなるべく自分で行ってもらうという側面的な介護を提供することで、入所者自身に自分でできる喜びを感じてもらい、そのこ

第4節 特別養護老人ホーム（介護老人福祉施設）

申し送りの様子

とにより生きる気力を感じてもらいます。できる能力があるにもかかわらず、すべてにおいて介護を行うと、残された能力も失い、状態の悪化につながることが予想されます。ただし、入所者にその行動をとる意欲がないにもかかわらず、できる能力のみに焦点をあてて行動をうながすことは、自立支援とはいえません。介護福祉職には、入所者がもつ意欲と、その残された能力をしっかりと把握し、入所者個々に応じた介護を提供することが求められています。

　入所者にとって特養は、自宅と同じです。介護福祉職はこの点をしっかり理解し、その人らしい生活を送ることができるようにケアの視点を見きわめながら、個別ケアの提供を行います。

　また、特養は従来型の施設（多床室、個室）とユニット型の施設（個室）に分類されますが、それぞれに特色があります。従来型の施設では集団的ケア、ユニット型の施設では個別ケアが比較的多く実施されていますが、近年は従来型でも入所者の個性や生活リズムを尊重した個別ケアを提供する施設も増えています。効率的に集団をケアするという考え方から、入所者個々に合った個別的なケアを提供する考え方に、特養が少しずつシフトしているのです。

## 5 どのような人たちといっしょに働いているのか？

① 施設長
　施設運営全般の責任者です。

② 医師

　入所者の病気やけがの診断、治療を行います。入院する必要があると判断したときには、入院する病院の手配等を行います。看護職員への指示や緊急時の対応も行います。

③ 看護師（准看護師）

　入所者の健康管理を行います。バイタルチェックや薬の管理・配薬、経管栄養の準備と注入、褥瘡や皮膚トラブルの処置、入所者の急変時の対応などをします。病院とは違い、医師が24時間常駐していないので、状況と緊急度を判断し、必要に応じて医師への連絡や対応を行います。

④ 生活相談員

　入所者や家族、職員に対して、相談援助業務を行います。また、新規入所に関しての受付・相談・事前調査等を行い、入所の際は介護支援専門員やほかの施設・事業所、病院等と連携をはかります。特養での行事計画や実施にもたずさわり、多方面で介護福祉職をサポートします。

⑤ 介護支援専門員（ケアマネジャー）

　入所者や家族の希望などをふまえ、施設サービス計画を作成します。作成後は、達成度や満足度、新たな課題などを、定期的に入所者や家族、他職種に確認し、変更の必要がないかを確認します。入所者が特養を退所するときも、状況に応じて関係機関への情報提供を行います。

⑥ 管理栄養士・栄養士・調理員

　入所者の食事の献立の考案、カロリー管理、療養食の提供や、1人ひとりに合った食事形態の提供を行います。日々の食事摂取量や体重などを把握し、多職種と連携をとり、健康状態の維持・改善をはかります。

⑦ 理学療法士（PT）

　入所者の身体状況に応じて、必要と思われる機能訓練を計画・実施し、機能向上や悪化防止に努めます。おもに立つ、座るなどの基本動作ができるように、身体の基本的な機能回復をサポートします。

⑧ 作業療法士（OT）

　指を動かす、食事をする、入浴をするなど、日常生活を送るうえでの機能回復をサポートします。

⑨ 歯科医師・歯科衛生士

入所者の歯の治療や義歯の作成・調整を行います。また、口腔機能維持や誤嚥性肺炎を予防するために、介護福祉職や看護職員が実施する口腔ケアに対して助言を行います。口腔ケアの重要性から、近隣の歯科診療所に依頼し、訪問診療を受ける施設も増えています。

⑩ 事務員

施設における会計業務全般と物品管理、必要に応じて入所者の金銭管理等を行います。

## 6 介護福祉職はどのようなチームを組んでいるのか？

特養には、さまざまな疾患や障害のある人々が入所しています。介護福祉職は、その生活を支えていくために、介護の提供や状態の観察、入所者の生活における問題点を把握し、解決に向けて取り組むなど、職員が一丸となって入所者へのケアの提供に努めます。これが介護における**チームケア**です。介護にたずさわる職員は、国家資格の有無にかかわらず、直接的な介護を行う者や入所者の見守りを行う者、日々の記録を行う者や業務の準備を行う者というように、それぞれが役割をもってケアを提供します。入所者は皆同じ状態ではないため、それぞれに介護の方法があり、毎日同じ介護のくり返しではありません。そのため、介護の現場では、入所者の要望や急な予定変更があっても柔軟に対応することができるよう、職員同士の連携が不可欠です。よりよいチームケアの提供に向けて、それぞれが自分の役割を理解し、いつでも報告や連絡、相談できる体制を構築することが求められています。

経験を積むと、その能力や環境によって求められる役割も変わってきます。介護の現場では、リーダー、主任、副主任といった役職につくこともあります。その役職につく職員こそ、チームケアの要の役割を求められます。チームのリーダー的な役割をになう職員は、常に状況を把握し、みずからも動くとともに、的確な指示を行うことが求められます。そのためには、日ごろから入所者の状況を把握しておくことに加え、ともに働く介護福祉職の動きを確認しておく必要があります。

現場でえられた情報をチーム内で共有することも大切です。入所者の大きな事故やけが、トラブルを未然に防ぐためにも、介護場面で発生し

た問題はすみやかにチーム全体で検討し、解決していく必要があります。チームケアが充実してくると、職員同士のコミュニケーションもスムーズになり、自然と協力体制が生まれてきます。ケアカンファレンスや夜勤者からの申し送り、朝のミーティングやケアワーカー会議等がおもに情報確認の場となります。ケースによっては介護福祉職が情報の発信を行い、さまざまな職種の意見を取りまとめながらリーダーシップをはかることもあります。

　入所者にとっていちばん身近な存在である介護福祉職は、その専門性をしっかりと自覚し、チーム内でどのような役割を果たせるかを常に意識しながらケアの提供にあたる必要があります。

## 7　ほかの職種の人たちとどのように協働しているのか？

　特養には、医師、看護職員、生活相談員、理学療法士、作業療法士、介護支援専門員などの職種が勤務しているため、1人ひとりの入所者に対して多職種で連携しながらケアを提供します。特養では介護福祉職が全職種の7割ほどを占めますが、介護福祉職だけの考えではよいケアを提供することはできません。たとえば、入所者の体調が悪いときや、急な状態の悪化があれば、看護職員に連絡し、指示をあおぎます。看護職員は、必要に応じて医師へ相談し、病院受診や入院等の手続きを行います。入所者から食事内容について相談を受けたり、体重が低下したりするようであれば、管理栄養士や栄養士に相談し、食事内容や栄養管理について対応を依頼します。入所者や家族から身体機能の維持・向上に関する訓練の相談を受けたときは、理学療法士や作業療法士へ相談し、入所者の状態の確認を依頼し、必要な訓練計画の作成を行い、実際に機能訓練も行います。施設サービス計画については介護支援専門員が作成し、生活支援における相談業務については生活相談員が対応します。

　このように、特養では、さまざまな職種が連携し、入所者の生活を支えていますが、いつでも、どこでも連絡すれば、すぐに多職種が協力して対応できるわけではありません。そのため、介護支援専門員が作成した施設サービス計画をもとに、サービスにたずさわる職種が集まるサービス担当者会議を定期的に開催します。これは、多職種が共通の目的を

理解し、利用者個々に応じた質の高いサービスを提供できるようにすることを目的としています。

また、ケアカンファレンスでは、介護福祉職が看護師や理学療法士、作業療法士などに助言を求めたり、多職種で意見交換したりすることで、それぞれの役割を再確認し、入所者にとってよりよいケアの提供に努めます。こうした情報共有を通して、多職種協働でケアしている実感をもつことができ、目に見える情報だけではなく、隠れているニーズを把握して、参加者全員で目標設定を行うことにもつながります。また、今後予測されるリスクについて参加者全員が理解し、どの職種がたずさわっても協働できる体制をつくっています。会議の内容は、会議に参加した職員だけではなく、会議に参加することのできなかった職員にもきちんと伝えることが大切です。

## 8 地域をどのように意識して、取り組みにつなげているのか？

特養の役割の1つとして、地域とのかかわりがあります。2005（平成17）年の介護保険法改正時に、はじめて地域包括ケアシステムという用語が用いられました。それ以降、改正のたびに地域包括ケアシステムの重要度は増し、少子高齢化を迎えるなかで、高齢者をどう地域で支えていくかが大きなポイントになっています。特養は、高齢者を地域全体で支えていく社会資源の1つとして、地域包括ケアシステムのなかで大きな役割をになっています。

地域の行事を楽しむ様子

意識すべきポイントは2つあり、1つは、地域から情報をえるという地域視点です。特養に入所が決まれば、入所者の自宅や医療機関に出向き、身体状況の調査を行います。その際、生まれた場所や生活歴、どのように地域で過ごしていたか、住環境はどうであったか、地域でどのような役割をもっていたのかという情報についても集めます。地域から情報をえておくことで、特養に入所してからも、地域で過ごしていたころに近い環境を提供することができます。たとえば、家具の位置や入所者の生活リズムを知ることで、安心した生活環境を提供することができますし、地域で大きな役割をになっていたのであれば、その役割について話してもらい、会話の幅を広げることができます。

　もう1つは、特養が地域へ出向き、特養を知ってもらうという地域交流です。特養は病院と違い、だれでも利用できるわけではなく、介護が必要となった人または家族が利用する施設です。そのため、実際に必要となるまで、どういう人が利用し入所しているのか、どうすれば入所できるのか、費用はどの程度なのかといったことはあまり周知されていません。ほとんどの人は、介護が必要となったときにはじめて相談し、介護保険制度や高齢者福祉制度のしくみを知ることとなります。最近の特養は、施設のなかに地域交流スペースを設けている施設も少なくありません。地域交流スペースは、地域の人に向けて自由に開放し、交流をはかってもらう役割と、特養に足を運んでもらい、少しでも特養についての理解を深めてもらう役割をもっています。また、特養の職員が地域に出向き、介護教室や出前講座を行うこともあり、夏祭りや感謝祭など、地域を呼びこむイベントを開催している特養も少なくありません。

　このように、特養には、地域に出向き、特養がもつ介護や福祉に関する情報を発信しながら、地域を知り、そこでえた情報を活用しながら、入所者、家族、地域に対してよりよいサービスの提供を行うという大きな役割が求められているのです。

## 9　実習で何を学んでほしいか？

　これまでは多くの高齢者を介護するために効率的な集団的ケアが実施されてきましたが、現在は入所者の尊厳ある生活を保障していくために個別ケアが推奨され、ユニット型の施設が増えています。ユニット型の

施設には、個々のプライバシーが守られる個室と他者との交流をはかることができるリビングが設置されています。入所者に合わせたケアの提供を学ぶとともに、数多くのユニットを見学し、ユニットごとの違いについても見ておくことが必要です。また、従来型の特養でも多くの施設が個別ケアを取り入れています。多床室であってもプライベート空間を確保し、入所者個々に合わせたケアの提供がなされています。それぞれの施設がどこに力を入れて介護を行っているかを実習で学びましょう。

特養で実習を行うにあたり、さまざまな注意点や心がまえが必要です。実習では、実際に特養に入所している人たちと直接話をしたり、職員の指示のもとで介護を行ったりします。限られた時間のなかでいかに学びを深めるかが大事です。

では、いくつかのポイントに分けて説明します。

### 1 相手にわかりやすく、ゆっくりと話すことを心がける

入所者との関係性を構築するうえで、コミュニケーションは大変重要です。しかし、ふだん友人や家族とするように会話をしても、認知症や難聴のある人たちにはうまく伝わらないことがあります。ゆっくりと大きな声で、相手を気づかいながら会話することを心がけましょう。また、入所者のなかには、あまり他人とのかかわりを求めない入所者もいます。職員の指導を受け、許可があれば、苦手意識をもつことなく、積極的にかかわりをもつように努力しましょう。関係性が構築されると自信にもつながり、学びの幅が広がります。

### 2 特養が入所者にとって生活の場であることを理解する

特養は、入所者にとって自分の家でもあります。居室の1つひとつがプライベートスペースであることを忘れてはいけません。居室に入る際にはノックをし、言葉かけを行う配慮を心がけてください。入所者1人ひとりの生活に合わせた個別ケアを十分に理解し、生活スタイルも把握しながら、その人に合わせた介護とは何かを学びましょう。

### 3 入所者に対し、どのような支援を提供しているかを学ぶ

特養では、入所者に対し、さまざまな工夫や取り組みを行い、安全で楽しい生活を送ってもらうよう努めています。学校で学ぶ介護技術の基本は変わりませんが、個々の状態や性格に合わせた介護が提供されており、だれ1人同じ介護は行われていません。また、相談支援についても、1人ひとりに合わせた支援方法が実施されています。特養で行われている行事についても多くの配慮がなされています。実習ではさまざ

な視点をもって学びを深めましょう。

### 4 入所者の生活の課題は何か、課題を解決するための具体的な介護の内容や方法を考える

　自分が担当する入所者が決まれば、しっかりと情報収集をし、課題分析を行いましょう。課題がみえたら職員に相談し、解決に向けて対策をいっしょに検討し、実施してみましょう。決して成功ばかりではありません。失敗もあります。大事なのはそれまでの過程と結果を考察することです。

### 5 多職種とのかかわりを理解する

　特養では、多くの職種が協力しながら1人ひとりの生活を支えています。それぞれの役割やどのようなかかわりをもっているか、介護だけではなく、医療や栄養管理、機能訓練等についても可能であれば見学させてもらい、質問しながら学びを深めましょう。そうすることで、特養全体の動きやそれぞれの役割を知ることができます。

# 第5節 介護老人保健施設

> **学習のポイント**
> ■ 介護老人保健施設におけるサービス内容や利用者像などを理解する
> ■ 介護老人保健施設の支援の視点を理解する
> ■ 介護老人保健施設の実習で学ぶべきポイントを理解する

## 1 どのようなサービスなのか？

介護老人保健施設(以下、老健)は、1986(昭和61)年の老人保健法改正にともない、老人保健施設の名称で、病院と施設、あるいは病院と在宅の中間施設として新設されました。その後、2000(平成12)年の介護保険法施行とともに、介護保険施設の1つとして位置づけられ、介護老人保健施設という名称になりました。

病院と施設、あるいは病院と在宅の中間施設というサービスで、短期入所療養介護(ショートステイ)、通所リハビリテーション、訪問リハビリテーションが併設されています。さらに、特別養護老人ホーム(以下、特養)の慢性的な不足という状況が続くなかで、特養の待機施設や特養では対応できない医学的管理の必要な人の終の住み処としての役割もになっていました。

しかしその後、国の政策が地域包括ケアシステムの構築へとシフトされ、老健は2018(平成30)年4月から、従来の医学的管理が必要な人の看取り機能を残しつつも、①リハビリテーションを提供することで機能維持・機能回復をになう施設、②在宅復帰支援と在宅療養支援のための地域の拠点となる施設と介護保険法のなかで定義が改正されました。

在宅復帰支援とは、たとえば、骨折で入院した人が病院から老健へいったん入所することで、在宅生活へ向けた支援をすることです。具体的には、リハビリテーション訓練、あるいは住宅改修や福祉用具の検討

等の環境整備を行い、在宅で暮らすための準備をします。

**在宅療養支援**とは、老健で在宅療養に向けた治療やリハビリテーション訓練を実施することや、在宅療養中に家族などの介護者のケア等、必要なサービスを提供することです。たとえば、在宅療養中に利用者に体調不良や身体機能低下がみられ、在宅療養が困難になりかけた場合、また、介護者が体調不良となり在宅での介護の継続が困難な場合等に、いったん老健に入所してサービスが提供されます。

老健は、医師が常勤で配置され、夜間も看護師が配置され、また、リハビリテーション専門職（理学療法士・作業療法士・言語聴覚士）が常勤で配置されています。そのため、リハビリテーションが必要な在宅復帰・在宅療養支援の役割や、一定の医療的な対応が期待されています。

このように医療職が手厚く配置されているのは、老健に併設されている短期入所療養介護でも同様です。そのため、短期入所生活介護（ショートステイ）の利用者よりも、医学的管理や機能訓練の必要度が高い人の利用が多くみられます。なお、老健の短期入所療養介護の利用定員数は、本体である老健の利用定員数のなかに組み込まれているため、その定員数のなかで自由に決めることができます。

## 2 どのような人たちが利用しているのか？

老健は、要介護1～5の65歳以上の第1号被保険者と、特定疾病により要介護状態となった40～64歳の第2号被保険者が入所の対象となります。老健には、治療やリハビリテーション訓練を受けることで、もう一度在宅生活に戻りたい人が入所してきます。

どのような人が入所しているか、具体的な事例で紹介します。

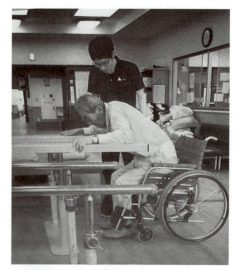

歩行訓練をしている様子

## 事例1　大腿骨頸部を骨折した認知症のあるHさん（87歳・男性・要介護1）

　杖歩行のHさんは、平日の週3日老健の通所リハビリテーションを利用していました。日曜日に庭の花壇を見に行こうとしたときに、玄関口で転倒し、救急車で市内の総合病院へ運ばれました。右大腿骨頸部骨折と診断され入院し、翌日には手術を行い経過は順調でしたが、急に環境が変わったことですっかり生活意欲がなくなってしまいました。面会の家族もだれかわからない等、もの忘れの進行がみられはじめました。妻は心配になり、病院の医療ソーシャルワーカーに相談しました。

　その結果、術後のリハビリテーションは、以前利用していた通所リハビリテーションのある老健へ転院して行うことになりました。転院すると、見覚えのある場所とスタッフに囲まれ、Hさんの表情はみるみる明るくなり、リハビリテーションに精を出した結果、2か月後には無事退所し、以前と同じ生活を自宅で続けています。

## 事例2　夫が入院した難病のあるJさん（78歳・女性・要介護5）

　10年前に難病のALS（Amyotrophic Lateral Sclerosis：筋萎縮性側索硬化症）を発症したJさん。定年になった夫がおもに息子と2人で自宅介護を続けていました。Jさんは人工呼吸器を装着し、全介助の状態ですが、医師の訪問診療、訪問看護、訪問リハビリテーション、短期入所療養介護を組み合わせ、息子の協力もえながら食事介助や排泄介助を毎日行ってきました。しかし、夫が帯状疱疹になり入院しました。息子は介護支援専門員（ケアマネジャー）に相談し、Jさんは訪問リハビリテーションと短期入所療養介護を利用していた老健に2か月間レスパイト入所しました。その結果、夫の症状は軽くなり、Jさんは退所し、自宅の生活に戻りました。

　このように、老健は、病院から自宅退院への在宅復帰支援、在宅療養中に起きた体調不良や体力低下への対応や介護者の**レスパイト**[1]機能による在宅療養支援の役割をになっています。

---

❶レスパイト
介護をする家族がショートステイやデイサービス等を利用して、一時的に介護から離れて、心身のリフレッシュをはかること。

## 3 どのような生活や活動をしているのか？

表4-5が日課表の例を示したものです。実際には、朝早く起床する人や、ゆっくり起きる人などさまざまです。また、個別リハビリテーションの時間帯も1人ひとり違うので、入浴時間との調整で前後します。施設サービス計画の長期目標・短期目標を基本にして、生活や活動の支援をします。

**表4-5　老健の日課表の例**

| 時刻 | 内容 |
| --- | --- |
| 6：00 | 随時離床・着替え・整容<br>トイレ誘導、排泄介助 |
| 7：00 | 随時食堂へ<br>朝食の準備 |
| 7：30 | 朝食開始、服薬<br>片づけ・食べ終わった人から口腔ケア |
| 9：30 | 個別リハビリテーション（個々の週間予定表による）<br>集団体操<br>入浴（個々の週間予定表による）<br>水分補給、排泄介助 |
| 11：30 | 嚥下体操 |
| 11：45 | 昼食の準備 |
| 12：00 | 昼食、服薬<br>片づけ・食べ終わった人から口腔ケア |
| 13：00 | 個別リハビリテーション（個々の週間予定表による）<br>レクリエーション活動（個々の介護計画による）<br>入浴（個々の週間予定表による）<br>水分補給、排泄介助 |
| 17：45 | 夕食の準備 |
| 18：00 | 夕食開始、服薬<br>片づけ・食べ終わった人から口腔ケア<br>排泄介助 |
| 19：00 | 自由時間・家族との面会<br>着替え、就寝の準備 |
| 21：00 | 就寝 |

# 4 どのようなケアを行っているのか？

　介護過程の展開で導き出された介護計画にそって、1人ひとり個別にケアを行うことが基本です。具体的にどのようなケアが行われているのか、日課表にそって紹介していきます。

### 1 離床・整容

　入所者のなかには、目覚めが早い人やゆっくりな人などさまざまです。夜間の熟睡状態や睡眠薬等の内服薬も影響します。ふだんの様子と比較して体調を観察し、入所者のペースで行動できるように心がけます。

### 2 排泄

　離床すると、多くの人がまずトイレに行きます。夜間は居室でポータブルトイレを利用していた人もトイレを利用します。トイレまでの安全な移動、排泄動作の見守りや支援、排泄後の手洗い等、1人ひとりが保有する能力を使えるように、自立支援を意識して介護をします。また、プライドを傷つけないように、プライバシー保護にも配慮します。

### 3 食事・口腔ケア

　整容や排泄がすんだ人から食堂へ集まってきます。食堂で会話をしたり、聴こえてくるラジオやテレビの音、あるいは職員の配膳準備の物音等、周囲からの刺激や情報が脳を覚醒させ、心身が「食事をとる」準備をします。そのため、体調不良の人を除き、居室ではなく食堂で食事をとるようにします。

　食前は、1人ひとりの食事形態が間違って出されていないかを確認し、食事中は、誤嚥などの事故に注意をします。食後は、食事摂取量の確認と、食事を終えた人から洗面所で口腔ケアを行い、肺炎を予防します。

### 4 入浴

　入浴は、からだの清潔を保つだけではなく、精神的なリフレッシュ効果があり、また、介護福祉職が入所者の皮膚状態を観察できたり、入所者とゆっくりコミュニケーションをはかれたりする情報収集の場になります。人柄や本音等、入所者をより深く知ることができるので、それが退所支援に結びつくこともあります。安全に配慮しながら、自立支援の視点で入所者にできる動作をうながします。体調の変化や気になる皮膚状態を発見した場合は、看護職員へ連絡します。

**5** リハビリテーション

訓練室で行う身体機能訓練や動作訓練は、リハビリテーション専門職の業務ですが、リビングや食堂、居室での生活動作への支援にもっともかかわるのは介護福祉職です。

リハビリテーション専門職のアドバイスも参考にしながら連携をはかり、訓練室のリハビリテーションが生活場面で実際にいかされる視点をもつようにします。

筋力低下予防や改善をはかるためにリハビリテーション機器を使用している様子

# 5 どのような人たちといっしょに働いているのか？

老健では、施設サービス計画にもとづいて、看護、医学的管理のもとに介護および機能訓練、その他必要な医療ならびに日常生活上の世話を提供します。そのためにさまざまな職種が勤務しています。

① 医師

施設サービス計画をはじめ、リハビリテーション計画等に参画しながら、安心して療養生活ができるように健康管理をサポートします。

② 薬剤師

薬の情報を管理し、薬に関するさまざまな相談に対応します。

③ 看護師（准看護師）

日々の健康管理を行います。

④ 支援相談員

入所受付から始まり、入所者や家族がかかえている問題の相談窓口になります。相談内容により、行政や他機関との連携・連絡調整を行います。また、退所後の生活についても相談対応します。

⑤ リハビリテーション専門職（理学療法士（PT）・作業療法士（OT）・言語聴覚士（ST））

医師の指示のもとに、心身機能の評価を行い、リハビリテーション計画を作成します。

理学療法士や作業療法士は、基本的動作訓練から始まり、ADL（Activities of Daily Living：日常生活動作）訓練、退所後の在宅生活

を目標にした応用動作訓練を行います。また、新たな技能の獲得（きき手交換等）に加え、住宅や居室等の環境評価や調整、助言にもかかわります。

言語聴覚士は、**失語症**[2]や**麻痺性構音障害**[3]のある人の言語療法、嚥下機能が低下している入所者へのリハビリテーションや食事形態の検討を行います。

⑥ 管理栄養士・栄養士・調理員

栄養管理、嗜好調査、食事量の把握、体重の把握や補助食品の検討等、健康管理を栄養面から行います。

⑦ 介護支援専門員（ケアマネジャー）

施設生活の目標の達成に向けて、各担当職種が何をするのかについて施設サービス計画を作成します。施設サービス計画の内容は、入所者・家族の意向をふまえ、サービス担当者会議で決定します。退所支援に向けては、居宅の介護支援専門員と連携していきます。

⑧ 歯科衛生士

食後の歯みがき指導や、退所時には家族へも口腔ケアや歯みがき指導を行います。

⑨ 事務員

入所・退所の受付、健康保険証等書類管理、物品管理、請求事務など、事務全般を担当します。

[2] **失語症**
大脳の言語野が損傷されることにより生じる言語機能の障害のこと。すでに獲得していた言語を話したり、聞いたり、書いたり、読んだりすることができなくなる。

[3] **麻痺性構音障害**
支配神経（中枢を含む）や筋の異常のために構音器官の運動が障害され、正しく発音ができなくなる状態のこと。

## 6 介護福祉職はどのようなチームを組んでいるのか？

介護福祉士やほかの介護福祉職は、老健で働く職種のなかでも職員数が多く、時間的にもっとも長く入所者とかかわっています。そのため、職員同士の連携や情報共有を通じたチームワークをはかることが求められます。

### 1 朝の申し送り

夜勤者から夜間の状態報告を聞いたり、家族の面会があればその内容を共有します。そのうえで、その日のケア内容を確認します。

### 2 交代勤務での申し送り

職員同士の申し送りは、夜勤→

記録の確認

早番・日勤→遅番→夜勤と職員の入れ替わりがあるたびにひきつぎなどをともに行い、次に勤務する人へ情報の漏れがないようにしていきます。また、交代で勤務する人は、前回の退勤時以降の記録に目を通してから申し送りを受けます。

申し送りには以下の内容が含まれます。

- 入所者の体調や異変にかかわること（**バイタルサイン**[4]、水分・食事情報、排泄情報、その他ケア内容）
- 入所者への面会や来訪者にかかわること
- 職員の業務遂行にかかわること

> [4] **バイタルサイン**
> 一般には体温、呼吸、脈拍、血圧をさした、生きていることを示すサインのこと。生命徴候ともいう。

### 3 ICTの活用

介護現場でもICT（Information and Communication Technology：情報通信技術）が普及して、インカム（内線通話機器）やタブレットを活用する施設が増えています。インカムは、ハンズフリーで手を動かしながら情報交換ができます。タブレットでは、行った介護についてその場で入力（記録）できます。また、リアルタイムでほかの職員の記録を閲覧することもできます。今後ますます普及していくでしょう。

## 7 ほかの職種の人たちとどのように協働しているのか？

職員間の連携や情報共有と同時に、多職種との協働が求められます。多職種との協働には、会議等でサービスやケア内容の方向性を協働して決めていく場面と、実際の生活場面で協働する場面があります。

### 1 ケアカンファレンス

入所者1人ひとりについて、施設のサービスが適切に提供されているか、目標に対しての進捗はどうかなどの確認作業（モニタリング）について、関係するすべての職種が集まって行う会議です。できるだけ入所者や家族にも同席してもらいます。

### 2 委員会活動

老健では、さまざまな委員会が

ケアカンファレンスの様子

### 表4-6 各種委員会

**多職種で構成する委員会**

- 食事検討委員会
- 入浴委員会
- 排泄委員会
- 行事・レクリエーション委員会
- 安全対策委員会
- 身体拘束・事故防止委員会
- 虐待防止検討委員会
- 感染症対策委員会
- 災害対策委員会
- 研修委員会
- 広報委員会

など

活動しています。おもな委員会として、食事検討委員会、入浴委員会、排泄委員会、身体拘束・事故防止委員会、災害対策委員会、広報委員会等があげられます（**表4-6**）。

たとえば、新製品の入浴機器の導入を検討する場合は、入浴委員会で行います。ふだんの構成メンバーは介護福祉職だけですが、専門的な立場での検討が必要な場合には、リハビリテーション専門職も加わります。食事検討委員会でも同様に、検討事項により、管理栄養士や看護師が参加します。

#### 3 生活場面での協働

介護福祉職とリハビリテーション専門職が協働して、入所者が居室で安全に歩行するための動線を考慮してベッドの配置を検討したり、自宅訪問調査に施設の介護支援専門員、リハビリテーション専門職が同行して退所に向けた支援をしていきます。自宅訪問調査は、玄関の上り下りの方法や、居間からトイレまでの移動方法、居室でのベッドや福祉用具の配置場所等、実際の生活を想定した退所準備のための訪問となります。訪問には、居宅介護支援事業所の介護支援専門員や、居宅サービス事業所の相談員が立ち会うこともあります。

## 8 地域をどのように意識して、取り組みにつなげているのか？

老健では、次のようなことを意識しながら地域とかかわっています。

#### 1 入所者の暮らす地域を知る

入所者の在宅復帰支援や在宅療養支援を行うには、入所者の暮らす地

域を知らなければなりません。それには、フォーマルな医療・介護・福祉サービスだけではなく、家族や地域住民などのインフォーマルなサービスも含めたどのような社会資源が地域にあるのか、地域の人づきあい等はあるのかなどを、老健の職員は知ることが必要です。

たとえば、昔から住んでいて近所のつながりが強い農村地域とそうでない都市部の地域では、同じ1人暮らしの高齢者でも地域の支援力は大きく異なります。前者では、安否確認は近所の人たちで対応できる可能性がありますが、後者では、介護サービスの利用を検討する可能性があります。このように、老健には地域へ出向き、地域を「よく知る」ことが求められます。

### 2 地域貢献活動を行う

老健は、介護福祉職のほかに、医師、看護職員、リハビリテーション専門職などの人的資源を活用し、地域の在宅療養の拠点になることが求められています。地域の機関が交流などをはかるネットワーク会議や、認知症を支えるさまざまな会等へも参加します。そのなかで、地域の要望にこたえる形で、リハビリテーション専門職による介護予防体操の教室や、介護福祉職による認知症ケアについての講座、あるいは薬剤師による薬剤に関する講座等、さまざまな地域貢献活動が始まっています。この活動は、入所者の在宅復帰支援や在宅療養支援にもかかわるので、老健にとって地域を「よく知る」大切な機会となっています。

### 3 地域住民が不安なく利用できる関係をつくる

地域貢献活動は、同時に老健の役割を地域の人が正しく理解することに役立っています。また、地域の人が老健の医療介護サービスを利用する状況が発生した際に、不安なく老健を利用できる関係づくりにつながっていきます。地域との関係を構築していくことは、入所者が重度化したり、家族の介護力が低下したりしても、できるだけ在宅生活が送れるように支援する老健の在宅療養支援という役割と結びつきます。

老健の役割は、施設のなかだけで完結するのではなく、地域へ出ていき、地域と結びつき、地域支援をサポートすることで発揮されます。

地域住民との交流会

住民向けの健康講座

## 9 実習で何を学んでほしいか？

老健の実習では、次のようなことを学んでほしいと思います。

### 1 多職種の役割とチームアプローチ

老健の実習では、入所者個々の施設サービス計画と介護計画に記載されている目標や支援方法について理解したうえで生活支援にかかわることが大切です。利用者1人ひとりの目標に向かって、医師、看護職員、リハビリテーション専門職、栄養士、介護支援専門員、支援相談員等の職種がどのような支援をしているのかを学びましょう。生活支援の場面を直接見たり聞いたりして教わる貴重な機会となります。そして、介護福祉職が他職種とどのように連携して**チームアプローチ❺**を行っているのかについて、実践的に学習できる機会です。

### 2 退所支援

在宅復帰に向けた退所支援は、老健の特徴です。退所に向けて行う準備は、入所時から始まります。

① 入所者、家族などの介護者の思いや意思の確認
② 老健の多職種のチームの意思統一や役割分担の確認
③ 退所後を支える居宅の介護支援専門員や居宅サービス事業所との情報共有や連携の確認等

このような退所に向けた連携の取り組みを学びましょう。また、老健は、短期入所療養介護、通所リハビリテーション、訪問リハビリテーションといった居宅サービスを併設しています。これらの居宅サービスが退所支援にどう結びつき、どのような役割があるのかについても学びましょう。

❺チームアプローチ
介護サービス等の提供をチームで行うことによって、利用者により質の高いサービスを提供することをめざすこと。サービス事業者内のチームアプローチと、異なるサービス種類の提供事業者間のチームアプローチの2つがある。

# 第6節 養護老人ホーム

## 学習のポイント
- 養護老人ホームにおけるサービス内容や利用者像などを理解する
- 養護老人ホームの支援の視点を理解する
- 養護老人ホームの実習で学ぶべきポイントを理解する

## 1 どのようなサービスなのか？

**養護老人ホーム**は、1963（昭和38）年の老人福祉法の制定にともない、旧・生活保護法による養老施設をベースに、新たな基準により創設された施設で、老人福祉法に規定される**老人福祉施設**の1つです。

同じ老人福祉施設である特別養護老人ホーム（以下、特養）が2000（平成12）年の介護保険法施行にともない、介護保険施設にも位置づけられ、従来の措置施設から契約施設へ転換されたあとも、養護老人ホームは従来の措置による入所形態を継続してきました。

しかし、2006（平成18）年度の中途より、養護老人ホームは介護保険法の指定居宅サービスである外部サービス利用型**特定施設入居者生活介護❶**の指定を受けることができるようになり、養護老人ホームの入居者は、契約により介護保険の居宅サービスを利用できることになりました。外部サービス利用型の指定を受ける養護老人ホームの場合は、施設があらかじめ委託契約を結んだ訪問介護（ホームヘルプサービス）や通所介護（デイサービス）、訪問看護等を利用できます。また、個別契約型といわれる介護保険の指定を受けない養護老人ホームの場合は、居宅介護支援事業所の介護支援専門員（ケアマネジャー）が居宅サービス計画を立案し、居宅サービスを自由に組み合わせて利用することができます。

さらに、2015（平成27）年度より、これまでの外部サービス利用型の

❶ **特定施設入居者生活介護**
特定施設（有料老人ホーム、軽費老人ホーム、養護老人ホーム）に入居している要介護者に対して、特定施設サービス計画にもとづき、入浴・排泄・食事等の介護、生活等に関する相談・助言等の要介護者に必要な日常生活上の世話、機能訓練、療養上の世話を行うサービスのこと。

みの指定から介護保険法による一般型特定施設入居者生活介護の指定を受けることが可能になりました。この指定を受けた場合、外部サービス（訪問介護、通所介護等）ではなく、介護保険施設である特養のように入居者3名に対して職員1名で配置された介護・看護職員により24時間のケアを受けることができるようになります。同じ養護老人ホームであっても、介護保険の指定の有無や種類によって、人員配置や介護サービスの提供方法が異なります。制度の概要を理解することで、現場でのケアの流れや入居者の生活プログラムへの理解も深めることにつながります。

## 2 どのような人たちが利用しているのか？

養護老人ホームは、65歳以上で、環境上の理由および経済的理由により在宅において養護を受けることが困難な人を対象にしています。

具体的には、次の①、②のいずれにも該当する場合をいいます。

① 環境上の理由については、健康状態は、入院加療を要する病態でないこと、家族や住居の状況など、現在おかれている環境のもとでは在宅において生活することが困難であると認められること。

② 経済的理由については、属する世帯が生活保護法による保護世帯であることや、市町村民税の所得割の額がないこと、災害等の事情により世帯の生活の状態が困窮していると認められること（環境上の理由および経済的な理由については、措置を行う市町村がそれぞれ基準を設けているため、一部異なる場合もある）。

2012（平成24）年に行われた全国社会福祉法人経営者協議会「養護老人ホームの現状と今後のあり方——機能強化型養護老人ホームの提案」の調査によると、3年間の新規入所者の入所理由（措置理由）は、①家族関係調整（虐待以外）26.3％、②退院後戻る家がない10.4％、③認知症（Ⅱ以上）8.2％、④家族等による虐待7.1％、⑤精神障害（認知症を除く）6.8％、⑥借家からの強制退去6.5％、⑦その他24.8％となっています。これら以外では、身体障害、知的障害、震災に伴う事情、触法経験あり（刑務所受刑歴のある人等）とあります。

さまざまなニーズをもつ人が利用している状況があるからこそ、近年、養護老人ホームに「関係づくり」や「環境づくり」といったソーシャルワークの機能が必要とされています。それには、入居する人の疾

病や障害だけでなく、心理面、社会面など、多面的な理解が求められます。また、同調査では、退所理由について、死亡が46.1％、特養などの介護施設、病院、福祉施設へ移行が46.9％とあり、在宅復帰の比率は非常に低い傾向があります。

具体的に事例を紹介します。

### 事例1　高齢のＫさん（88歳・女性・要介護2）

Ｋさんは、居宅サービス（通所介護、福祉用具貸与）を利用しながら1人で生活していました。加齢にともないADL（Activities of Daily Living：日常生活動作）が低下し、身の回りのことに介助が必要になりました。また、難聴があるために電話での内容も一部しか聴き取れない状態でした。以前、転倒して動けなくなっていたこともあり、「何かあってはいけない」と遠方に住む家族はいつも心配をしていました。

自宅は山間部に建つ古い一軒家で段差が多く、周囲に食料品等を購入する商店や病院などもありませんでした。生活保護を受給しており、経済面や身体的な機能の不安もあるため、養護老人ホームへ入居となりました。

施設では、入居前に自宅での生活状況をＫさんと家族、介護支援専門員、行政機関から情報収集を行い、Ｋさんの心身の状況や施設でのニーズの把握、不安の解消に努めました。これは、長く慣れ親しんだ自宅での生活から、養護老人ホームでの生活を始めるにあたり、施設での自立生活がどの程度まで可能か、また、健康状態を整え、生活リズムを再構築するためにどのような支援が必要かを判断する材料となるからです。

また、収集した情報を職員が共有し、Ｋさんとの信頼関係を築くことで、Ｋさんがわからないことや困りごとなどを職員へ相談できる環境づくりにも役立てます。

入居時には、Ｋさんに施設での日課・行事のほか、施設設備について説明し、自立した生活を送ることができるように支援を開始しました。ほかの入居者と交流をもちながら楽しく生活ができるように、関係づくりに配慮しながら、介護計画にもとづいたサービスを提供しています。

養護老人ホームには、高齢化や疾患、障害等により、介護の必要な人も多くいます。近年では、介護保険の特定施設入居者生活介護の指定を受ける施設や外部の介護サービスを利用する環境が整ってきたこともあり、要介護状態の人も数多く暮らしています。

要介護状態の人は、食事や排泄、入浴の介護、医療やリハビリテーションについて、施設の職員のほかに、訪問介護や通所介護を定期的に利用して暮らしています。介護や医療を必要とする人、その他さまざまな理由により孤立傾向にある人や、人間関係でトラブルを生じさせやすい人もいます。その個別性や主体性を重視しながら、心身状態や社会（人間）関係の把握にも努める必要があります。

## 3 どのような生活や活動をしているのか？

養護老人ホームの多くは、個室もしくはプライバシーに配慮した環境になっており、入居者はそれぞれの暮らしを営んでいます。できることは自分で行うことが生活の基本となりますので、居室のそうじや洗濯、入浴、外出を自分でする人や、施設入所前から続けていた体操や書道などの趣味活動を日課とする人もいます。

多くの施設では、文化活動・運動等のプログラムを行っています。これを楽しみにする入居者も多く、施設への入居をきっかけに、新しい趣味や生きがいを見つける人や、何十年も遠ざかっていた趣味を再開する人もいます。これらの活動では、外部の講師を招いたり、職員がリード役になる場合もありますが、入居者による自主的な取り組みの場合もあります。

施設では外出も自由にできるので、バスやタクシーを利用して買い物や美容院に行く人もいます。また、園庭でくつろいだり、花や野菜を栽培したりする人もいます。

> **養護老人ホームでの活動メニューの例**
> 手芸、書道、茶道、華道、俳句、料理、花づくり、音楽教室、パソコン、ゲートボール、グランドゴルフ、体操、散歩等の運動等

おはぎづくりをしている様子

外出行事の様子

表4-7 養護老人ホームの日課表の例

| Lさんの暮らし | | Mさんの暮らし（デイサービスを週2回利用） | |
|---|---|---|---|
| 6:00 | 起床<br>洗面、着替えなどのしたく | 6:00 | 起床<br>洗面、着替えなどのしたく |
| 7:00 | 朝食<br>花畑の水やり・散歩 | | |
| | | 7:30 | 朝食<br>デイサービスの準備 |
| 8:00 | そうじ（居室や食堂、廊下等）、洗濯<br>曜日によっては通院、買い物等 | | |
| | | 9:00 | デイサービスの迎え<br>健康チェック・入浴<br>小グループ活動（小物作り） |
| 12:00 | 昼食 | 12:00 | 昼食<br>体操・個別リハビリテーション<br>ティータイム |
| 14:00<br>15:30 | クラブ活動（大正琴）<br>友人との歓談や趣味活動 | | |
| | | 16:00 | デイサービスから施設へ到着<br>片づけ等 |
| 17:00 | 入浴 | | |
| 18:00 | 夕食<br>テレビ、友人との歓談 | 18:00 | 夕食<br>テレビ、手芸、家族との電話等 |
| 21:00<br>22:00 | 自室でテレビや読書<br>就寝 | 21:00 | 就寝 |

　養護老人ホームでの生活や活動を具体的にイメージするために、2人の入居者の暮らしを例示します（**表4-7**）。

　これらの暮らしは、入居者それぞれが組み立てるものであり、心身の状況や立地の条件、施設の介護の提供体制等により、その内容が異なることを理解しておきましょう。

　住み慣れた自宅や地域から離れて施設へ入居することは、入居者にとって精神的に大きな負担がかかることになります。しかし、入居によ

第 6 節　養護老人ホーム

り新たな役割や、かけがえのない人間関係をはぐくむ人もいます。年齢を重ねることによる「喪失（失うこと）」だけに着目するのではなく、入居者の「前向きな力」「新たなものを獲得していく力」を見いだし、その力を高める関係づくりやプログラムを進めていくことが大切です。

## 4 どのようなケアを行っているのか？

　養護老人ホームには、経済的理由や居住環境等のさまざまな理由により、在宅での生活が困難になった人が入居しています。高齢者を対象とする施設ですから、加齢にともなう心身機能の低下等から介護が必要な人も少なくありません。

　多様なニーズをもつ養護老人ホームの入居者だからこそ、ていねいな介護過程（アセスメント⇒介護計画の立案⇒介護の実施⇒評価）の展開が重要となります。

　どのようなニーズがあるのか、どのような環境やつながりのなかで暮らしてきた人なのかなどを、アセスメントを通じて明らかにし、入居者を中心としたケアカンファレンスのなかで、生活支援等を含めた広い意味でのケアの目標を明確にします。この目標の達成に向けて、介護福祉職はチームでケアを行います。

　施設内で行われるケアは幅広く、身体介護（食事や入浴等）、生活支援（洗濯やそうじ等）、見守りや相談、通院のつきそい、レクリエーションや行事の支援を行う場合もあり、おもなケア内容については**表4－8**のようになります。

　いずれの内容も、入居者の望む暮らしの実現に向けた自立支援の取り組みです。入居者の能力を最大限活用し、必要に応じて新しい用具や方法の提案等も行いながら、「自立」をめざして行われるものです。また、これまでの生活習慣や入居者のこだわり等への配慮が必要な場合も多いので、そうじや買い物等の生活支援であっても、ていねいなアセスメントを行い、信頼関係のなかで進めます。

　また、ほかの入居者と交流をもちながら、楽しみや生きがいをみつけ、自立した生活や関係づくりが進むように支援することも重要です。入居者同士の交流は、暮らしをうるおいのあるものにし、活動的に高める効果も期待されます。

表4-8 おもなケア内容

| | |
|---|---|
| 生活支援 | 見守り、安否うかがい、そうじ（居室や共用部分）、洗濯、洗濯物整理、配膳、通院のつきそい、レクリエーション、買い物、手続きや届出の支援、デイサービスの準備等 |
| 身体介護 | 食事、排泄、整容（洗顔、歯みがき、整髪、義歯洗浄等）、移動・移乗、外出、着替え、入浴、服薬、ナースコール対応等 |
| 相談・調整 | 相談の対応、家族、関係者との連絡や調整、医療、介護サービス関係者との連絡や調整、金銭管理の支援等 |
| その他 | 介護にかかわる記録、会議の準備や運営、行事やクラブの企画・実施等、実習生やボランティアの受け入れ等 |

　施設におけるケアというと、身体介護をイメージすることが多いと思いますが、養護老人ホームにおける見守りや生活支援は、重要な自立支援のケアの一部です。

## 5 どのような人たちといっしょに働いているのか？

　養護老人ホームで働いている職種は次のとおりです。それぞれの役割を理解して、チームとして連携することが求められます。

① 施設長
　施設の運営管理を行います。

② 医師
　入居者の健康管理および療養上の指導を行うために必要な数が配置されています。定期的な診察、往診を行い、必要に応じて薬の処方や処置、外部の医療機関、専門医との連携も行います。

③ 看護師（准看護師）
　医師の指示を受け、入居者の健康管理および療養上の世話を行います。

④ 生活相談員
　入居者やその家族からの相談、サービス内容の調整に応じます。また、新規入居・退去の調整を行います。家族との連絡調整、外部の介護支援専門員との情報交換を行います。

⑤ 支援員

必要な生活支援、見守り、介護等を行います。必要に応じて個々の入居者に合わせた支援を行います。

⑥ 栄養士・調理員

入居者の食事の献立考案、季節の献立や行事食などの調整、カロリー管理、栄養指導・相談、嗜好調査等を行います。病気によっては特別な食事が必要になることもあるため、その対応なども行います。

⑦ その他の職員

事務員、その他の職員が適当数、配置されています。

⑧ 介護サービスの関係職員

・介護保険の特定施設入居者生活介護の指定を受ける養護老人ホームでは、特定施設サービス計画を立案する介護支援専門員や施設内の介護を担当する介護福祉職が配置されています。

・個別契約型の養護老人ホームでは、介護支援専門員や介護福祉職は配置されませんが、在宅の高齢者と同じように居宅介護支援事業所、地域包括支援センターの介護支援専門員等が居宅サービス計画（要支援等の場合、介護予防プラン）を立案します。このサービス計画にもとづき、訪問・通所サービスの職員と連携してケアを行います。

## 6 介護福祉職はどのようなチームを組んでいるのか？

施設で勤務する介護福祉職は、交代勤務で入居者の24時間の暮らしを支えています。介護福祉職として根拠のある共通したケアを実施するために、同職種チーム内の情報共有は重要です。

施設により、「申し送り」「ひきつぎ」「ミーティング」等、呼び方は異なりますが、情報共有の時間が日課のなかに設けられています。多くの施設では、夜勤者の勤務時間の開始時と終了時にあわせて、夕方と朝に、情報共有やケア内容の確認、調整等の時間が設けられます。

情報共有の内容の例としては、入居者の心身状態、活動状況（通院、行事、面会、デイサービスの参加など）があげられます。ケア内容の確認、調整等については、体調がよくない入居者への検温や体調を確認する頻度、観察ポイントの確認をします。また、排便のコントロールがむ

ずかしい入居者がいる場合には、水分補給やトイレへの言葉かけを行うためのケア内容の確認を行います。

介護福祉職の情報共有について、最近では、ICT（Information and Communication Technology：情報通信技術）を利用する施設も増えています。心身状況やケアの実施内容、介護計画等の情報がチーム内、施設内での共有に役立てられています。

施設により取り組みは異なりますが、委員会活動を通じて情報共有や新しい取り組みを検討する場合もあります。感染症対策、事故防止（リスクマネジメント）、身体拘束の廃止、苦情対応等がこれにあたります。さらに、排泄・食事・入浴などの個別テーマごとに、情報共有やケアの見直しを進める施設もあります。

さまざまな取り組みによりチーム内で情報共有と連携を行っていますが、いずれの場合でも、介護福祉職はみずから必要な情報をえる姿勢をもつことが重要です。事情によりミーティングに出席できない場合でも、資料や記録物を確認したり、出席者からの情報提供を受けるなど、積極的に情報共有をはかることが大切です。

## 7 ほかの職種の人たちとどのように協働しているのか？

介護福祉職は、非常に幅広いニーズに対応できる専門職ですが、入居者の暮らしを支え、自立へ向けたかかわりを行うためには、他職種との連携、協働を欠くことはできません。

すでに述べたように、養護老人ホームでは、さまざまな職種がケアにかかわります。場合によっては、医療機関や福祉用具事業者等の施設外部の資源、専門職との連携が必要なときもあります。この調整は、生活相談員や介護支援専門員が行うこともありますが、いずれの場合も、介護福祉職は、入居者の生活にもっとも身近な存在として、心身状態や生活全体を把握しながら、他職種と「入居者の今（現状）」を把握し、共有するキーパーソンとなります。

それでは、介護福祉職と他職種との協働の実際を整理するために、朝の申し送りで、「Aさんは、最近食欲がないと言って、居室で過ごす時間が長くなったのではないか」という情報が報告された場合の対応の流

れを例示します。

> ### 介護福祉士と他職種との協働の事例
> 〈情報の把握──入居者の今（現状）〉
>
> 「Aさんは、最近食欲がないと言って、居室で過ごす時間が長くなったのではないか」
>
> 　介護福祉職チームでの情報共有
>
> 〈状況確認──介護福祉士の一次アセスメント〉
>
> 介護福祉士等が居室を訪問して入居者の様子の確認を行う
>
> （例）
> - 身体面…体調や痛み、不快感、口腔・義歯、きき手や動作、水分摂取量、排便状況
> - 精神面…気分の落ち込み、悩み、認知機能
> - 環境面…人的環境（友人や家族）、物的環境（用具や居室）等
>
> 　他職種へ連絡・情報共有
>
> 〈専門職アセスメントと一次対応〉
> - 看護職員…医師へ報告。診察の調整、治療や服薬との関連などの確認。必要時は歯科通院、歯科衛生士訪問の調整
> - 生活相談員…精神面での変化や悩みごとなどないか、個別面談を実施。必要時は、家族からの情報収集
> - 栄養士・調理員…食事量の把握、嗜好調査
>
> 　他職種との協議と連携
>
> 〈介護福祉士のケアと役割〉
> - 看護職員との連携…通院の準備とつきそい、口腔内と服薬状況の確認
> - 生活相談員との連携…日々の生活状況の把握、家族への連絡や面談
> - 栄養士・調理員との連携…食事量の継続的な把握、一時的な食事形態の変更

　上記のように、施設内では、他職種と連携してケアを行いますが、実施後の効果や入居者の意向等を確認・評価し、次のケアにつなげる情報収集も介護福祉職の重要な役割としてになります。また、これまでのケアの経過や緊急性等に応じて、医療機関への受診が優先されたり、臨時

のケアカンファレンスが開催され、介護計画が変更される場合もあります。ここであげた事例はプロセスに分けてまとめたものですが、実際には、これまでのケアの経過や病状等をもとに、チームで想定される課題をしぼり込みながら、その原因の特定やケア内容の検討を日常的に行います。

## 8 地域をどのように意識して、取り組みにつなげているのか？

　多くの養護老人ホームでは、入居者のケアだけでなく、地域からの相談を受ける等の地域の福祉ニーズへの対応を行っています。全国老人福祉施設協議会が実施した調査では、約7割の施設で「来所による相談に応じている」と回答しています。

　相談の受付だけでなく、他機関への紹介も44.1％の割合で行われていることから、施設とほかの社会資源との連絡体制が整えられていることがわかります。また、「一時保護」や「食事の支援（配食）」「定期的な見守り、言葉かけ」等の直接的な支援も行われており、いつもは入居者の暮らしを支えている養護老人ホームの生活支援や介護の機能が、地域の福祉ニーズへ対応する力を十分もっていることがわかります。

　養護老人ホームの介護福祉職は、このような施設の機能を理解して、地域の福祉ニーズの把握を心がけなくてはなりません。最近では、地域包括支援センターが主催する地域ケア会議への参加を通じた地域ニーズの把握や、地域包括ケアシステムのなかでさまざまな機能を発揮する施設、法人も多数あります。

　また、地域とのさまざまな交流も行われています。たとえば、施設で行われた小学校との交流行事をきっかけに、手紙のやりとりが始まり、今では近隣の小学校へ出かけ、子どもたちとの交流が続くなど、行事が入居者・施設と地域を結びつける大切な取り組みの1つとなっています。

［地域との交流の例］
① 地域行事への参加、合同実施
　　地域の祭り、保育所、小中高校等との交流、清掃活動、敬老祝賀会、運動会、忘年会（老人クラブ等）、健康・福祉祭り、健

康づくり体操、公民館や町内会の行事
② 施設への受け入れ
実習生、ボランティア、職場体験、趣味活動の発表
③ 職員の派遣や参加
地域ケア会議、地域のサロン、民生委員・児童委員との会議

## 9 実習で何を学んでほしいか？

一般的に、高齢者のニーズとして介護の課題が取り上げられることは多いですが、高齢者の困りごとは介護だけではありません。養護老人ホームでは、さまざまなニーズをもつ人が暮らしているので、そこでの実習は、多様なニーズをもつ入居者の暮らしを幅広く学ぶ機会となります。

### 1 どのような入居者が、どのような生活を送っているのか、入居者1人ひとりにしっかりと目を向けること

入居者はそれぞれ違う場所で生まれ育ち、さまざまな人生を送り、多くの経験をしています。その人たちが「やすらぎの住まい」、人によっては「終の住み処」として選んだのが養護老人ホームです。その思いや経験に耳を傾けることで、入居者の人生にかかわること、暮らしを支えることの尊さを感じてください。

### 2 声にできない「思い・想い」をくみとること

入居者には、疾病・障害によってコミュニケーションをとることがむずかしい人もいます。しかし、声や言葉を発することがむずかしいだけで、表情やしぐさを通じてさまざまなことを伝えようとしています。

そうした人たちを敬遠するのではなく、進んで言葉をかけてみましょう。相手の声にできない「思い・想い」をくみとり、相手を理解することは、介護福祉職としての対人援助の基盤になるものです。

### 3 ケアカンファレンスへの参加

実習では、多くの入居者と接して、施設でのさまざまなプログラムを体験・学習することになりますが、実習のなかで、ぜひ参加をしてほしいのがケアカンファレンスです。ケアカンファレンスは、施設によってはケース会議やケア会議、サービス担当者会議などと呼ばれ、入居者の

介護計画を立案・調整・決定する大切な場面です。他職種の役割や機能を学んだり、それを通じて介護福祉職の役割や専門性を確認したりできる場であり、入居者や家族が参加することもあります。意見を言いやすい雰囲気をつくるために、参加人数を制限したり、入居者の居室で開催することもあるので、実習指導者に実習プログラムとして参加が可能かどうか相談してみましょう。

# 第7節 グループホーム

**学習のポイント**
- グループホームにおけるサービス内容や利用者像などを理解する
- グループホームの支援の視点を理解する
- グループホームの実習で学ぶべきポイントを理解する

## 1 どのようなサービスなのか？

グループホームは、認知症対応型共同生活介護とも呼ばれ、医師から認知症の診断を受け、在宅生活が困難となった人が介護サービスを受けながら共同で生活する場所です。

介護保険制度上では、原則として、1つのユニットの入所定員数が5～9人、同一敷地内に3ユニットまでと定められています。少人数制により顔なじみの関係を築きやすく、個室での生活が環境の変化にともなう混乱を緩和します。そして、個々の今までの生活スタイルを尊重し、それぞれのペースで生活が続けられるサービスとなっています。

認知症のある人を介護や日常生活支援の対象とする考えは、約30年前から始まりました。それまでは、認知症のある人は、精神疾患として精神科病院へ入院することが多く、特別養護老人ホームの入所対象にさえなっていませんでした。1980年代に、スウェーデンをはじめデンマークなどの北欧諸国では、グループホーム、グループリビングの実践が始まっており、その取り組みは日本にも大きな影響を与えました。スウェーデンでの実践を参考に、認知症のある人には小規模の生活の場が重要であるとして、1991（平成3）年に日本で最初のグループホームが開設されました。

その後、1997（平成9）年に「痴呆対応型老人共同生活援助事業」として、グループホームが制度化されました。これにより、小規模（5～9人）で家庭的な環境のなか、家事等の役割を果たしながら認知症のあ

る人が共同で暮らす場が広がりました。さらに、2000（平成12）年に介護保険法が施行され、「痴呆対応型共同生活介護」として、居宅サービスの1つに類別されました。

2005（平成17）年の介護保険法改正時に、「認知症対応型共同生活介護」（2004（平成16）年に「痴呆」は「**認知症**❶」に名称変更）は地域密着型サービスとして新たに位置づけられました。今後も認知症のある人の尊厳を大切に、できる限り住み慣れた地域で生活するための拠点として活躍が期待されるサービスといえます。

❶ **認知症**
従来「痴呆」と呼称されていたが、侮蔑的な表現である等の理由から、2004（平成16）年より「認知症」に改称された。

## 2 どのような人たちが利用しているのか？

利用者の要件としては、①主治医から認知症の診断を受けていること、②要介護・要支援認定が要支援2以上であること、③共同生活が可能であること、④グループホームのある市町村に住んでいることがあげられます。

上記の要件を満たし、かつ在宅生活の継続が困難と判断された人が利用しています。認知症のある人も多くの場合、家族や近隣の人のサポートのもと、在宅サービスをいろいろと組み合わせて在宅生活を継続しています。しかし、認知症の症状が重度化していくと、在宅サービスを区分支給限度額（要介護状態区分別に、介護保険から給付される上限額）上限まで利用してもサービスが足りない状況になります。また、老老介護により介護者が入院したりして不在になった場合や、昼夜を問わずくり返される同じ言動やBPSD（行動・心理症状）によって介護者の負担が過度になった場合などには、在宅生活が困難になる場合が多くあります。このように、途切れることなく24時間の見守りや365日のサポートを必要とする場合に入居となることが多いです。

### 事例1　長い入院生活から日常の生活を取り戻したNさん（86歳・女性・要介護2）

Nさんは若いころに統合失調症を患い、加齢とともに認知症の症状が出現してきました。80歳を過ぎ、入院生活が30年以上となりました。野菜を切る音、掃除機の音などさまざまな日常生活音が聞こえるあた

りまえの暮らし。そのなかで好きな食べ物を買ったり、おしゃれをしたり、時には季節を感じたりするなどの満足をえられる生活をNさんに味わってもらいたいと、施設等と連携をはかる病院の地域連携室より相談を受け、入居が決まりました。

Nさんは言葉がはっきりしないため、最初は意思疎通がむずかしく、「バカ」と大きな声が飛び出す場面も多くありました。

介護福祉職はNさんの言葉にしっかりと耳を傾け、Nさんのできることを探していきました。また、きれいなものを見たり、おしゃれをしたり、外食に出かけたりと、楽しみや喜びを多く感じ、豊かさのある生活を提供できるように心がけました。そうしてNさんが職員の顔を見慣れたころになると、少しずつ怒る回数が減り、笑顔の時間が増えていきました。今では洗濯物をたたんだり、野菜の皮むきや料理の盛りつけを手伝ってくれたり、居室のそうじをしたり、買い物に出かけて自分の好きなアイスを選んだりなど、あたりまえの日常生活がNさんのもとに戻っています。

## 3 どのような生活や活動をしているのか？

グループホームでの生活は、おいしく食事をとること、健康に過ごせること、安心して過ごせることが基本になります。

認知症高齢者のための施設だから何か特別なことが行われているのではないかと思う人がいるかもしれませんが、そんなことはありません。朝起きたら顔を洗う、お腹がすいたらご飯を食べる、トイレは行きたいときに行く、お風呂に入って清潔にする、ほこりがたまればそうじをするなど、入居前の暮らしと変わらない生活をしています。

表4－9は、1日のおもな流れを示したものです。起床時間やトイレなどは個人差があるため、入居しているすべての人が同じ時間に起きたりトイレに行ったりするわけではありません。集団での生活のため、ある程度時間の流れは決まっていますが、個々に応じた時間の流れを尊重できるのは少人数制のメリットであるといえます。

生活のなかでの活動は、食事づくり、洗濯物干し、洗濯物たたみ、そうじ、シーツ交換がおもなものです。生活するために必要になる活動は、すべて職員と利用者が共同で行います。家事の得意、不得意がある

表4－9　グループホームの1日の例

| 6：00 | 起床、更衣、洗顔 |
| --- | --- |
| | トイレ |
| 7：00 | 朝食 |
| | 服薬、口腔ケア等 |
| | 食後の片づけ、洗濯物干し、居室のそうじ等 |
| 10：00 | 水分補給 |
| | テレビ視聴、体操、散歩、昼食づくり等 |
| 11：30 | 昼食準備（テーブルふき、食事前の手洗い、盛りつけ等） |
| 12：00 | 昼食 |
| | 服薬、口腔ケア等 |
| | 食後の片づけ、洗濯物の取りこみ、洗濯物たたみ等 |
| 14：00 | 入浴 |
| | おやつづくり、レクリエーション、散歩、夕食づくり等 |
| 15：00 | おやつ |
| 17：00 | 夕食準備（テーブルふき、食事前の手洗い、盛りつけ等） |
| 17：30 | 夕食 |
| | 服薬、口腔ケア等 |
| | 食後の片づけ |
| 18：00 | 就寝準備 |
| | テレビ視聴等 |
| 20：00 | 順次就寝 |

ため、得意な人が中心となって活動します。個々の得意、不得意に合わせて生活のなかに役割をもったり、レクリエーションや行事などに参加したりもしています。

畑で収穫している様子

食器をふいている様子

## 4 どのようなケアを行っているのか？

　グループホームでのおもなケア内容としては、食事・排泄・入浴の介護、そうじ・洗濯などの身の回りの衛生管理、主治医や看護師、薬剤師等の関係各所との連携をとりながらの日々の健康管理、関節の可動域や下肢筋力等を意識した日常生活のリハビリテーションを行います。また、精神面の安定をはかったり、レクリエーション等の楽しみのある活動をしたりします。

　チーム内の情報共有およびケアカンファレンス、家族や地域との連携、介護サービス計画（ケアプラン）をもとに実際のサービス提供が実施できているかを評価することも、利用者をケアしていくうえで大切となります。

　利用者が主体となる生活の流れにそって、提供すべきケアは生まれてきます。朝起きたら、服を着替えます。衣類の着脱がうまくできないときは、服の準備や着脱の介護を行います。そして、顔を洗います。必要に応じて洗面所まで案内し、水道から水を出し、顔が洗えるようにサポートします。トイレも同じです。場所がわからなければいっしょに行き、スムーズに排泄ができるよう、一連の流れをサポートします。

　入浴では、「入りたくない」「家で入っている」などと断られることがよくあります。相手の言葉だけを聞き入れてしまうと、入浴できない日が長く続く可能性があります。こういうときに大切なことは、入浴したくないという言葉の背景を想像し、考えることです。健康面、精神面、環境要因などを検討することで、いつもと違う状況に気づくことができます。

　利用者が断るのには理由があります。その理由を探るためには、日々の観察やかかわりがとても重要です。考えるヒントがそこにあるからです。いつもより顔色が悪い、表情がいつもよりかたい、できていたことがいつもよりできなくなっているなど、「いつもより」と気がつけるのは、日ごろの状態をしっかり把握していないとできません。これはすべてのケアにおいて共通です。「いつもより」何か違うことが、利用者とかかわるときに考えるヒントとなるのです。

　介護は、食事・排泄・入浴の三大介護が主であるとよくいわれます。たしかに、生理的欲求が満たされることは最低限必要で、いちばん大切

季節の花を見ている様子

みんなで体操をしている様子

になります。しかし、住み慣れたわが家、家族と離れ、突然ほかの人との共同生活を強いられたときには、不安で落ち着かない気持ちになることが考えられます。そのため、利用者の不安な気持ちに寄り添い、専門職として常にさまざまな状況に配慮することも必要です。

また、グループホームは大きな施設と比べると、介護福祉職が家族と直接かかわる場面が多くあります。働く側にとっては1人の利用者かもしれませんが、面会に来る人にとっては大切な家族です。介護福祉職として、目の前にいる利用者だけをケアするのではなく、そこにかかわる家族や地域も含めてケアする気持ちを忘れてはいけません。

## 5 どのような人たちといっしょに働いているのか？

グループホームで働く職種は、管理者、計画作成担当者、そして介護福祉職、看護師などの介護従業者になります。

① 管理者

管理者は、職員が役割や責務を果たしているか、利用者にサービスが行きわたっているかといった、人員配置基準にもとづく管理運営を行います。また、よりよいケアを実践するために、チームを導く道標をかかげて舵取りをし、チームをまとめる人材管理の役割もになします。

② 計画作成担当者

計画作成担当者は、主として家族と事業所、関係施設と事業所を密接に関連づけるつなぎ役です。各事業所に1人ずつの配置が決められ

研修で情報を共有している様子

ていますが、そのうち1人は介護支援専門員（ケアマネジャー）の資格がなければなりません。最初に家族から相談を受けつけ、入居までの流れをつくるのが計画作成担当者です。今まで住み慣れた家での生活から入居にいたるまでの経緯、入居後の新しい生活にどのような希望があり、不安があるのかを具体的に聴き取ったうえで、ケアプランを作成します。

グループホームは小規模な事業所のため、職種や専門職の数は少ないといえます。その分、その役割を各自がきちんと果たし、事業所としての機能を成立させていく必要があります。そして、さまざまな役割をもつ職種の人に支えられている環境があることにより、現場に集中し、利用者本位のケアを追求できているということを知る必要もあります。

## 6 介護福祉職はどのようなチームを組んでいるのか？

グループホームのチームは、図4-1で示したように、法人として全体をとらえた1つのチーム、事業所単位のチームがあります。そして、そのなかで、利用者の暮らしを支えるチームが1日ごとに編成されています。

このチームは、日中活動する時間帯を利用者と介護従事者の比率が3：1（常勤換算法による）となるように、人員配置基準に従って構成されています。管理者、計画作成担当者、看護職員がチームのなかの1人になることもありますし、同じ介護福祉職でも経験年数の長い人や短い人、資格のある人やない人など、事業所単位でさまざまな構成員から

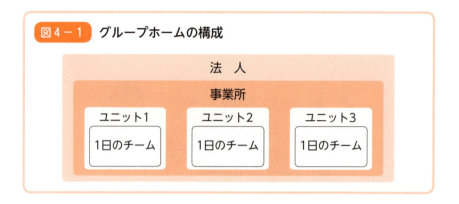

図4−1 グループホームの構成

なるチームがつくられます。これはつまり、看護職員が構成員の1人として配置されている日もあれば、介護職員しかいない日もあるということです。さらにいえば、管理者や計画作成担当者が不在の日もあるということです。介護福祉職は生活支援だけをすればよいという意識でいると、利用者の体調不良や異変に気がつけず、対応に困るという状況におちいるかもしれません。1日1日を支えるチームのなかで、自分になう責任を明確にとらえ、対利用者への個人プレーではなく、チームプレーであることを1人ひとりがしっかり自覚することが重要となります。

また、不規則勤務で職員の入れ替わりがあるなかで、どうすればそのチームがうまく機能するかということを意識して働く必要があります。大切なことは、構成したチーム内で情報共有ができることと、24時間365日質の高いサービスを提供できることです。

夜間帯は、原則として各ユニットに1人の夜勤者がいます。職員は交代勤務で利用者の生活をケアします。日中の様子を夜勤者へ、夜間帯の様子を日勤者へと申し送り、情報を共有します。

たとえば、夜勤者が「Aさんは昨晩不眠でした」と申し送り、日勤者が「日中にゆっくり休んでもらいましょう」と、夜間帯の様子だけで判断したとします。そうするとAさんの生活はどうなるでしょうか。おそらく1週間もしないうちに昼夜逆転の状態となり、不眠だけに注目して睡眠導入剤などの処方が出てしまうかもしれません。

夜勤者から申し送りを受けたときに前日の日中の様子を確認すれば、その日は長時間昼寝をしたという事実がみえたかもしれません。その場合、チーム内でAさんの活動量が減少傾向にあることに気づき、運動や役割をもってもらう活動の工夫などを検討することにつながれば、昼夜

逆転の状態になることはなく、睡眠導入剤の処方もしなくてすむでしょう。断片的な情報だけで判断すると、利用者にとって不利益な結果をまねくことにもなります。

利用者の生活を24時間365日支えている職員同士の情報が途切れ途切れになることの危険を十分に理解して、自分の情報がチーム全体へ行きわたるようにしていくことが、利用者の安心で安全な生活を守ることになります。

医療従事者の専門的な見解がえられたときや急変時、事故発生時などの特別な状況においては、管理者、家族との連携を必要とする場合もあります。

そこにいる介護福祉職だけでなく、そこからつながる看護師や主治医、家族、管理者等ともチームを構成していると考えることが大切です。

## 7 ほかの職種の人たちとどのように協働しているのか？

グループホームは生活の場所ということもあり、介護福祉職の割合は約9割を占めています。1人の人を支えるにあたり、生活面はもちろん、健康面、社会面、経済面などを多面的にとらえなくてはなりません。健康管理をするためには、医療職との連携が必須です。体調の急変や骨折等で入院するときは、退院までのあいだ、病院との情報のやりとりが必要になります。

入居に際しても、居宅サービスを利用していたときの介護支援専門員や、入院時の病棟看護師、施設に入所していたときの施設の介護支援専門員等と情報のやりとりをします。経済的な問題により生活保護を受給している場合は、ケースワーカーもかかわってきます。成年後見制度を活用し、財産管理をしているという人もいます。火災や自然災害の場合には、近隣住民の協力も必要です。

日ごろから関係各所と連携を密にとり、家族ともていねいに連絡のやりとりをして利用者にかかわる人たちと情報共有することで、協働支援が円滑となります。利用者や家族に対して少しでも質のよいサービスを提供するため、関係各所と互いの専門性を認め、尊重し合うことで協働

支援が成立するのです。

**事例2** 家族に見守られながら旅立ったPさん
（92歳・女性・要介護4）

　グループホーム入居前は、介護老人保健施設（以下、老健）へ入所していたPさん。居宅サービスを利用していたときの介護支援専門員や老健の職員等とPさんに関する情報のやりとりをして、入居してもPさんが変わらず生活できるように連携をしっかりととりました。入居後はとくに混乱もなく、顔なじみになった職員に冗談を言ったり、泣いているほかの利用者の肩をさすったりするなど、やさしさのあふれる人でした。

　しかし、3年ほど経過したころ、食事をしても嘔吐が続いたため、主治医から総合病院を紹介され受診しました。診断の結果は横隔膜ヘルニアで、高齢のため手術による治療はしないというPさんと家族の意向により、好きな物や高栄養の飲料を少量ずつ口にしていました。その生活が1年ほど続いたとき、食事摂取が困難になり、起きたり座ったりしているのもやっとの状態となりました。状態が少しずつ変化するたびに看護師から家族と主治医に報告がされたりしました。グループホームの介護支援専門員が調整して、主治医と家族と職員で今後の方向性を話し合う場を設け、グループホームで看取りを実施することになりました。1日の食事量、水分摂取量、排尿量を毎日主治医に報告し、多いときには1日に数回連絡し、外来診察の合間をみて訪問診療を受けたこともありました。毎日情報共有をしっかり行い、家族との連絡も密にとっていたため、最期は遠方に住む娘も看取りに立ち会うことができました。

## 8　地域をどのように意識して、取り組みにつなげているのか？

　利用者の入居前の生活を考えてみると、近所に友達がいたり、町内会の役員を引き受けていたり、地域清掃に加わっていたり等、地域のなかで生活をしています。

　たとえ施設に入居したり、入院等のやむをえない事情で長い間自宅を

離れることになったとしても、自宅への思いや友人・知人との思い出が変わることはありません。

今まで過ごしてきた生活の延長線上の暮らしという点で考えると、利用者にとって住んでいる地域とのかかわりは必要であり、事業所もそれを支えていく必要があるといえます。グループホームが住み慣れた地域とは違う場所にあるとしても、地域清掃、地域行事は懐かしさが感じられ、地域とのつながりを感じられる機会になります。

そのためには、事業所が地域に出向くことを意識しなければいけません。たとえ町内会に加入したとしても、待つだけでは地域の人にその存在を知ってもらうことはできません。地域の人とすれ違うときに大きな声であいさつをすることなどにより、積極的に地域とのかかわりをつくっていくことが大切です。地域清掃、地域行事、祭りなど、参加する機会はいくらでもあります。日ごろから少しずつかかわりを続けることが、時間とともに大きなかかわりへとつながっていくといえます。

## 9 実習で何を学んでほしいか？

日常生活を利用者といっしょに送るグループホームでは、次のことを実習で学んでほしいと思います。

### ❶ 生活している人たちは、認知症があっても自分らしく生きている人生の先輩であること

グループホームは、認知症の症状がある人のみ利用できます。認知症のケアはむずかしいのではないかと、実習に行く前は身構えているかもしれません。しかし、そこで生活している人たちは、病気はあっても、今までつちかった知識や経験をもとに喜怒哀楽があり、人としてのあたたかさを兼ね備えた人生の先輩であり、1人ひとりがほかに代わりのないかけがえのない存在なのです。そのことを利用者とのかかわりを通して実感してもらいたいと思います。

### ❷ できる力を引き出す介護実践（手続き記憶にアプローチをかけること）

今までの経験が感覚として残っている**手続き記憶**❷へのアプローチを実践することで、利用者1人ひとりの特技がいかされ、利用者自身が存在意義や役割を感じられる生活となっている様子をしっかりと学んでも

❷**手続き記憶**
自動車や自転車の乗り方などの動作に関する感覚や運動の情報に関する非言語的な記憶。

らいたいと思います。

　野菜を切ったり、洗濯物をたたんだり、今まで暮らしてきた日常生活の場面と近い環境であるグループホームだからこそできること、そして、「危ないから触らないでください」を「得意だとうかがっています。よろしくお願いします」と利用者に寄り添った言葉にすることで、1人ひとりの表情や生活の満足度は大きく変化することを体験してください。そこには、幻覚や妄想などのBPSDをいかにおさえるかではなく、どうすれば生活がスムーズになるか、利用者のやりたいことがかなえられるかという視点が大切になります。

### 3 あたりまえの日常を提供するむずかしさがあるからこそ、やりがいにもつながるということ

　できる限りリスクを回避し、安全をいちばんに考えることも大切です。しかし、今までの暮らしのなかで手が届くところにあった物がない生活、自由に外出できない環境は、「あたりまえ」の日常ではないはずです。けがをする可能性もゼロではなく、食べ物ではないのに間違えて食べてしまう可能性もゼロではありませんが、それでも「リスク」と「自由」が共存できるような生活を提供していることを実習で感じてほしいと思います。利用者の生活満足度を充実させることが、そこで働く人たちの「やりがい」にもつながります。

# 第8節 小規模多機能型居宅介護・看護小規模多機能型居宅介護

**学習のポイント**
- 小規模多機能型居宅介護・看護小規模多機能型居宅介護におけるサービス内容や利用者像などを理解する
- 小規模多機能型居宅介護・看護小規模多機能型居宅介護の支援の視点を理解する
- 小規模多機能型居宅介護・看護小規模多機能型居宅介護の実習で学ぶべきポイントを理解する

## 1 どのようなサービスなのか？

〈小規模多機能型居宅介護〉

小規模多機能型居宅介護（以下、小多機）は、2005（平成17）年の介護保険法の改正により、2006（平成18）年に地域密着型サービスの1つとして創設されました。

小多機のモデルとなったのは、一軒家等で介護を必要とする少人数に対して、それぞれのニーズや困りごとに細やかに対応する取り組みをしている宅老所だといわれています。また、2003（平成15）年に報告された高齢者介護研究会「2015年の高齢者介護――高齢者の介護を支えるケアの確立に向けて」では、在宅で安心して過ごせるように望む要介護高齢者に対して、さまざまな介護サービスが切れ目なく提供されるように小規模・多機能サービスの拠点の必要性が提案されました。このように小多機は、宅老所の実践例や高齢者介護研究会の影響を受けて創設されたといえます。小多機は、利用者を中心としたニーズにこたえ、可能な限り自立した日常生活を送ることができるよう、**通い**や**泊まり**、**訪問**を組み合わせて介護サービスを提供しています。これらのサービスを同じ事業所で働く介護福祉職が行うため、利用者の小さな変化に気づきやすく、きめ細やかな介護サービスが提供できます。事業所の登録定員につ

いては、介護保険制度上で規定されています。

「通い」では、食事や入浴、レクリエーションなど、日常生活上の介護や機能訓練を行います。

「泊まり」の利用目的の多くは、家族の疲れをためないための定期的・一時的泊まりであるレスパイトケアとなっており、そのほかにも、長期利用や、冠婚葬祭などの急な出来事の際にも利用できます。

「訪問」は、「通い」を利用しない日の支援、あるいは、「通い」を利用する前の起床から出かけるまでの支援や「通い」から帰ったあとの支援、就寝にかかる支援など、幅広い目的で利用されます。訪問時間や訪問回数は規定されていないため、訪問介護（ホームヘルプサービス）との違いは明確です。

これらの3つのサービスを、利用者1人ひとりの暮らしに合わせて、自宅で、地域で、暮らし続けられるように話し合い、組み合わせられるのが小多機の特徴となります。

〈看護小規模多機能型居宅介護〉

**看護小規模多機能型居宅介護**（以下、看多機）は、退院直後の在宅生活へのスムーズな移行や、看取り期の支援、医療・介護ニーズをかかえた利用者の在宅生活継続の支援のために、2011（平成23）年の介護保険法の改正によって**複合型サービス**として制度化されたサービスです。2015（平成27）年度の介護報酬改定において、看護小規模多機能型居宅介護へと名称変更されました。

看多機では、小多機が一体的に行っている**通い・泊まり・訪問**機能に**訪問看護**の機能が加わり、医療・介護ニーズの高い在宅療養者への支援の充実をはかることができるとされています。

## 2 どのような人たちが利用しているのか？

〈小規模多機能型居宅介護〉

小多機は、原則として、事業所が所在する市町村の指定を受けて実施できる介護サービスです。市町村に住所を有し、かつ、要支援1～要介護5の認定を受けている人が利用できます。

小多機は、利用者が暮らしている住まいから近いところにあるのが特徴です。地域によって違いはありますが、徒歩や車いす、あるいは車の

送迎で5～10分程度の場所から利用する人が多いです。

そして、「最期まで住み慣れたわが家で暮らし続けたい」という思いが利用につながっています。

具体的な事例を紹介します。

### 事例1　高次脳機能障害と診断されても好きな散歩を続けたいQさん（85歳・男性・要介護1）

　小多機を利用させたいと相談があったのは地域包括支援センターの職員からでした。自宅は足のふみ場がないほどごみが散乱している状態で、1年前に高次脳機能障害と診断されており、視力低下もあることから、自宅内でも転倒をくり返していて、1人暮らしで何を食べているのかわからないため、小多機を利用し、環境の整備と食事の確保をしてほしいという依頼でした。Qさんにも同意をとり、80歳のときに利用を開始しました。

　自宅を訪問してまず片づけをいっしょに始めてわかったことは、Qさんはお寺・神社めぐりが大好きでよく歩いたということ、そして、ハーモニカの名奏者だということでした。また、退職をする2、3年前から視力の低下があり、設計の仕事も途中からできなくなったことや、明るいときでも室内外の段差に気づかずに転びそうになることがたびたびあるとわかってきました。

　Qさんは、朝も夕方も6時ごろ、慣れない杖をふりながら、昔からの散歩コースを変わりなく歩いていました。「夕食の準備をしますので、6時ごろには自宅にいてくださいね」とお願いするのですが、長年の習慣である散歩をすることが優先になっていました。Qさんの生活のリズムや散歩コースについても、職員同士の情報をつなぎあわせることで徐々にわかってきました。

　しかし、Qさんは散歩中に転倒することが続き、脳挫傷で脳内に少しずつ血液がたまっていると病院の医師から言われました。しかし、Qさんは歩くことをやめず、事業所内でのハーモニカの吹奏も健在で、ほかの利用者と合唱をしていました。在宅医療の医師がQさんやその元妻と話し合い、さらに、病院と話した結果、手術をするために入院することとなり、小多機が支援しつづけたい希望はありましたが、Qさんへの支援は終了となりました。

　このように、小多機は、利用者がかかえている生活課題だけに対応するのではなく、積み重ねてきた利用者の価値観や生活を大切にして、利

用者が暮らしを継続できるように支援しています。

**〈看護小規模多機能型居宅介護〉**

看多機は、事業所のある市町村に住所を有し、要介護1以上の認定を受けている人が利用できます。

訪問看護で医療ニーズのある人に対応できるため、小多機では受け入れることがむずかしかった、点滴や注射などの医療行為、医療機器の管理・指導、看取り期のケアなどを必要とする人が利用しています。近年は、糖尿病のある人、パーキンソン病などの難病のある人、喀痰吸引を必要とする人の利用も増えてきています。

## 3 どのような生活や活動をしているのか？

小多機には、利用者のしたいことを制限するものは何もありません。そのため、職員が利用者や家族などから情報を集め、分析をして、希望にそえる活動を具体化し、利用者に提供することができます。たとえば、利用者は職員につきそってもらってなじみの美容院へ行ったり、定期的に通院をしたりしています。

看多機では、医療ニーズの高い利用者が多いため、よりいっそう、1人ひとりの個別性に対応した生活や活動をしています。

また、小多機・看多機は、どちらも地域密着型サービスの1つであるので、地域の人たちと交流することも大切です。そのため、小多機・看多機の利用者は、事業所での地域活動などを通して、地域の人たちと顔見知りになれる機会を多くもっています。

小多機を利用しているときや自宅で過ごしているときに、利用者や家族がどのような生活をしているのかを例として示したものが表4-10になります。

## 4 どのようなケアを行っているのか？

小多機はほかの介護サービスと違い、小規模な介護の場に多くの機能（「通い」「泊まり」「訪問」）をもっている介護サービスです。介護福祉職はみずからの役割を認識したうえで、コミュニケーションを大切にし

## 表4-10 小多機の支援の例（ターミナル期の利用者）

| | 「通い」の利用日<br>（1日〔日曜日〕／週） | 自宅で過ごしている日<br>（毎日／週） | 家族が行っていること |
|---|---|---|---|
| 7:00 | | | |
| 8:00 | 清拭、おむつ交換 | 清拭、おむつ交換、細かな相談を受ける（必要に応じて、のちに時間を調整し、看護師や介護支援専門員が訪問する） | |
| 9:00 | 自宅へ迎えに行く（ベッドから車いすに移乗し、エレベーターを降りてから車へ乗る） | | 息子の妻が火、木は10時ごろ仕事に出かける<br>息子や近くに住む娘が交代でケアする |
| 10:00 | 事業所へ到着 | | 室内移動は車いす<br>リビングのいすに座って食事（ペースト状）、口腔ケア |
| 11:00 | バイタルチェック（状況によっては清拭） | | |
| 12:00 | 水分補給の水ゼリーをとったあと、入浴 | | |
| 13:00 | 入浴後、看護師がバイタルを再確認し、ベッドでひと眠り | | |
| 14:00 | トイレで排泄（車いすで移動）、覚醒状態を確認し、いすに座ってペースト状の食事をとる | トイレ介助、水分補給の水ゼリー（火、木）、相談を受ける | 水分補給の水ゼリー |
| 15:00 | 口腔ケア後、水ゼリーをとってひと休みしてから自宅へ送る | | おやつ、口腔ケア |
| 16:00 | | | |
| 17:00 | | | 火、木は息子の妻が帰宅 |
| 18:00 | | トイレ介助、おむつ交換、水分補給の水ゼリー、相談を受ける | |
| 19:00 | | | 食事（ペースト状）、水分補給の水ゼリー、口腔ケア |
| 20:00 | | | |
| 21:00 | | | おむつ交換後、就寝 |
| 週単位以外のサービス | ベッド、室内外車いす、褥瘡予防の体位変換器の貸与<br>2週に1回の定期訪問診療、訪問理容サービス | | |

て「24時間365日、切れ目のないサービス提供を行うことで、住み慣れた地域での暮らしの継続を支援する」専門職だといえます。利用者にとっては、3つのサービスのどれを利用しても顔なじみの職員にケアされるので、安心して自然体の関係を築けるという特徴があります。

小多機を利用している人たちの状態像はさまざまです。要支援1～要介護5と認定された人がサービスを利用しますが、同じ要支援、要介護でも、利用者個々の特性や価値観、生活環境や地域性によっても違いは大きいものです。疾患や家族形態によってもケアのあり方に違いがあります。小多機で働く介護福祉職は、1人ひとりの利用者の心身状態の変化に気づき、配慮しながらケアにかかわっています。

小多機では、「通い」「泊まり」「訪問」のそれぞれの場面で、食事、排泄、入浴といった日常生活の介護を行いますが、流れ作業のように行っているわけではありません。利用者1人ひとりの生活習慣のほか、健康や希望にも配慮した介護を行っています。

朝の「通い」の送迎では、利用者1人ひとりとコミュニケーションをはかります。車のほかに、徒歩や車いすで送迎して、利用者とふれあう時間を大切にしています。

また、「通い」からの帰宅準備では、利用者それぞれが持ち帰る荷物の点検をします。連絡ノートや持参した薬のケース、入浴前に着ていた衣類は入っているか、排泄で失敗した下着などは洗った状態で入っているか等です。点検はおもに担当の介護福祉職が行いますが、複数の目で確認することが大切になります。状況により遅い時間まで帰りを待つ利用者については、宿泊の利用者がいないとさびしさが増すものです。利

ラジオ体操をしている様子

いっしょに昼食をとる様子

用者1人ひとりの能力を見きわめ、そうじや台所の整理の協力をお願いしていっしょに行うなど、利用者が満足感をえられるようにすることで、気持ちのよい帰宅につなげます。

「泊まり」では、夜間にトイレへ誘導し、介助します。眠りの浅い利用者の場合は、話し相手になり、様子をみながら再度ベッドへ誘導します。利用者の様子や時間をみながら、静かに朝食の準備をし、順次、利用者へ言葉をかけて起床へとつなげていきます。

夕方から夜にかけて多い「訪問」では、服薬確認、夕食づくり、就寝介助などのさまざまなケアを行っています。毎日、介護福祉職のうちの1人が職場の携帯電話を持ち帰り、夜間の電話に対応し、必要と判断した場合は訪問します。

看多機では、訪問時の家事や身体介護（排泄介助、食事介助）は介護福祉職がにない、入浴介助に関しては、「通い」の場で体調確認しながら介護福祉職と看護職員が協働して行うことが多いです。**訪問看護**では、看護職員が利用者宅を訪問し、健康状態の観察、療養生活の相談やアドバイス、点滴・注射などの医療処置、リハビリテーション、緊急時の対応、医療従事者等との連携など、多岐にわたる役割を果たしています。

このように、24時間356日を支えるサービスとして「通い」「泊まり」「訪問」がありますが、そのサービス全体を支えるのは、日常生活の延長線上にある、いつもと変わらない介護であることを理解しておきましょう。

## 5 どのような人たちといっしょに働いているのか？

① 管理者
- 事業所を統括し、職場内の連携がはかられるようにするまとめ役です。さらに、他機関の事業所と話し合うための会議の調整や、地域との連携をはかるための調整を行います。
- 勤務表などを作成し、人員配置等に問題がなく、日々のスケジュールをスムーズに進められるように管理します。さらに、質の向上をめざし、内部研修・外部研修も含めた研修計画を、職員の声も聞きながら作成します。
- 介護実習の場として実習生を受け入れるために実習指導者と調整をし

たり、新人職員のオリエンテーションや職場研修にもかかわります。
- 看多機では、医療ニーズの高い利用者に対応することが多いため、看護師や保健師が務めることが多いです。

② 介護支援専門員（ケアマネジャー）
- 新規利用を希望する利用者・家族の相談窓口の役割をにないます。利用者の受け入れについては、管理者と話し合って調整することになります。利用者の在宅生活が可能になるように、利用者や家庭の状況を確認し、介護サービスの具体的な内容の検討、福祉用具に関する検討と導入、かかりつけ医との連絡調整ができるようにします。
- ライフサポートプラン（ケアプラン）を作成し、それにもとづいた介護サービスを提供できるように協力を依頼します。そして、利用者・家族にプランの説明をして、同意をえます。利用者・家族の意見等がある場合は、その必要性について職員とも話し合い、プランを修正します。
- 利用者の状況が大きく変化した際の支援について、ほかの職員から意見を求めます。たとえば、これまでの利用者・家族の希望にそって、医療やほかの機関等の力を借りながら小多機・看多機を利用して、在宅での生活を支えていくのか、施設サービス等のほかのサービスへの移行も視野に入れるのかといったことがあげられます。

③ 看護師（准看護師）
　健康管理や服薬管理をする看護業務ではなく、1人ひとりの利用者のケアも行い、体調等の変化にはいち早く対応します。介護福祉職が悩む場面では担当医に連絡をしたり、管理者や介護支援専門員等と情報を共有し、利用者にとって不利益にならない取り組みをします。

## 6 介護福祉職はどのようなチームを組んでいるのか？

　小多機では、介護福祉職がそれぞれ責任をもってケアにあたりますが、日々のケアが滞りなく進められるように、リーダーを決めて配置しています。リーダーは、介護福祉士の資格をもったメンバーがなっていることが多いです。介護支援専門員からの情報で、「通い」「泊まり」「訪問」の利用者がある程度決まったところで、リーダーを決めます。

リーダーは、その日来所していない利用者の自宅への訪問はできているかなど、職員等から報告を受けて必要な要素を記録します。また、夕方には短時間のミーティングを行い、介護支援専門員が利用者の自宅を訪問したときの様子や、家族からの電話を受けた報告であったり、送迎、訪問などについての情報の共有や意見を出し合ったりします。

介護福祉職は担当の利用者が決まっており、毎月行う職員会議の場で、課題をあげてもらい、話し合いをします。その話し合いの場で、ほかのメンバーから意見をもらうことで、介護福祉職としての成長につながります。

## 7 ほかの職種の人たちとどのように協働しているのか？

小多機・看多機では、看護職員とともにケアにあたることが多くあります。看護職員との協働について、利用者の体調に変動がみられた場面について考えてみましょう。

「通い」で来所した利用者の体温がいつもより高かった場合、まずは、家族からのノートや送迎を担当した介護福祉職から情報をえます。情報が不足している場合は、リーダーや看護職員から家族に電話等で確認します。えられた情報をもとに、看護職員が対応を判断し、「水分をとり、少し休んでもらいましょう」などと介護福祉職に伝えたり、通院のために迎えにくるよう家族に連絡したりします。通院に家族が対応できない場合には、利用者の状況をよく知っている介護福祉職や看護職員が通院につきそいます。

事業所内で利用者が大きく体調をくずした場合には、かかりつけ医に連絡し、緊急時には、事業所内で診察・治療を実施します（通常は事業所内で診察・治療はできません）。その場合、記録はいつも以上に細やかに行います。

利用者に体調の変動がみられた場面以外でも、外部の歯科衛生士から利用者の歯みがきや咀嚼・嚥下のための口腔ケアの指導を受けたり、入れ歯が合わなくなったときには歯科医師と連携をとったりして協働します。

事業所内の食事では、栄養が管理された食事をとれるよう、栄養士が

メニューを考えます。それをもとに、介護福祉職と非常勤の調理師が協働しながら、利用者の状態に応じた形態の食事をつくります。

また、下肢機能が不安定で、歩行しづらくなっていたり、ベッド上での体位の課題が生じたりしたときなどには、理学療法士から助言をもらいます。理学療法士からの具体的な助言は、事業所で行う日々の利用者の身体機能の維持・改善の取り組みにつながっていきます。

ほかにも、福祉用具専門相談員や病院の相談員、地域包括支援センターの職員など、さまざまな職種の人たちとかかわりながら、利用者のケアをしています。

## 8 地域をどのように意識して、取り組みにつなげているのか？

高齢者の多くが自宅で暮らし続けたいと希望していることは、各種統計にもあらわれています。施設で暮らす高齢者のなかには、自分自身に折り合いをつけて入所した人もいるかもしれません。介護している家族の気持ちの揺れを受けとめ、支援をすることができれば、利用者が自宅で最期まで暮らし続けることは可能になります。利用者に認知症がある場合には、まずは小多機・看多機がある地域で認知症のある人のことを理解してもらい、小多機・看多機とは何をするところかを知ってもらうことが必要です。そして、将来、さまざまな出来事が起きたときに協力し合える地域づくりが必要になります。

そのような取り組みの1つとして、地域の高齢者を対象とする食事会があります。小多機・看多機の利用者も地域住民といっしょに食事をすることで、会話に参加することができます。管理栄養士を中心に調理のボランティアが参加するほか、地域の歯科クリニックの歯科衛生士は参加者の健康を口腔の分野から支援します。地域包括支援センターの職員は介護予防体操を教えたり、さまざまな相談を受けたりします。

食事会を開催することで、そこに参加した地域の人たちもふだんと違う食事をとる楽しみを知るとともに、近所の人たちとの会話も楽しみの1つとなっています。

また、地域の人たちの協力をえられるようにすることも地域のつながりを強めるうちの1つと考え、年に1回のバザーを開催したりしていま

す。販売には近所の人たちや利用者の家族にも準備などに協力してもらいます。売上金は被災地へ寄付し、それを地域に報告しています。

さらに、地域で小多機・看多機の利用者の顔見知りが増えてきたところで、会場を借りて、地域カフェや利用者と地域の人たちがいっしょにできる運動の場を開催したりもしています。ほかにも、近所に住む日本舞踊の師匠の力を借りて、利用者だけでなく、地域の高齢者にも足を運んでもらい、座ったままでも扇子を持って踊りを楽しむ機会をつくっています。

町内会によっては、中心になっている人たちが高齢のため、町内会運営や行事ができづらくなっています。そのなかで、小多機・看多機の職員たちが、祭りのために神輿づくりをしたり、神輿をかついだりして行事にかかわることで、町内会との関係性も広がっています。

## 9 実習で何を学んでほしいか？

小多機・看多機の実習では、次のようなことを学んでほしいと思います。

### 1 どのような会話をしているかを気にかけること

小多機・看多機のなかでは、利用者と職員がなにげない会話をしているようにみえるかもしれません。しかし、職員は利用者の生活背景や性格、疾病、ふだんの体調など、おおよそのことを理解しています。そのことを理解したうえで、利用者の表情や発言を参考にしながら会話をすることで、体調や気持ちの変化などを予測しています。もちろん、体温や血圧などの計測もしますが、**ふだんのなにげない観察**が会話にも大切であることに気づくことができます。

実習生は、出会う利用者はたくさんの介護が必要な人たちだと思うかもしれませんが、そんなことはありません。

利用者は、多くの場合、実習生のあいさつに対して「何年生なの？」「どこからきたの？」「私の実家もあなたと同じ地域よ」など、実習生の話を聞いたうえで、実習生の緊張を少しでも解こうと会話を進めてくれます。ふだんは会話に参加しない利用者も、実習生に出会うと、生き生きと話すこともあります。会話などのやりとりから、何もできない人たちではないことがわかるはずです。

人生の先輩である利用者には、ふだん友達と会話しているような言葉はひかえ、ていねいな言葉づかいを意識しましょう。

### 2 利用者が主体の生活の場であること

　「通い」の時間のなかで、1人ひとりの利用者が主体となって発言・行動していることに注目してください。生活の場としての小多機・看多機では、自宅からの延長線上で日中の時間を過ごします。利用者の日中の姿から、自宅ではどのように過ごしているのだろうと、想像力をはたらかせてみてください。「訪問」や「泊まり」の支援の役割をになう職員に、あなたが想像した利用者の姿について質問を投げかけ、その違いにも興味をもってもらいたいと思います。

　小多機・看多機における1日では、利用者全員が同じことをするわけではありません。その日の利用者の体調によって違うこともあります。1人ひとりの利用者のニーズにそった介護目標があるので、食事づくりやおやつづくりに参加したり、職員と買い物や散歩に出かける利用者もいるなどさまざまです。また、地域活動に参加するために、職員が同行する場合もあります。なぜ、職員といっしょにさまざまなことをするのだろうと理由を考えてみてください。

　また、実習中、事業所内にいる職員が少なくなったと感じる場面に出会うこともあるでしょう。「通い」の利用者に対応している職員がいる一方、利用者の自宅に「訪問」している職員もいます。何をするために訪問しているか、「通い」の利用者にどう対応しているかについても職員に質問したりして学んでください。

### 3 1人ひとり状態像の違う利用者とのかかわり

　小多機・看多機を利用している人の状態像は、1人ひとり違います。利用者はさまざまな生き方をしてきています。

　利用者を知るためにも、1日目などはとくに緊張するかもしれませんが、できる限り積極的に会話をし、生活史などを聞いてみましょう。利用者1人ひとりの違いに気づけるのではないでしょうか。

　また、利用者と買い物や散歩、地域活動に参加し、かかわっていくことで、利用者がどんな気持ちで行動しているのか、表情や発している言葉から気づけることがあるでしょう。

## 第9節

# 軽費老人ホーム（ケアハウス）

### 学習のポイント
- 軽費老人ホーム（ケアハウス）におけるサービス内容や利用者像などを理解する
- 軽費老人ホーム（ケアハウス）の支援の視点を理解する
- 軽費老人ホーム（ケアハウス）の実習で学ぶべきポイントを理解する

## 1 どのようなサービスなのか？

**ケアハウス**とは、老人福祉法に規定される**軽費老人ホーム**の一種です。

老人福祉法第20条の6には「軽費老人ホームは、無料又は低額な料金で、老人を入所させ、食事の提供その他日常生活上必要な便宜を供与することを目的とする施設」と規定されています。自治体からの補助金により運営されていることから、営利法人が運営を行う有料老人ホーム等と比較して入居費用が安価であることも特徴です。

軽費老人ホームの歴史は古く、1963（昭和38）年の老人福祉法制定時に、特別養護老人ホーム、養護老人ホームとともに老人福祉施設の一種として制定されました。

当初、軽費老人ホームは家庭環境などの理由により、自宅で生活できない高齢者のための施設として創設されましたが、高齢者の増加や高齢者の住まいに対するニーズの変化にともない、その制度も変わっていきました。そして、1989（平成元）年に、軽費老人ホームA型、軽費老人ホームB型に続く軽費老人ホームの新類型としてケアハウスが創設されました。当時は元気な高齢者向けの安価な住居として、多くの高齢者が利用をしてきました。その後、サービス付き高齢者向け住宅等、比較的安価な高齢者向けの住居が増えてきたため、高齢者の住まいの選択肢も多くなりましたが、現在でもケアハウスの需要は多くあります。

一般のケアハウスは、ある程度自分の身の回りのことができる人を対

象とした施設であり、日常的に介護が必要な人が生活するには困難な施設です。しかし、介護保険制度が始まった2000（平成12）年以降は、一般のケアハウスの入居者は、介護保険サービスを利用することができるようになりました。ケアハウスは、老人福祉法上では「施設」ですが、介護保険法上では「居宅」の扱いとなっています。そのため、居宅サービスである訪問介護（ホームヘルプサービス）や通所介護（デイサービス）等を利用することができるのです。入居者は、自身の心身の状況により、介護支援専門員（ケアマネジャー）と相談をしながら必要な居宅サービスを選択し、ケアハウスでの生活を続けていくことが可能となります。

また、介護保険サービスの1つである特定施設入居者生活介護の指定を受けている**介護付きのケアハウス**もあります。介護付きのケアハウスでは、入居者は施設から提供される介護サービスを定額で利用することができます。一般のケアハウスと比較し、手厚い介護福祉職の配置が規定されているため、日常的な介護を必要とする人でも利用できます。一般のケアハウスや介護付きのケアハウスのほか、その両方の機能をもつケアハウスもあります。

## 2 どのような人たちが利用しているのか？

ケアハウスの入居対象者は、原則として次にかかげる要件を満たす者とされています。

① 身体機能の低下等により自立した日常生活を営むことについて不安があると認められる者であって、家族による援助を受けることが困難な者。

② 60歳以上の者（ただし、その者の配偶者、三親等内の親族その他特別な事情により当該者とともに入居させることが必要と認められる者については、その限りでない）。

特別養護老人ホーム等の施設と比較して、心身の状況や、年齢等における入居の条件がゆるやかであり、また、入居生活上の制限も少ないため、ある程度元気な人が、自身の判断で入居の申し込みをするケースも多くあります。なお、介護付きのケアハウスの入居対象者は、介護予防特定施設入居者生活介護の指定も含めると、要支援または要介護の認定

第 9 節　軽費老人ホーム（ケアハウス）

を受けている必要があります。

具体的にどのような人が利用しているのか紹介します。

**事例 1**　**見守りの必要なRさん（84歳・女性・要支援1）**

　3年前に夫を亡くしたRさんは、その後、1人暮らしをしていました。1人暮らしになってからは、地域とのつながりはあっても、家に1人でいるときに何かあったらどうすればよいかと、漠然とした不安を抱くようになりました。遠方に住む息子夫婦も、母の1人暮らしを心配し、同居をしようと声をかけましたが、Rさんは住み慣れた地域を離れるのはいやだと、1人暮らしを続けていました。将来のことを息子夫婦もRさんも不安に思い、悩んでいたところ、Rさんの自宅の近所にケアハウスができました。地域とのつながりを強くもてる施設だと感じ、Rさんは入居を決めました。住み慣れた地域で、これまで同様に地域の人々とのつながりを密にしながら生活することができるため、Rさんは満足し、遠方に住む家族も、見守り機能のあるケアハウスで母が暮らすことにより安心することができました。

**事例 2**　**介護が必要なSさん（89歳・女性・要介護2）**

　Sさんは、自宅で転倒して大腿骨頸部を骨折したことにより、入院をしました。手術後は、リハビリテーションも順調に進み、退院することになりましたが、今までのように1人暮らしをすることは困難なため、近所に住む息子夫婦との同居を望んでいました。しかし、息子夫婦は共働きで、日中の介護はできません。また、住環境的にも同居は困難であり、困っていたところ、病院のソーシャルワーカーに介護付きのケアハウスを紹介され、入居にいたりました。日常的な介護や機能訓練を受けることができ、Sさんは快適な生活を送っています。

　このように、ケアハウスで生活をしている人の身体的なレベルや、入居にいたる経緯はさまざまであり、いろいろな人が生活をしています。

第4章　実習先の特徴、実習先での学び

# 3 どのような生活や活動をしているのか？

　ケアハウスはその名のとおり、入居者にとって、自宅と同じです。そのため、自宅と同じ生活ができるように、設備や運営に工夫がされています。

　ケアハウスの居室は個室になっており、夫婦やきょうだいで入居することができるように2人部屋を設置しているところもあります。居室には、洗面所、トイレ、収納設備やミニキッチン等も設置されており、単身者用のワンルームマンションのような構造になっています。部屋のなかにあるものは基本的には自由に使うことができ、家具等を持ち込むこともできるため、自分好みの部屋にすることが可能です。

　ケアハウスの入居者の生活は、原則として自由です。ただし、食事の提供は定められたサービスの1つですので、食事の時間はある程度決まっており、また、安全のために入浴の日数や時間を定めているケアハウスもあります。その他の日課については、入居者がそれぞれ、自分のペースに合わせた生活をしています。

　居室内の管理は入居者自身が行うこととなっていますので、部屋のそうじや洗濯などは自分で行っています。家事が困難な人については、介護保険を利用して外部の訪問介護を利用し、そうじや洗濯をしてもらっている人もいます（特定施設の指定を受けた介護付きのケアハウスについては、施設サービスとして行われます）。

　外出や外泊も届出を行えば原則として自由であり、地域の行事やサークル活動に参加する人や、自分で公共交通機関や車を利用して買い物や旅行に行く元気な人もいます。

**入居者の部屋の様子**

**自室で趣味のギターを弾く入居者**

### 表4-11 ケアハウスの日課の例

| Tさんの暮らし | | Uさんの暮らし | | Vさんの暮らし | |
| --- | --- | --- | --- | --- | --- |
| 7:30 | 朝食 | 7:30 | 朝食 | 7:30 | 朝食 |
| 8:30 | そうじ・洗濯 | 8:30 | 訪問介護員とそうじ | 9:30 | 機能訓練 |
| 9:00 | 外出<br>(市街に買い物へ) | 9:30<br>｜<br>13:00 | デイサービス利用 | 10:30 | 入浴(介助浴) |
| ｜ | | 13:30 | 外出<br>(近所の友人宅へ) | 12:00 | 昼食 |
| 16:30 | | ｜ | | 13:00 | 昼寝 |
| 17:00 | 入浴 | 16:00 | | 15:00 | レクリエーションに参加 |
| 18:00 | 夕食 | 17:00 | 入浴 | 18:00 | 夕食 |
| | | 18:00 | 夕食 | | |

注:入居者の生活スタイルごとに日課は異なります。

　施設内では入居者同士でカラオケを楽しむ人もいれば、1人で趣味活動に没頭する人もいます。施設の企画したもよおしや、自由参加の外出行事などを楽しみにしている人も多くいます。

　このように、基本的には入居者の自主性を重んじてそれぞれの生活が営まれていますが、なかには自分で日課活動を組み立てることがむずかしい人もいます。その場合、職員は家族や介護支援専門員などと連絡をとり、入居者がこれまでの生活習慣を大事にしながら、健康で生きがいのある生活ができるようにケアしていくことが必要となります。

## 4 どのようなケアを行っているのか?

　ケアハウスには、前述のとおり、一般のケアハウスと介護付きのケアハウスがあります。それぞれの施設で利用者の状況もサービスの提供方法も異なるため、介護福祉職の役割も異なってきます。
　一般のケアハウスが入居者に提供するサービスはおもに、
・食事の提供
・入浴等の準備
・相談および援助

**居室をそうじする訪問介護員**

・社会生活上の便宜の供与
・その他の日常生活上必要な便宜の提供
とされています。

　一般のケアハウスでは身体的に自立した入居者が多いため、基本的に身の回りのことは入居者自身でしてもらいます。食事は施設がつくりますが、入居者が自分で食堂に行き、自分でとります。浴槽のそうじやお湯はりは施設が行いますが、入浴の介助は原則行いません。共用部分のそうじは施設で行いますが、自室内のそうじは原則として自分で行います。このように、自分でできることは自分で行い、自分ですることが困難なことや不安なことについては、助言・支援をしていきます。身の回りのことについて日常的な支援が必要となったときは、通所介護や訪問介護などの居宅サービスを利用することもできます。

　そのため、一般のケアハウスにおける介護福祉職の業務は、身体的な介護よりも相談援助業務のほうが主となります。今後も自立した生活を維持してもらうために、体力低下の予防や日常生活上の助言など、いわゆる介護予防の視点をもった支援が必要となります。介護福祉職は、依頼があれば何でもケアを行うのではなく、入居者自身が行えることについては見守ったり、助言を行ったりしながら、必要に応じたケアを行っていくことが大切です。ただし、高齢者の心身の状況は急激に変化していくことも多いので、身体的な介護の知識や技術をもっておくことは当然必要です。

　一方、介護付きのケアハウスでは、要支援・要介護認定を受けた人が入居しているため、食事、排泄、入浴などの介護が日常的に必要な人が多くいます。入居者への日常的な介護はケアハウスの職員がすることになっているので、介護福祉職の業務は、一般のケアハウスと比較し、身

体的な介護の比重が高くなります。なお、介護付きのケアハウスでは、計画作成担当者が入居者またはその家族の希望、入居者について把握された解決すべき課題にもとづいて、ほかの職員と協議をします。そのうえで、サービスの目標およびその達成時期、サービスの内容ならびにサービスを提供する際の留意点等を盛り込んだ特定施設サービス計画（ケアプラン）を作成します。介護福祉職は、この特定施設サービス計画にもとづいた介護サービスを提供していく必要があります。

## 5 どのような人たちといっしょに働いているのか？

ケアハウスには法令で定められた人員配置基準があり、介護福祉職のほかにも次の職員が従事しています。

① 施設長

ケアハウスの運営全般に関することを管理します。施設の維持管理および運営を統括し、職員の指揮監督を行います。

② 生活相談員

入居者の生活相談のほか、入居・退去にかかる手続き等を行います。外部サービス事業者、介護支援専門員や家族との連絡調整なども行います。社会福祉士等、相談援助の専門職が従事することが多いですが、介護福祉士が従事することもあります。

③ 管理栄養士・栄養士・調理員

入居者の献立の立案や、栄養管理、調理等を行います。入居者が食を通して充実した生活を送れるよう、嗜好調査や栄養相談を行ったり、行事用の食事や外食を企画したりします。

④ 看護師（准看護師）

要介護者の多い介護付きのケアハウスには配置が必要となっています。看護師（准看護師）は、常に利用者の健康の状況に注意するとともに、健康保持のための適切な措置を講じます。

⑤ 理学療法士（PT）・作業療法士（OT）・言語聴覚士（ST）

要介護者の多い介護付きのケアハウスには、機能訓練指導員の配置が必要となっています。これは、看護師等でも従事することができ、他職種との兼務も認められています。入居者の心身の状況等をふまえ、日常生活を送るうえで必要な生活機能の改善または維持のための機能訓練を

必要に応じて行います。

⑥ 計画作成担当者

　介護付きのケアハウスにのみ配置され、介護支援専門員が1人以上必要です。計画作成担当者は、入居者の日常生活上の課題を把握したうえで、入居者またはその家族の希望および把握した課題にもとづき、ほかの職員と協議します。そのうえで、サービスの目標およびその達成時期、サービスの内容やサービスを提供する際の留意点等を盛り込んだ特定施設サービス計画を作成します。

⑦ 事務員

　利用料の計算や、会計業務などを行います。家族などの来訪者の受付業務を行うこともあります。

## 6 介護福祉職はどのようなチームを組んでいるのか？

　一般のケアハウスは、ある程度身体的に自立した人を入居対象者として想定しています。そのため、日常的な介護が必要な人の支援は想定しておらず、介護福祉職の配置は多くありません。定員30人以下のケアハウスであれば、制度上では介護福祉職は1人でよいとされています。しかし、介護が必要な人で、訪問介護や通所介護などの居宅サービスを利用していることもあります。そのため、ケアハウスで働く介護福祉職は、外部の職員とも連携や情報共有を行いながら入居者の生活支援を行っていきます。直接的な介護をすることは少ないものの、入居者と多くの時間を接していますので、外部サービス事業所の職員への情報伝達等の連携が必要になる重要な立場といえます。

　一方、介護付きのケアハウスでは、入居者の多くが要介護者となるため、施設内に多くの職員が配置されています。ほかの高齢者施設と同じように、職員は24時間のシフトで仕事をしています。多くの職員が1人の利用者に接するので、介護をする人によってやり方が違ってはいけません。各職員が、各入居者の状態を把握したうえで、均一なサービスを提供していく必要があります。

　そのためには、介護の記録、勤務交代時のひきつぎなどを正確に行い、利用者情報の共有に努めたり、均一な介護サービスの提供のために、支援にかかる検討会や、職員同士で介護技術を向上するための研修

会等も必要となります。

## 7 ほかの職種の人たちとどのように協働しているのか？

　ケアハウスで働く介護福祉職は、入居者がケアハウスで快適な生活をしていくために、施設内外の多くの職種の人たちと協働していく必要があります。どういった場面でどのようなかかわりが必要になるのかについて、介護付きのケアハウスの職員になったことを想定して考えてみましょう。

> ○「新しい人が施設に入居してくることになりました。どのような人かわかりません……」
> 　生活相談員は、入居申し込みから入居契約までの各種手続きを行っているため、入居の経緯や、これまでの生活歴などを把握しています。ケアハウスの職員は、入居者の情報を共有し、スムーズにケアハウスで生活を始めることができるように支援していきます。とくに、介護福祉職は入居者と接することが多いので、情報収集をしっかりとしておくことが必要です。
> ○「入居者が食事をあまりとっていません。どうしたのか聞いてみると、入れ歯が合わずご飯が食べにくいようです……」
> 　入居者の栄養を管理している栄養士と相談のうえ、入居者に合うようにご飯をやわらかくしてもらいます。また、看護職員には、入居者の入れ歯の状況を伝え、歯科医の受診の手配をしてもらいます。

　このように、介護付きのケアハウスであれば、施設のなかの職員でサービスを提供していくので、介護福祉職は他職種の人たちと協働で入居者をケアしていくこととなります。介護福祉職は、ほかの職種の人たちから情報や助言をえるだけでなく、現場でえた情報を伝えて共有をしたうえで、多職種でケアの方針を決め、支援を実施していく必要があります。
　一般のケアハウスであれば、外部の介護サービス事業者との連携も必

要になってきます。居宅介護支援事業所の介護支援専門員や、通所介護事業所の生活相談員、介護福祉職、訪問介護事業所の訪問介護員、サービス提供責任者など、外部の各サービス事業者の担当者と情報共有を行い、協働で入居者のケアを行います。外部の事業所とのやりとりは生活相談員が行うことも多いようですが、入居者と直接接している職員の情報は重要であり、各職種の事業所間の連携、情報共有は非常に大切であるということを理解しておかなければなりません。

## 8 地域をどのように意識して、取り組みにつなげているのか？

近年の高齢社会のなかで、高齢者の住まいについての考え方やあり方も多様化し、施設へ入居することも老後の住まいのあり方の1つとして一般的にも浸透してきました。それにともない、施設と地域社会とのつながりも重要視されるようになり、地域に開かれた施設として地域との交流を積極的に行う施設が多くなりました。ケアハウスでは、地域を意識して次のような取り組みをしています。

### 1 外出の支援

ケアハウスの入居者が地域のお店で買い物や外食をして、地域の人と会話をし、ふれあうことも地域交流の1つです。ケアハウスの入居者は元気な人が多いものの、全体としては自力で外出することが困難な人が多くみられます。ケアハウスでは外出支援のサービスを行っていることも多く、散髪や買い物、医療機関への通院など、入居者の外出の支援をしています。

### 2 ボランティアの活用

ケアハウスでは職員がいろいろなもよおしを企画し、入居者が楽しく生活できるように努めていますが、数少ない職員が日常の業務を行いながら企画するには、できることに限りがあります。地域のボランティアの人々と連携をはかりながら、いろいろなもよおしを開催するほか、日常生活上の支援でも力を借りています。

### 3 地域行事への参加

地域の祭りや運動会などへ参加し、地域の人々と交流を行います。ケアハウスへの入居後も、引き続き地域の行事へ参加することにより、入

入居者といっしょに外食へ行った様子

施設のお祭りに参加するボランティア団体

居者は今まで暮らしてきた地域とのつながりを断つことなく、これまでどおりの生活を続けていくことが可能となります。入居者は元気な人も多く、公民館活動への参加や文化祭への出展など、地域の行事へ参加する機会は多くあります。

### 4 地域の人々との施設を通した交流

どのような施設であるかを知ってもらうために、施設の祭りに地域住民を招待したり、施設の避難訓練を地域の人々と合同で行ったりしています。また、施設の会議室などを地域住民の活動スペースとして開放している施設もあります。福祉施設は災害時の避難場所となることもあり、そういった視点からも、ふだんからの施設と地域の交流は大事であるといえます。

ケアハウスは元気な高齢者も対象とした施設であり、積極的に地域との交流を望む入居者も多くいます。ケアハウスで働く職員は、入居者が望む地域生活のあり方について検討し、ケアを行っていく必要があります。

## 9 実習で何を学んでほしいか？

ケアハウスの実習では、次のようなことを学んでほしいと思います。

### 1 入居者のさまざまな生活スタイルや生活の考え方の多様性に対する支援

ケアハウスの入居者は、元気な人から要介護状態の人まで、さまざまな人が生活しています。また、入居するまでの生活スタイル、入居にいたった経緯、入居後の生活に対する考え方もそれぞれ異なります。ケア

ハウスの職員は、それぞれの入居者の生活スタイルに合わせたさまざまな形のケアの提供が必要になります。直接的な介護のほかにも、相談援助業務が中心となるケースもあれば、あまり深くかかわりをもちすぎず、本人の自主性にまかせるケースもあります。そのために、入居者にどのようなケアをしていくことが必要であるかということを学んでほしいと思います。

### ❷ 入居者、職員とのコミュニケーションをはかること

ケアをしていくにあたっては、入居者とのコミュニケーションが大切になります。意思疎通が容易な入居者も比較的多く、多くの入居者とコミュニケーションをとることができるでしょう。入居者が、どのような経緯でケアハウスに入居したか、どのような思いをもってケアハウスで生活をしているのかを聞いてみましょう。

そして、職員とのコミュニケーションも大切です。現場の職員が、ケアハウスの入居者に対してどのようなケアを行っているか、どのような考えをもってケアにあたっているか、他職種の職員とどのような連携をとっているか、外部サービスを利用している場合は、どのような形で支援をしているかなどを観察したり聞いたりしてみましょう。

機会があれば、施設の行事や、地域社会とのかかわりがどのように行われているかも観察してみましょう。

これからの介護福祉士には、身体的な介護だけでなく、心理的・社会的支援を展開できる能力が求められます。また、介護ニーズの複雑化・多様化・高度化に対応し、入居者や家族等の**エンパワメント**❶を重視した支援も必要とされています。さまざまなニーズをもった人が共同で生活を営んでいるケアハウスは、そういったこれからの介護福祉士のあり方を実践していくにふさわしい施設だと思われます。みなさんもそのことを意識しながら、ケアハウスにおける介護福祉士の業務について十分に学んでほしいと思います。

---

❶エンパワメント
無力な状態にさらされてきた人たちの潜在的可能性・能力・人間としての尊厳を引き出し、取り戻すこと。

# 第10節 障害者支援施設

**学習のポイント**

- 障害者支援施設におけるサービス内容や利用者像などを理解する
- 障害者支援施設の支援の視点を理解する
- 障害者支援施設の実習で学ぶべきポイントを理解する

## 1 どのようなサービスなのか？

　障害者支援施設は、障害者の日常生活及び社会生活を総合的に支援するための法律（障害者総合支援法）に位置づけられています。

　従来、障害のある人たちの入所施設は、身体障害や知的障害といった利用者の障害種別ごとに設けられ、昼夜のサービスも一体となって提供されていました。しかし、施設に入所している利用者のなかには、地域で暮らしたい、仕事につきたいというニーズをもつ人もいました。

　そこで、利用者のニーズに応じた地域生活支援や就労支援といった新たな課題に対応していくだけでなく、入所施設のあり方についても見直しが必要となりました。障害者支援施設は、障害の種別が合わさり、昼間実施サービス（施設障害福祉サービス）と夜間実施サービス（施設入所支援）に分かれることになりました。そのため、サービスの組み合わせを選択できます。

　昼間実施サービスは、生活介護、自立訓練（機能訓練・生活訓練）、就労移行支援および就労継続支援B型のなかから、利用者のニーズにこたえるために、施設が都道府県知事等から認可を受けたサービスを提供します。また、夜間実施サービスは、入浴、排泄および食事等の介護、生活等に関する相談および助言、その他の必要な日常生活上の支援を行います。

　障害者支援施設では、次のことが運営基準で示されています。

・利用者の意向、適性、障害の特性その他の事情をふまえた計画（個

別支援計画）を作成し、これにもとづき施設障害福祉サービスを提供すること。また、その効果について継続的な評価を実施しなければならない。
・利用者の意思および人格を尊重して、常に利用者の立場に立った施設障害福祉サービスの提供に努めなければならない。
・利用者の人権の擁護、虐待の防止等のため、必要な体制を整備し、職員に研修を実施しなければならない。

　2017（平成29）年には、自己決定が困難な障害者に対する意思決定支援についての考え方を整理した「障害福祉サービス等の提供に係る意思決定支援ガイドライン」が発出されました。このこともふまえて利用者のニーズを的確に把握し、作成した計画に同意をえて支援を提供することと、人権を擁護することが重要です。

　また、多くの障害者支援施設では**短期入所サービス（ショートステイ）**を実施し、家族とともに地域で暮らす障害者の受け入れを行っています。知的障害や発達障害のある利用者も含めて地域生活が継続できるように支援することも役割の1つです。

　これからの障害者支援施設の大きな役割として、国が進める**地域生活支援拠点等**の整備にかかわることが求められています。この拠点等の整備とは、障害者の重度化・高齢化や親亡きあとを見すえ、施設が短期入所の緊急時受け入れや体験利用などの場となることです。

　なお、喫緊の課題としては、感染症の発生および蔓延の防止等に関する取り組みや、地域と連携した災害対策など、感染症や災害への対応力の強化が求められています。

## 2　どのような人たちが利用しているのか？

**❶障害支援区分**
障害福祉サービスの必要性を明らかにするため、障害者の心身の状態を総合的にあらわす区分。「区分1」から「区分6」の6区分が定められており、介護給付の申請があった場合に認定が行われる。

　施設を利用するためには、**障害支援区分**❶認定を受ける必要があります。日中活動として生活介護を提供する障害者支援施設の場合は、障害支援区分4（50歳以上の者にあっては区分3）以上の人が利用できます。利用者の多くは、身体障害者手帳1級・2級の交付を受けた重度身体障害者で、肢体不自由者が大半です。原因疾患は、脳性麻痺などの先天性障害、脳血管障害、脊髄損傷、事故による頭部外傷後遺症、進行性筋萎縮症などの中途障害などがあります。

## 第10節 障害者支援施設

障害の種別が合わさったこともあり、身体障害のある人だけでなく、知的障害や精神障害、重複障害のある人も入所しています。また、脳血管障害や頭部外傷後遺症の場合は、高次脳機能障害の診断を受けている人も増えています。

長期間入所している利用者も多く、高齢化・重度化するにともない、胃ろうによる栄養管理や喀痰吸引等の医療的ケアを必要とする利用者も増えつつあります。

一方で、利用者のなかには、グループホームや**福祉ホーム**❷、アパートなどでの地域生活を希望する人や、社会のさまざまな場面への参加や活動を希望する人もいます。施設から地域へと移行するためには、利用者の努力も重要ですが、思いの実現に向けて寄り添った支援を行っていきます。

具体的にどのような人が利用しているのか紹介します。

❷福祉ホーム
家庭環境、住宅事情等の理由により、居宅において生活することが困難な障害者（常時の介護、医療を必要とする状態にある者を除く）に対し、低額な料金で、居室その他の設備を利用させるとともに、日常生活に必要なサービスなどを提供する施設。

### 事例1 脳性麻痺による両上下肢機能障害のあるWさん（45歳・男性）

Wさんは、乳児期に脳性麻痺と診断されました。肢体不自由児施設で過ごしながら特別支援学校高等部を卒業後、障害状況からおもに18歳以上を対象とする障害者支援施設に入所となりました。

施設では、四肢麻痺のためADL（Activities of Daily Living：日常生活動作）はほとんど全介助でしたが、移動は状態に合わせて製作された車いすを使い、きき足で床を蹴って後ろに移動をしていました。また、知的障害や言語障害はなく、自分の意思を明確に伝えることもできていました。

その後、障害者スポーツに関心をもち、特殊な車いすを購入して大会に出場するうちに、地域で暮らしたいという思いが強くなりました。担当の介護福祉士は、地域移行に向けての課題を個別支援計画に加え、理学療法士の協力もえながら電動車いすの操作訓練を行いました。また、ベッドから車いすへの移乗動作をできるようにするために、マットレスを畳に変更したりと、Wさんと話し合いながら、アドバイスをしたり、見守りを行ったりと支援を重ねていきました。結果、施設を退所して地域の福祉ホームで生活することができるようになりました。

# 3 どのような生活や活動をしているのか？

表4-12 障害者支援施設の1日の例

| | |
|---|---|
| 7：00 | 起床（更衣介助） |
| 8：00 | 朝食介助・洗面介助・口腔ケア |
| 10：00 | リハビリテーション・日中活動（スポーツ・文化活動、趣味の活動、買い物など） |
| 12：00 | 昼食介助・口腔ケア |
| 14：00 | 入浴介助・集団活動（レクリエーション、スポーツ・文化活動、趣味の活動など） |
| 17：30 | 夕食介助・口腔ケア |
| 21：00 | 就寝準備 |
| 22：00 | 就寝 |

　利用者の活動としては、**個別活動**と**集団活動**を行っています。個別活動はそれぞれの趣味や意向に合わせて、手芸をする人、好きな音楽を聴く人、気の合う仲間と談笑する人などさまざまです。また、集団活動は誕生会でのレクリエーションや障害者スポーツ（ボッチャ、卓球バレー、ビーンバック投げなど）、各クラブ活動などがあります。こうした活動はおもに施設内で行いますが、施設周辺の地理的環境によっては1人で買い物に出かけたり、時にはボランティアの人といっしょに外出したりします（表4-12）。

　障害者支援施設は生活の場でもあります。先天性の障害のある人のなかには、これまで社会経験の機会が少なかった人も多くいるので、でき

ガラスペイントの製作を行っている様子

るだけ外へ出て、社会活動へ参加することも行っています。買い物や花見、旅行、スポーツ観戦など、利用者の希望にそって少しでも変化のある生活を送れるように支援しています。

## 4 どのようなケアを行っているのか？

　障害者支援施設には、利用者の健康状態を守りつつ生活の場として豊かな暮らしを保障する役割があります。その役割を果たすために介護福祉職が行っているケアをいくつか紹介します。

### 1 個別支援計画にもとづいた支援の提供

　利用者の入所前の生活歴の把握、施設の生活に対する利用者・家族の意向の確認、障害特性、ADLの状況、健康状態の把握などを行います。そのうえで、分析した生活上の解決すべき課題や目標を明確にした個別支援計画にもとづいた支援を提供します。

### 2 日常生活における食事、排泄、更衣、入浴、移動、整容などの介護

- 更衣では、利用者に着る服を選んでもらい、拘縮や関節可動域を把握し、関節などに負担をかけないように介護します。
- 食事では、利用者が自分で食べやすいように自助具やエプロンを選定し、配膳後は咀嚼の状態に合わせて調理用はさみを使って食べる前にカットします。
- 入浴では、皮膚の状態を観察し、知覚麻痺がある場合には、湯温の確認を行います。
- ベッドから車いすなどへの移乗では、スライディングシートなどを用いて負担を軽減しながら介護します。
- 移動では、車いす上での姿勢がくずれていないか、足先が車いすのフットサポート（足台）から落ちていないか、上衣の裾がタイヤに当たっていないかなどの確認を行います。
- 整容では、朝は頭髪の寝癖などを直し、入浴後は髪を乾かし、また、乳液や保湿液を好みなどに応じて使用します。

　重度肢体不自由である利用者も多く入所していますが、利用者の希望を尊重し、その人らしい生活が送れるよう、自立支援の視点を大切にし

ています。また、利用者が家族とのつながりを良好に維持できるよう、面会時に日ごろの様子を伝えたり、家族に送付する機関誌に近況を書いたりと工夫しています。
　利用者の自己決定と選択を尊重して権利を守ることや、虐待防止のための意識を高めておくことも、適切なケアを行っていくうえで大切な基本姿勢です。

# 5　どのような人たちといっしょに働いているのか？

① 施設長
　職員の確保や定着のために働きやすい職場環境の整備を行います。また、利用者へ質の高いサービスを提供するために、人権擁護や虐待防止、事故防止をはかっていきます。地域住民との交流や施設設備の貸し出しなど、地域との積極的なかかわりをつくっていくことも行います。

② サービス管理責任者
・利用者のおかれている環境および日常生活全般の状況等の評価を通じて、利用者の希望する生活や課題等の把握（アセスメント）を行い、適切な支援内容を検討し、個別支援計画の原案を作成します。
・看護師、管理栄養士や栄養士、理学療法士や作業療法士、生活支援員等の関係職種を集めて個別支援計画の作成にかかる会議を開催し、計画内容について意見を求めます。計画内容について利用者や家族に説明し、文書により同意をえます。
・利用者の障害支援区分認定調査に同席し、日ごろの状況を調査員に伝えます。

③ 医師
　必要数が配置され、看護職員と連携し、利用者に対して日常生活上の健康管理および療養上の指導を行います。疾病の状況などを必要に応じて利用者や家族に説明します。

④ 看護師（准看護師・保健師）
・毎朝の検温や定期的な血圧測定、服薬管理、状態に応じた浣腸や摘便、胃ろうの管理などを日常的に行います。
・医療機関への受診に同行して、医師から受けた説明を介護福祉職に

伝達したり、医師の指示のもとに診療補助を行います。
・医師の指示により食事制限や食事内容の変更がある場合は、管理栄養士や栄養士に伝えます。

⑤ 理学療法士（PT）・作業療法士（OT）
・理学療法や作業療法などのリハビリテーションや、利用者に合った用具の選定などを行います。
・利用者の車いすはほとんどが身体機能に合わせて製作されたものであり、修理などの際には、医師に診断書を依頼したり、製作や修理を行う業者と連絡調整を行います。

⑥ 生活支援員
日常生活上の必要な介護などを行い、利用者の変化や様子を記録します。各行事の企画・実施の中心的な役割もにないます。

⑦ 管理栄養士・栄養士
献立の作成、栄養管理、食材納入業者との連絡調整、嗜好調査などを行います。

⑧ 調理員
献立にもとづいた調理業務を行います。

⑨ 事務員
経理業務や来客の対応、電話対応などを行います。

⑩ 相談支援専門員
障害者支援施設に入所する人のサービス等利用計画を作成します。

## 6 介護福祉職はどのようなチームを組んでいるのか？

　介護福祉士やほかの介護福祉職は、生活支援員として24時間交代勤務で利用者の生活を支えています。また、それぞれ担当の利用者を受けもっています。質の高いサービスを提供し、利用者からの信頼をえるためには、チームワークが大切です。
　直接的にサービスを提供する職員がどのように連携しているかを紹介します。

### ❶ 朝の申し送り（全職種の勤務者参加による朝礼）

　ここでは、まず夜勤者が昨夜から今朝までの利用者の状況を申し送りします。1日が始まるなかで、たとえば睡眠が十分にとれていない利用

者がいる場合など、そのことを気にとめて言葉をかけたりすることで体調を観察できます。また、前日の日勤リーダーを務めた生活支援員からの申し送りも行います。さらに、その日の外出者や入院者、医療機関受診予定者など、その日の活動内容についても情報を共有します。

### 2 連絡ノート

利用者の支援内容に変更があったとき（例：水分補給時にとろみをつけるようになったなど）は、各担当の生活支援員が連絡ノートに記載します。これは、すべての生活支援員が情報を共有して、利用者の支援を統一するための手段の1つです。記載日、利用者名、記載者名、連絡内容を1枚にまとめていきます。確実に読んだことを確認するためのチェック欄も設けています。迅速な情報共有が必要な場合はノートではなく、ホワイトボードを使用することもあります。

### 3 利用者個別の記録

知的障害、精神障害、認知機能の低下などにより、利用者にたずねても排便確認ができないこともあります。そのため、ほかにもおむつ交換や医師の指示による食事摂取量の確認など、健康管理のために記録をつけ、それを把握しておくことが大切です。また、各場面で介護を行った生活支援員は、個別に必要となる記録も確実に行うことが大切です。精神科へ定期通院し服薬している利用者についても個別にノートを準備し、言動などの医師に報告すべきことを記録します。これは、診察の際にとても重要なものとなります。

### 4 買い物などの外出

金銭管理が必要な利用者は、担当の生活支援員で管理しています。交代勤務などのために、買い物や外出行事などに担当職員が必ずつきそうことはできません。たとえば、意思表示が困難な利用者の買い物は、担当職員が代わりにつきそう人に細かく伝えて依頼します。その際、事前に利用者の意向を表情や反応、しぐさなどで確認をしておきます。

## 7 ほかの職種の人たちとどのように協働しているのか？

　ほかの職種の人たちとのかかわりについて、紹介します。

### 1 食事

　外出や外泊、入院などにより、利用者が食事を必要としなくなる場合もあります。リーダーとなった生活支援員が翌日の朝・昼・夕食の欠食者名および短期入所（ショートステイ）の利用者がいる場合は氏名をあわせて伝票に記載し、調理員に届けるなどの方法で食事提供の管理に協力します。また、行事のときのさまざまな食事や選択食（例：うどんであれば肉やてんぷらなど複数のトッピングから選択する食事）などのときには、生活支援員が利用者の意思確認を行います。

### 2 排泄

　排泄確認も健康管理においては大変重要なものとなります。常に車いすを使用し、移動にも介護を必要とする利用者のなかには、運動量が少ないこともあり緩下剤を処方されている人もいます。看護職員が毎朝、前日の排便確認を行いますが、理解力の低下などにより確認がむずかしい場合は、排泄の介護にあたった生活支援員が記録したものを看護職員が確認して対応します。

### 3 入浴

　入浴は、身体の清潔保持のためにも大切です。しかし、体調不良などにより入浴をひかえるべき場合もあるので、生活支援員は入浴前に看護職員に確認します。また、入浴は全身の状態を観察できる場面です。入浴後の脱衣室では、生活支援員がからだをふき、看護職員は必要な場合、利用者に薬の塗布などを行い、全身の状態の観察も行います。

### 4 リハビリテーション・補装具（車いすなど）

　リハビリテーションは、理学療法士や作業療法士が中心となって行いますが、生活支援員は補助としての役割をにないます。また、多くの利用者が使用している車いすや下肢装具などについて、日ごろの使用状況を観察している生活支援員が理学療法士や作業療法士に説明し、より利用者に適したものとなるように検討します。

### 5 預貯金の管理

　金銭については、利用者に通帳の預かり依頼を受け、事務所で管理し

個別支援計画の作成にかかる会議の様子

ています。利用者や家族から依頼を受けて入金や出金が必要になると、生活支援員は事務員に伝えてお金の出し入れを行います。

### 6 個別支援計画

生活支援員は、サービス管理責任者が作成した個別支援計画にもとづいて支援を提供します。支援が困難な状況が発生したり、介護方法などがうまくいかない場合などには、サービス管理責任者に相談し、助言や技術的指導を受けて、より適切な支援の提供に努めていきます。

## 8 地域をどのように意識して、取り組みにつなげているのか？

障害者支援施設にも、地域住民との交流活動や地域社会への貢献活動を積極的に行うことが求められています。

地域には、幼稚園や小学校等があります。まさしくこれからの時代をになう貴重な子どもたちです。幼稚園児や小学生に対する福祉教育の一環として、また、人権についての学習といった視点からも、交流を積極的に行っていくことが大切です。

施設で受け入れる際、小学生には、見学してもらうだけでなく、車いすの乗車体験や障害者スポーツで利用者と対戦することで、障害のある人を少しでも身近に感じてもらうように意識しています。同様に、幼稚園児の場合は、園児に合わせたレクリエーションを行い、楽しんでもらえるように意識しています。

また、中学生や高校生を対象として、インターンシップ（就業体験）を行っています。福祉分野での就業体験の場として積極的に受け入れて

いくことは、障害者支援施設で働きたいという思いにつながるのではないかという期待もあり、また、障害者理解を広めていくうえでも大切です。

このほか、民間企業の体験研修等を受け入れることもあります。簡単な介護を体験してもらったり、利用者とコミュニケーションをとってもらったりすることは、単に理解を深めてもらうだけでなく、障害を理由とする差別の解消の推進に関する法律（障害者差別解消法）が求めている合理的配慮や不当な差別的取り扱いの解消といったことを実感してもらうことにもつながります。

こうした体験交流などの受け入ればかりでなく、地域住民との交流も大切です。施設では、毎年、運動会や夏祭り、餅つきなどの行事を実施し、大きな行事には地域住民にも参加を呼びかけます。毎年継続していくことで、地域の人たちが積極的に行事の運営を手伝ったり、ふだんから外で見かけたときに言葉をかけるなどの関係も築かれていきます。

さらに、これからは**地域共生社会の実現**に向けて、施設も地域の多様な主体の1つとして役割を果たしていくことが求められています。その1つとして、施設機能の開放や職員のもつ技術の提供があります。たとえば、夏休みに児童を対象とした陶芸教室を開催したり、あるいは年間を通して地域の高齢者を対象に陶芸教室を開催することで、閉じこもり防止や生きがい活動へつながるような地域貢献を行うこともあります。

障害者支援施設でも、それぞれの特色を発揮して、地域に対するはたらきかけや貢献活動、交流活動を実施しています。そして、活動や取り組みを行ううえでは、利用者も地域住民の1人として参加してもらうように意識します。職員だけで利用者を支えるには限界があります。いつ起きるともわからない災害が発生した場合など、地域の人たちにも支援してもらえるような関係づくりを日ごろから行うことが大切です。

今日、障害者支援施設には、さまざまな意味をもった地域のネットワーク拠点としての機能を発揮することが求められています。その機能は、大きく分けて2つあります。1つ目は、大規模災害時の支援拠点としての機能、2つ目は、在宅障害者が重度化・高齢化しても安心・安全な生活を継続するための地域生活支援の拠点としての機能です。いずれにしても、「地域で生活する障害者の生活を守るセーフティネット」を構築していくことになりますが、その際には、一定の範囲をもった生活圏として地域をとらえていく必要があります。

## 9 実習で何を学んでほしいか？

　障害者支援施設の利用者の年齢や、先天性や中途など障害を受けた時期、生活背景などは、人によって大きく異なります。個々の利用者の理解はもちろんのこと、生活を目的とした施設として変化を多く取り入れるために、施設外での支援場面も多くあります。以下は、そのことをふまえて実習で学んでほしいポイントになります。

### 1 利用者の権利擁護や自立支援

　言語障害のため発語が困難な利用者もいます。しかし、そこには必ず利用者の思いがあると意識して傾聴したり、表情などをよく観察したりして、利用者個々のコミュニケーション手段や意思表示の方法について学んでほしいと思います。

　また、日常生活において意思決定が必要な場面では、利用者の意思を尊重するための支援方法が大切になります。支援を行う場面では、自分であればこうしてほしいなどとおき換えて考えるようにします。また、利用者がもっている力や強みに気づけるよう、その人の趣味や関心をもって取り組んでいることにしっかりと目を向けるようにしてください。

　入所にいたった経緯や今までの生活歴はさまざまであり、今の生活に影響しているかもしれません。施設外での活動や文化面・スポーツ面での活動などにも参加してもらうことで日常生活にも活気が出ることを実感してほしいと思います。

### 2 障害の状況を理解すること

　同じ疾患による障害であっても、麻痺の程度や残存機能の状態などに個人差があります。利用者1人ひとりに合わせた介護方法について、その根拠を実習を通して学ぶようにしましょう。

　こうした利用者個々のニーズを把握するための視点や介護方法などを学び、実践に役立ててほしいと思います。

# 第11節 医療型障害児入所施設・療養介護施設

> **学習のポイント**
> - 医療型障害児入所施設・療養介護施設におけるサービス内容や利用者像などを理解する
> - 医療型障害児入所施設・療養介護施設の支援の視点を理解する
> - 医療型障害児入所施設・療養介護施設の実習で学ぶべきポイントを理解する

## 1 どのようなサービスなのか？

〈医療型障害児入所施設〉

　児童福祉法の一部改正にともない、従来の肢体不自由児施設と重症心身障害児施設は、医療法上の病院の指定を受けている児童施設として再編成され、2012（平成24）年4月より、**医療型障害児入所施設**として位置づけられました。

　医療型障害児入所施設では、入院による医療を必要とする児童が対象となり、肢体不自由のある児童、重度の知的障害および身体障害が重複する児童、自閉症のある児童が利用しています。ここでは、疾病の治療や看護、医学的管理のもとにおける介護、能力の維持・向上のための訓練、日常生活上の相談や助言など、個々に応じた支援を行います。

　また、整形外科的手術を積極的に行っている施設も多くあり、さまざまな身体的疾患の治療を行っています。治療内容により、数か月から1年以上と入所が必要な期間にも幅があり、集中的な機能訓練、日常生活動作の向上など、在宅復帰に向けた取り組みを行います。

　施設利用は原則18歳を迎える年度末までで、退所後は在宅復帰、就職、進学、療養介護施設を含む福祉サービスの利用など多岐にわたり、その支援を行います。

**〈療養介護施設〉**

　2012（平成24）年の児童福祉法の一部改正により、従来の重症心身障害児施設に入所していた18歳以上の障害者については、障害者の日常生活及び社会生活を総合的に支援するための法律（障害者総合支援法）にもとづき、重症心身障害児施設から移行した療養介護施設に入所することとなりました。

　療養介護施設では、病院において医療的ケアを必要とする障害者に対して治療を行い、機能訓練、療養上の管理、看護、医学的管理のもとにおける介護および日常生活上の世話など、個々に応じた支援を行います。

　2012（平成24）年の児童福祉法の改正時も、長期的な療養が必要となる重症心身障害児（者）に対しては児・者一貫した支援が求められることが課題となっていました。そのため、医療型障害児入所施設と療養介護施設がそれぞれ独立して存在するのではなく、両方の機能をあわせもつ施設として一体的に運営しているところもあります。

## 2　どのような人たちが利用しているのか？

　医療型障害児入所施設・療養介護施設では、肢体不自由児や、重症心身障害児（者）等が利用しています。

　肢体不自由児とは、生まれつきまたは出産時の障害、あるいは小児期の事故や疾病などにより、手や足、体幹など身体の運動機能に不自由のある児童です。早期の適切な治療とリハビリテーションが機能の向上に有効であることが、医学的にも証明されています。数か月程度の短期間で入所し、手術やリハビリテーションを行うケースもあります。

　重症心身障害児（者）とは、重度の肢体不自由と重度の知的障害が重複した状態にある障害児（者）です。重症心身障害になる原因の多くは、胎児期から小児期における脳の障害です。出生前の時期では染色体異常、遺伝子異常など、周産期（妊娠22週から出生後7日未満までの期間）では低酸素脳症、重度仮死、脳血管障害など、周産期後では脳炎後遺症など、幼児期以降では、溺水による後遺症や交通事故の後遺症など多様なものがあります。

　その状態としては、①四肢や体幹の筋緊張・変形・拘縮などの運動障

害、②言語による理解や意思伝達が困難な知的障害などであり、排泄・食事・更衣・入浴など日常生活上での直接的な介護、肺炎などのリスクが高い易感染性、てんかんなどの医療的支援が多くのケースでみられます。

入所者のなかには、人工呼吸器や経管栄養などの医療を必要とする人や、自傷や他害・異食などさまざまな行動障害をかかえている人もいます。また、周囲とのコミュニケーションで支援を必要とするような発達障害をあわせもっていることなども多く、多職種で情報を共有しながら対応していきます。

具体的な事例を紹介します。

### 事例1　退所後の進路を検討したXくん（18歳・男性）

小学校低学年で入所したXくんは、先天的な脳性麻痺があり、入所するまでは自宅から整形外科やリハビリテーション施設に通院していました。四肢に麻痺があり、日常生活はほとんど全介助で、自走式の車いすで少しずつ移動していました。年齢が上がり、全身の拘縮が強くなったこと、体重が増えたことなどで、車いすの自走がむずかしくなったため、高学年からは充電式の電動車いすにし、自由な移動が可能になりました。

高校を卒業するまでは、ボッチャやティーボールなどの障害者スポーツの活動に熱心に取り組み、大会にも参加し、入賞したことが大きな自信になりました。卒業後、自宅での生活がむずかしかったことから、いくつかのグループホームを見学し、体験利用して自分で利用先を決定しました。

今では、日中はグループホームから生活介護事業所に通い、支援を受けながら就労活動にも参加し、はじめての1人部屋での生活を満喫しています。

## 3　どのような生活や活動をしているのか？

ここでは、実際にどのような生活や活動をしているのかなどをみてみましょう（表4−13）。

表4-13 医療型障害児入所施設・療養介護施設の1日の例

| 時刻 | 活動 | 内容 |
|---|---|---|
| 6：30 | 起床・排泄・更衣・モーニングケア | 更衣、おむつ交換やトイレでの排泄、顔ふき、整髪 |
| 7：30 | 朝食準備 | 食堂へ移動、手洗い |
| 7：45 | 朝食・歯みがき・排泄 | 必要に応じて介助を受ける |
| 8：45 | 学校 | 学齢児は登校 |
| 10：00 | 療育活動・リハビリテーション・水分補給など | 未就学児、卒後者は療育活動（感覚遊び、製作、障害者スポーツなど）、リハビリテーションなどを行う |
| 11：00 | 排泄 | おむつ交換やトイレでの排泄 |
| 11：30 | 昼食準備 | 食堂へ移動、手洗い |
| 12：00 | 昼食・排泄 | 必要に応じて介助を受ける |
| 14：00 | 入浴（または清拭）・整容・排泄・リハビリテーション・水分補給・余暇活動など | 入浴、清拭、更衣、おむつ交換やトイレでの排泄、リハビリテーション、個別や集団での余暇活動を行う |
| 17：30 | 夕食準備 | 食堂へ移動、手洗い |
| 18：00 | 夕食 | 必要に応じて介助を受ける |
| 19：00 | 余暇活動・水分補給 | 居室やホールなどで過ごす |
| 20：00 | 排泄・ナイトケア | おむつ交換やトイレでの排泄、就寝準備 |
| 21：00 | 就寝介助 | 居室でテレビなど観て過ごす |
| 22：00 | 消灯 | |

　こうした活動のほかに、次のような季節にかかわる行事や、グループで参加するものなどを行ったりしています。

<特別な活動・行事>
・グループごとに計画する外出行事
・夏休みなど長期休暇期間は日替わりでレクリエーション企画（医療型障害児入所施設の場合）
・プロ野球、サッカーなどの観戦
・運動会や祭りなどボランティアを募集する大規模な企画
・花見、こどもの日、七夕、敬老の日、七五三、餅つき、クリスマス、成人式、ひな祭りなど季節の行事

七夕行事をしている様子

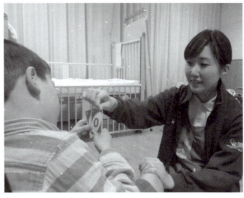
レクリエーション（カードゲーム）の様子

## 4 どのようなケアを行っているのか？

　一般的に、介護は入所者の「できないことを介助する」と考えてしまいがちですが、これは介護福祉職が行う介護とはいえません。介護福祉職が行う以上、そこに「自立支援」の視点をもつことが求められます。さまざまな障害のある人々が利用しているので、入所者のADL（Activities of Daily Living：日常生活動作）を維持・向上させるかかわりが必要です。

　また、介護というと、排泄や入浴の介護、ベッドから車いすへの移乗の介護など、入所者のからだに直接触れる身体介護が思い浮かぶかもしれませんが、実際は生活全般にかかわる生活援助も含まれます。身体介護以外にも、入所者の情報を収集・分析してニーズと課題を整理し、よりQOL（Quality of Life：生活の質）を高めるための支援方法を検討することが必要です。

　しかし、ADLやQOLの向上、「自立支援」の視点といっても決まった基準があるわけではありません。

　たとえば、自力での移動がまったくできなくても、電動車いすへの移乗を介護すれば、自分で自由に操作して移動可能となる場合があります。このように、特定の補助具や器具を用いることで、ADLが大きく向上するなど、入所者そのもののADLと、環境を整えた場合のADL両方の評価を適切に行うことが重要です。そのため、ADLとは、入所者の周囲の環境や介護者の支援で変化するものであるということを意識して介護しなければなりません。

外出先での景色をながめている様子

キャンプ場で食事する様子

　また、QOLの観点から自立支援を考えた場合、買い物や旅行などの外出や外泊、施設が企画するさまざまな季節の行事などへの参加を実現するために、必要な支援をふまえた個別支援計画を検討・評価する必要があります。直接的な発語や要求が多くない重症心身障害児（者）に対して、いかに意思をくみとれるかが、介護福祉職としてのやりがい、または腕の見せどころとなってきます。

　人工呼吸器の装着が必要な最重度の重症心身障害児（者）であったとしても、QOLを高めるためのかかわりは重要なことです。言葉では意思疎通が困難でも、表情、目線、顔色、心拍数など、介護福祉職が気づけば判断できる部分や、評価につながるポイントはたくさんあります。

　このようなこともあわせて、入所者を支援するうえで、ADLやQOLを意識した支援ができているのか、入所者の身体機能・判断能力を評価しつつ、支援計画や療育活動を組み立てていくことが求められます。

## 5　どのような人たちといっしょに働いているのか？

　重症心身障害児（者）のなかには、頻回な痰の吸引、人工呼吸器などによる呼吸管理の医療行為を必要とする人も多いので、次のような人たちの幅広い支援が必要になります。

① 医師

　入所者に対する診断、治療を行います。整形外科医、小児科医、リハビリテーション医、精神科医のほか、さまざまな専門医が診察を行います。

② 歯科医師・歯科衛生士

歯科医師は、歯科診療、口腔内疾患の予防や摂食指導を行い、歯科衛生士は、歯科医師の指導のもと、予防処置や保健指導を行います。

③ 薬剤師

医師による処方箋をもとに、薬の調剤、注射薬や点滴の調整・管理を行います。

④ 児童発達支援管理責任者

医療型障害児入所施設に配置され、個別支援計画の作成を行います。個別支援計画は、アセスメントやモニタリングを定期的に行いながら、入所児やその家族のニーズなどをくみとり、目標（短期・長期）や具体的な支援内容と支援方針をわかりやすく説明するものです。児童の支援や発達に関する専門知識や経験、リーダーシップが求められます。

⑤ サービス管理責任者

療養介護施設に配置され、指定相談支援事業者が作成するサービス等利用計画をもとに、個別支援計画の作成を行います。重度障害者の支援や生活に関する専門知識や経験、リーダーシップが求められます。

⑥ 看護師

看護計画にもとづき、入所者がよりよい療養環境で過ごせるよう、こころとからだの両面からサポートします。

⑦ 保育士

入所者が安心して過ごせるように配慮し、日常生活の支援を行います。保育の目線から発達や成長をうながすかかわりをにない、さまざまな行事の企画や運営を行います。

⑧ 理学療法士（PT）・作業療法士（OT）・言語聴覚士（ST）

入所者の障害の軽減と身体機能の改善や維持を目的に、医師の診断と治療方針のもと、状態に応じたリハビリテーションを実施します。

⑨ 管理栄養士・栄養士・調理員

入所者の疾病や状態に合わせた献立や調理法を検討し、食事の提供を行います。

⑩ 臨床検査技師

医師や歯科医師の指示のもと、身体の健康状態や病気の判断、治療の効果の判定を行うなど、さまざまな検査を行います。

⑪ 診療放射線技師
　医師の指示のもと、おもに放射線を用いた検査および治療を行います。
⑫ 事務員
　施設給付費・措置費の請求、診療報酬の請求、自己負担金の請求、労務管理、庶務や会計などを担当します。
⑬ 給食員・整備員・運転手
　食事の配膳、衣類の修繕、通園・通院・外出時の車両の運転業務などをそれぞれ担当します。

## 6 介護福祉職はどのようなチームを組んでいるのか?

　医療型障害児入所施設や療養介護施設では、介護福祉職だけでも多くの人数が勤務しています。そこでは、24時間365日途切れることなくサービスを提供するうえで、正確な情報の共有とひきつぎが求められます。例をあげれば、具合が悪い人がいないか、飲み薬や塗り薬などの変更はないか、食事内容に変更はないか等です。情報を更新しないままかかわることで、入所者の具合が悪いことを知らずに離床させてしまう、変更前の薬を使ってしまう、食事を変更したあとの様子を見落とすなどの不適切な支援につながってしまいます。

　そのため、入所者の状態を把握し、それに合わせた支援を提供するために、口頭での伝達、書面での周知、掲示物などを通して、リアルタイムで情報を共有するようにします。必要に応じて、臨時のミーティングを行うこともあります。

　たとえば、「自分が今からどの入所者の介護をするのか」という情報を周囲の介護福祉職に伝えておくだけで、介護福祉職は無駄のない業務の段取りで動けます。自分の動きを知らせることは、相手がスムーズに動けるように配慮する気持ちを伝えることにもなります。

　このように、相手に配慮した対応の積み重ねで職員間の信頼関係が生まれていきます。職員同士で連携のとれたチームになるためには、単純に情報を共有するということだけでなく、そこに信頼関係があることが非常に重要です。

# 7 ほかの職種の人たちとどのように協働しているのか？

医療型障害児入所施設や療養介護施設では、非常に多岐にわたる職種の人たちが働いています。医療型障害児入所施設では、原則として乳児期から高校卒業までの、成長や発達がいちじるしい時期を支援していきます。児童の発達や地域における生活など、幅広い視点でかかわるため、さまざまな専門職でのチームアプローチが求められます。

医療的な視点では、医師や歯科医師、看護師などから、疾患に対する注意やかかわり方のアドバイスをもらいます。栄養士や調理員などとは、食事形態や栄養管理の検討をします。理学療法士や作業療法士、言語聴覚士などのリハビリテーションを行う専門職とは、個々の自立をイメージした支援を行ううえでの情報交換を行います。現状での身体機能やコミュニケーション能力・方法などを理解し、支援するうえで取り入れることはないか、支援するうえで注意することはないかなどを検討していきます。

福祉的な視点では、相談支援専門員や児童発達支援管理責任者、サービス管理責任者などと、入所者にかかわる福祉制度や福祉サービスの情報などを共有し、提供する支援にいかしていく必要があります。

このように、支援・治療方針について、医師・看護師・リハビリテーション専門職などと検討する場面が多くあります。その際に重要なのは、日々直接支援している職員からの情報です。触れたときの体温、表情、顔色、皮膚状態など、日ごろと違うことを漏らさず拾いあげた情報

多職種でミーティングをしている様子

が、有効な判断の材料になります。さまざまな職種で情報を共有し、それぞれの専門職の立場から判断を行い、意見交換することが大切です。

そのうえで、他職種の専門性を理解することと、介護福祉職としての自分の専門性をきちんと自覚することが必要です。介護福祉職は、入所者にいちばん近いところで、いちばん長い時間、直接支援する立場・役割をになっています。そこでえた情報を、正確に他職種に伝達し、アドバイスを受けることで、入所者のQOLは確実に向上していくことでしょう。

他職種との連携がうまくいくと、職員間のコミュニケーションがスムーズになり、何か問題や課題が出ても、自然と役割分担や協力体制ができるようになります。日ごろから積極的に他職種とかかわり、自分がどのような役割を果たせるのかを意識するようにしましょう。

## 8 地域をどのように意識して、取り組みにつなげているのか？

入所者の生活を支援するにあたって重要な視点は、それまで暮らしてきた環境、または自宅での暮らしの環境を意識することです。入所者または保護者からその思いなどの詳細を聴き取ったうえで、施設での支援にいかしていくことが大切です。たとえば、自宅での生活リズム、衣類の好み、得意なことや苦手なことなど、生活全般の情報を収集していきます。そのうえで、施設の環境でどのように支援ができるのかを考えていきます。臥床時の姿勢や体位変換のタイミングなどの細かな部分についても、まずは自宅での生活をベースに検討していきます。必要に応じて、家庭訪問を計画することもあります。

また、一定の目的をもった短期的な入所であれば、在宅復帰後をイメージした支援を行っています。具体的には、手術後に1人で歩けるようになることを目的に、階段の上り下りが必要であれば、退所日までの段階をふまえて、日常生活のなかでリハビリテーションとなる活動を組み込んでいくこともあります。バリアフリーな施設内の環境だけでなく、地元の学校など、退所後の生活の場で必要となることの確認が重要になります。

医療型障害児入所施設や療養介護施設は、病院としての機能をもって

地域公開講座の風景

いるため、多くの場合、外来で通院する患者をかかえており、福祉サービスの利用で自宅から通所している利用者も多くいます。また、短期入所などの施設機能で自宅での生活を支えています。

　個別に地域療育等支援事業などの行政の委託を受けて、地域の保育園、幼稚園、小学校、中学校、特別支援学校などの教育機関や、さまざまな福祉事業所などの相談を受ける場合もあります。地域で暮らす障害児（者）が安心して就園・通園、就学・通学、就労、生活できるよう、医療・福祉の両面からサポートしています。

　このように、地域のなかでは数少ない障害児（者）を医療と福祉の両面で支える「療育」の拠点になっています。

　地域貢献を目的とした活動としては、地域の子どもたちを対象にした「こども食堂」の運営や、医師や看護師など各専門職の得意分野をテーマにした地域公開講座の開催など、さまざまな取り組みをしています。施設を知ってもらったり、地域の人との交流を通して、施設のもつ専門性を地域に還元することが求められています。

　また、施設は災害時などに地域の避難所として機能する場合もあります。医療機関、福祉施設として設備等が整っていること、専門職を多く確保していることなどから、地域の障害児（者）だけでなく、近隣住民の避難先にもなります。災害時などにスムーズに機能するためにも、地域の人々に施設のことを日ごろから広く知らせていくことが重要です。

# 9 実習で何を学んでほしいか？

医療型障害児入所施設、療養介護施設で実習するにあたって学んでほしいポイントは、次のとおりです。

## 1 コミュニケーションの多様性

重症心身障害児（者）の多くは、コミュニケーション能力に障害があり、言語での会話が困難なケースがあります。そのため、介護福祉職は、日々の支援を行うなかで、表情、視線、まばたき、口元の動き、四肢の動き、指先、心拍数、顔色など、さまざまな部分でサインを見つけています。日ごろから個々の特徴に注視し、相手の独自のサインを支援の材料やヒントにしています。この場合、介護福祉職からのかかわりについても、言語的なコミュニケーションだけでなく、声の調子、表情、からだの触れ方などを相手に合わせて調整するという非言語的なかかわりが大切です。

実習で入所者とはじめてかかわるときに、相手の表情やしぐさなどから意思をくみとることは簡単ではありません。それでも、こちらからのコミュニケーションをあきらめず、どのようなサインがあるのかを見つけてみてください。

## 2 入所者の状態に合わせた配慮

入所者の年齢等に応じた適切な言葉選びや支援手順など、日常の支援のなかのさまざまな配慮に気づくことができると思います。

また、返事や反応が困難な場合でも、「車いすを押しますね」「〜しましょうね」などの言葉かけを行うことで、入所者の同意や確認をとりながら進めていきます。このように、緊張をといて安心してもらうことにつながるような支援をしていることも学んでください。

あわせて、実習中は適切な言葉づかいに注意してください。相手が児童であっても大人であっても、「です」「ます」とていねいな言葉で常にかかわることを意識する必要があります。

## 3 自立に向けたかかわり

入所者、とくに重度重複障害のある人には、介護福祉職が日常生活全般に対して介護を行うことで、介護する側のかかわりが一方的なものになってしまいがちです。入所者の力を引き出し、1人ひとりの自立に向けてかかわることが重要です。

# 第5章 実習Iの展開

第 1 節　実習Iのねらいと実習モデル

第 2 節　実習モデル①利用者と出会い、その暮らしを知る介護実習

第 3 節　実習モデル②介護技術の実践を軸にした介護実習

第 4 節　実習モデル③家族、近隣、地域にも目を向ける介護実習

第 1 節

# 実習Ⅰのねらいと実習モデル

> **学習のポイント**
> ■ 本書の第2章とも関連させながら、実習Ⅰのねらいを理解する
> ■ 実習Ⅰのモデル（目的や目標など）を具体的にイメージする

## 1 実習Ⅰのねらい

　2007（平成19）年度に厚生労働省が示した資料（「介護福祉士養成課程における教育内容等の見直しについて」）によれば、実習Ⅰのねらいは、「利用者の生活の場である多様な介護現場において、利用者の理解を中心とし、これに併せて利用者・家族との関わりを通じたコミュニケーションの実践、多職種協働の実践、介護技術の確認等を行うこと」に重点をおくこととしています。

　また、「利用者の暮らしや住まい等」を理解することができるように、「利用者の生活の場として、小規模多機能型居宅介護事業、認知症対応型老人共同生活援助事業等を始めとして、居宅サービスを中心とする多様な介護現場」を実習先として提案しています。

　つまり、実習Ⅰの具体的な内容としては、①利用者の暮らしの場と、そこにある多様な介護現場の理解、②利用者・家族とのかかわりを通じたコミュニケーションの実践、③多職種協働の実践、④介護技術の確認などがあげられていますが、その前提には、利用者1人ひとりの生活リズムや個性を理解するという視点から、さまざまな生活の場において個別的な支援を体験するということがあります。

## 2 想定される実習Ⅰのモデル

ここでは、実習Ⅰのねらいや想定される実習先などを勘案のうえ、次の3つの実習モデルを組み立ててみました。

### (1) 実習モデル①利用者と出会い、その暮らしを知る介護実習

【目的】
暮らしの場を広く知り、介護サービスを利用しているさまざまな人と出会う

【目標】
・暮らしの場が理解できる
・介護サービスの利用者と出会うことができる
・生活支援の場を知ることができる
・コミュニケーションの大切さを知ることができる

モデル①は、介護福祉士の養成校に入学して以降、はじめて取り組む実習を想定しています。施設や在宅を問わず、介護サービスを利用している人たちがどのようなところで、どのような暮らしをしているのか、また、どのような専門職が利用者を支えているのかを知ることなどが目的であり、目標となります。

みなさんがこれから自分なりの介護観をつちかっていくにあたり、この実習での体験は大切な意味をもつことになるでしょう。

### (2) 実習モデル②介護技術の実践を軸にした介護実習

【目的】
基本的な介護技術を実践しながら、実習Ⅱの介護過程の展開につなげる

【目標】
・利用者の状態像を観察することができる
・利用者の生活の課題を理解することができる
・安全性と快適さに配慮した介護技術を実践することができる
・対人関係を意識したコミュニケーションをとることができる

モデル②は、高齢者や障害のある人々に介護サービスを提供するときに、もっとも具体的で効果的な手段の1つとなる介護技術の展開を目的にした実習です。

それぞれの暮らしの場で、1人ひとりの心身の状況に応じた介護技術を展開することは、介護福祉士としてとても大切なポイントとなります。単なる身体介護にとどまらず、利用者の生活を支援するための介護技術の展開を、実習Ⅱにつなぎましょう。

## （3）実習モデル③家族、近隣、地域にも目を向ける介護実習

【目的】
　地域で生活するために必要な支援体制を理解する

【目標】
・利用者を取り巻く家族や近隣との関係に注目できる
・利用者を取り巻く社会の支援体制が理解できる

モデル③は、利用者だけでなく、その家族や近隣、地域にまで視野を広げたうえで、利用者が地域で暮らしていくための支援システムの理解を想定した実習になります。

目の前にいる利用者は、決して1人で生きているわけではありません。さまざまな人たちとのかかわりのなかで存在しています。また、さまざまな介護サービスを利用しながら生活を送っています。この実習を通じて、生活支援の幅の広さを認識するとともに、利用者が地域で暮らしていくための支援のあり方などを模索する姿勢を身につけてください。

なお、この実習モデル③は、これのみが独立した実習となるというよりも、実習Ⅰの実習モデル①・②や実習Ⅱと重ねて、意識的に追求していくことになるかもしれません。あるいは、4年制大学などでは、実習の最後の時期に全体のまとめを兼ねて実施することも考えられます。

# 第2節 実習モデル①利用者と出会い、その暮らしを知る介護実習

> **学習のポイント**
> ■ はじめて取り組む介護実習の目的と目標を理解する
> ■ ほかの科目で学習した内容を結びつけ、実習のイメージをふくらませる
> ■ 演習を通じて自己覚知を深め、利用者と出会うための準備をする

　はじめての実習というのは、いろいろな意味で重要なものになるといえます。はじめての実習を通じて見たこと、聞いたこと、感じたことは、これからの自分の将来像を描く大きなインパクトとなり、そのあとの学内における講義や演習につながる大切な素材になり、次の段階の実習に向けた目標や課題にもなります。

　みなさんのなかには、実習を通じて、はじめて高齢者や障害のある人々に出会い、そうした人たちを支援する専門職とかかわりをもつという人もいると思います。その一方で、すでにボランティア活動などによって介護の場面を体験している人もいることでしょう。しかし、介護福祉士をめざす教育課程のなかに位置づけられた実習という意味では、みなさんは同じスタートラインに立っているといえます。

　はじめての実習でどのような体験をし、その体験をどのように整理して次のステップにいかすか。ここでは、はじめての実習を「実習Ⅰにおけるモデル①」と位置づけます。まずは、その目的と目標は何かについて考えてみましょう。

## 1 はじめて取り組む実習の目的

　はじめての実習における実習モデル①の目的は、「暮らしの場を広く知り、介護サービスを利用しているさまざまな人と出会う」ことです。
　「老人ホームや障害者施設などで、介護を要する状態にある高齢者や

障害のある人々のお世話をする」。これが多くの人たちが昔から抱いている介護に対するイメージではないでしょうか。そして、私たち自身がもつイメージも、実はそれほど変わらないのではないかと思われます。

たしかに介護はこのような側面をもっているといえますが、決してこのことが介護のすべてをいいあらわしているわけではありません。

## 1　暮らしの場を広く知る

たとえば、介護を要する状態であっても、若いころから住んでいる自宅で暮らし続けている高齢者がいます。また、一定期間だけ施設に入所してリハビリテーションを行ったあと、再び自宅に戻るという人もいます。そしてまた、施設を終の住み処として最期を迎える人もいます。

このように、介護を要する状態にある高齢者の例だけを考えてみても、暮らしの場は多様なのです。この「多様である」ということを知ることが、はじめての実習では重要な意味をもちます。つまり、介護という言葉がもつ固定されたイメージの転換をはかることが、実習Ⅰの目的の1つといえるでしょう。

## 2　介護サービスを利用している人を知る

暮らしの場だけでなく、介護サービスを利用している人もさまざまです。

自分の親や祖父母よりも年上の高齢者もいれば、障害のある人のなかに自分の年齢に近い人もいるかもしれません。性格的にも、優しい人、短気な人、社交的な人、1人でいるのが好きな人など、実習を通じていろいろな人と出会うことになるでしょう。

介護サービスを利用している人を個人としてとらえるだけではありません。家族形態からとらえるならば、1人で暮らしている人、夫婦で暮らしている人、親や子ども・孫といっしょに暮らしている人などがいます。また、サービスの利用形態からみても、1つのサービスを利用している場合もあれば、複数のサービスを組み合わせて利用している場合もあるはずです。

みなさんは、介護サービスを利用している人に対してどのようなイメージをもっていますか。もしも、介護サービスの利用者＝「弱い人」

「1人では何もできない人」というマイナスのイメージしかもっていないのであれば、さまざまな人たちと出会うことで、そのイメージを大きく変えてください。

それでは実習モデル①の目的をふまえ、どのような目標をもてばよいのかについて、次に考えてみましょう。

## 2 目標① 暮らしの場が理解できる

みなさんは今、どこで、どのような暮らしをしていますか？

親と同居している場合、親と離れて暮らしている場合、まずは大きく2つに分けられると思います。親と同居している場合でも、一軒家なのか、マンションなどの集合住宅なのか分かれるところです。では、親と離れて暮らしている場合はどうでしょう。アパートなどで1人暮らしをしている人、親戚の家で暮らしている人、学校の寮生活を送っている人など、数えあげたらまだまだいろいろなケースがあるでしょう。

実は、高齢者や障害のある人々であっても同じことがいえます。つまり、入所型の施設だけが暮らしの場ではないということです。

また、施設といっても、その役割や機能は一通りではありません。特別養護老人ホーム（介護老人福祉施設）や介護老人保健施設などのように、利用定員が50～100人規模の比較的大きな施設がある一方で、グループホームや小規模多機能型居宅介護などは、文字どおり規模を小さくし、高齢者や障害のある人々の住まいに近い暮らしの場をめざしています。

実習モデル①では、このように多種多様な暮らしの場を理解できるようになることが、目標の1つとなります。

## 3 目標② 介護サービスの利用者と出会うことができる

みなさんが実習生の立場で介護サービスの利用者と出会うことの意味は、大きく分けて2つあります。1つはすでに述べたことですが、利用者はマイナスの要素ばかりをかかえる存在ではないということに気づく

ことです。そしてもう1つの意味は、利用者1人ひとりが個別的な存在であるということに気づくことといえます。

たとえば、生活リズムや生活習慣といったものは、1人ひとり違っているはずです。似ているところはあるかもしれませんが、まったく同じということはあまり考えられません。このことは、1人でも多くの利用者と出会うことで理解が深まっていきます。

これからの社会においては、年齢や障害の有無にかかわらず、個人が尊厳をもった暮らしを確保することが重要であるといわれています。介護サービスの利用者との出会いを大切にして、そのなかから、日々の暮らしにおける自分らしさとは何かについて考えるヒントを探してみてください。

## 4 目標③ 生活支援の場を知ることができる

介護とは、ただ単に日常生活の基本動作を支援することではありません。このことは、介護福祉士の業務内容が「入浴、排せつ、食事その他の介護」から「心身の状況に応じた介護」へと、法律のうえで改正されたことからもうかがえます。

自宅であっても施設であっても、介護サービスの利用者に対して介護福祉士がかかわる目的は、利用者の日常生活の支援にあることを忘れてはなりません。そこでは、いわゆる身体介護のみならず、家事の存在の大切さも強調されています。

そこで、3つ目の目標として、日常生活を支援している場面そのものを知るようにしてください。

また、生活支援の場面では、介護福祉士をはじめとする介護福祉職以外にも、多くの専門職がかかわっている場合があります。どのような利用者に対してどのような専門職がかかわっているのかを知ることができれば、生活支援の場面がより立体的にみえてくると思います。

## 5 目標④ コミュニケーションの大切さを知ることができる

　生活支援の場面は、人と人との直接的なかかわりによって成り立ちます。そのなかで、**コミュニケーション**が大切であることはいうまでもないことでしょう。良好なコミュニケーションは、豊かな人間関係を築く基盤といってもいいかもしれません。

　ちなみに、みなさんは、人とコミュニケーションをとることは得意ですか、苦手ですか。家族や友達ならばともかく、はじめて会う人に対しても気軽にコミュニケーションをはかることができますか。

　私たちとまったく同じように、介護サービスの利用者のなかでもコミュニケーションをとること自体が好きな人と、そうでない人がいます。また、コミュニケーションをとりたいと思ってもうまく自分の意思を伝えることができないという人もいます。そうした人たちに対して、介護福祉士がどのような形でコミュニケーションをはかっているのか、そして、その結果がどのような支援に結びついているのかを観察するなかで、あらためてコミュニケーションの大切さを知ってほしいと思います。

　さらに、利用者だけでなく、実習先の職員への報告・連絡・相談を通じたコミュニケーションは重要な意味をもちます。みずからのコミュニケーションのとり方をふり返る機会としても、実習の目標の1つに位置づけるようにしてください。

## 6 実習モデル①と関連する他科目の学習内容

　これまで述べてきた目的や目標にもとづいて実習に取り組むことになるわけですが、他科目で学ぶ内容とはどのような関連をもち、実習の場面でどのようにいかされることになるのでしょうか。

　はじめての実習で欠かせないポイントの1つが、「人間の暮らし」です。しかし、そもそも「暮らし」や「生活」とはどのようなものなのか、私たちはあたりまえのように日々を過ごしているために、それほど意識をしたことはないと思います。

「介護の基本」では、介護を必要とする人を生活の観点からとらえることがねらいとなっています。この科目において自分自身の日常生活をふり返りながら、「人間の暮らし」というもののイメージを描いていくことは、大きな意味をもつことになります。さらに、この科目のなかで、介護福祉士が働く場所としてどんなところがあるのかを整理することは、そのまま実習先の理解にもつながっていきます。このような、生活の理解、利用者の理解、実践の場の理解などは、はじめての実習をより立体的に組み立てる要素になるといえるでしょう。

　加えて、「社会の理解」では、高齢者や障害のある人々がかかえる生活への不安や生活課題に対する社会的支援としての制度やしくみを学びます。利用者の暮らしがどのような制度（具体的なサービス）によって支えられているのか、実習を通して確認してみてください。

　また、「人間の理解」や「コミュニケーション技術」では、コミュニケーションの基本的な知識や技術を学びます。単に利用者とどのように会話するのかというコミュニケーションのとり方にとどまらず、どのような関係を築いていくのかという人間関係の根源的なところにもつながる大切な学習内容です。実習前の学習はもちろん、実習を終えたあとの整理が、次の段階の実習を展開するための下地になっていくことにも注意してください。

## コラム　介護現場の理解につながる教材例

### ■ 書籍の紹介

・森繁樹『介護のちから』中央法規出版、2011年
　特別養護老人ホームで生活する利用者の実際の様子が事例でわかりやすく書かれています。また、利用者を主体的生活者となるように支援する特別養護老人ホームの取り組みや介護福祉職の考え方をもとに、さまざまな観点でリアルに高齢者施設について学び、考えることができます。これを通し、実習前の学生に「介護とは何か」を考えてもらいたいと思います。

・Nicco『母が若年性アルツハイマーになりました。——まんがで読む 家族のこころと介護の記録』ペンコム、2018年
　若年性アルツハイマーの発症から介護サービス利用、看取りまでを、重くなりすぎない

ように漫画形式で表現しています。そのなかで、当事者、主たる介護者、夫婦の関係、子どもとの関係など、当事者とそれを取り巻く周辺の人々の思いや状況もていねいに表現されています。また、介護サービス利用に関する利用者・家族の気持ちなどについてもあわせて読み取れる1冊になっています。

### ■ 雑誌の紹介

・田中義行「特集 コロナ禍の介護技術 利用者を感染させない20のポイント "低接触""短時間"でここまでできる」『おはよう21 2021年6月号』中央法規出版

　コロナ禍において、介護現場では実際にどのように利用者への配慮をしながらケアを提供しているのかについて紹介しています。新型コロナウイルスの特徴を整理したうえで、感染リスクを抑えながら介助するためのポイントを解説しており、学内での演習にも活用することができます。

### ■ DVDの紹介

・信友直子監督「ぼけますから、よろしくお願いします。」TCエンタテインメント、2020年

　認知症の症状が進行する過程で生じる問題などを、娘の視点からとらえたドキュメンタリー映画です。老老介護の実際や夫婦の関係性の変化と絆、介護サービス利用の様子などを含め、認知症になった事実を受容する本人の葛藤が描かれているため、利用者理解につながると思います。

・NHK「プロフェッショナル 仕事の流儀 介護福祉士 和田行男の仕事 闘う介護、覚悟の現場」NHKエンタープライズ、2013年

　介護福祉士として、また、認知症のグループホームの経営者として、先駆的な取り組みをしてきた和田行男さんの仕事に密着したドキュメンタリーです。人として普通に生きる姿を支援するということはどういうことなのか、また、専門職としてのあるべき姿とはどのようなものなのかについて考えるきっかけになると思います。

 **演習5-1 介護サービスを利用しているさまざまな人との出会い**

　実際に介護サービスを利用している人と会い、本人の了解をえたうえで、そのときに印象に残った会話を記録してみよう。

会話記録シート

実施日　　年　　月　　日　　時間　　　～　　　　場所（　　　　　　）
利用者情報　　氏名（　　　　　　　）年齢（　　）性別（　　）

| 利用者 | | 学生 | |
|---|---|---|---|
| 発言 | 表情や様子 | 発言 | 考えたこと |
|  |  |  |  |

※利用者の氏名はイニシャル（アルファベット）で書く。

## 演習5-2　利用者の生活を支援する人たち

**1** 実習場面で、ある1人の利用者の生活を支援するために、どのような人がいただろうか。具体的に書き出してみよう。

①

②

③

④

**2** **1**で書き出した人たちが実際にどのような役割を果たしていたのか（どのような仕事をしていたか）をあげてみよう。

①

②

③

④

第 **3** 節

# 実習モデル②介護技術の実践を軸にした介護実習

**学習のポイント**
- 介護技術の実践を軸にした介護実習の目的と目標を理解する
- ほかの科目で学習した内容を結びつけ、実習のイメージをふくらませる
- 演習を通じて、生活を支援するための介護技術の展開を確認する

## 1 介護技術の実践を軸にした実習の目的

　実習モデル②の目的は、「基本的な介護技術を実践しながら、実習Ⅱの介護過程の展開につなげる」ことです。

　介護福祉士として、高齢者や障害のある人々に介護サービスを提供するとき、もっとも具体的で効果的な手段の1つになるのが**介護技術**です。

　介護福祉士の仕事は、多くの場合、利用者の身体に直接触れながらサービスを提供していくことになります。そのため、利用者の心身の状況に応じて、その人が望む、その人らしい生活を維持・向上するような介護の方法を検討し、具体的な介護技術として実践していかなければなりません。言い換えれば、専門的な知識による**科学的な根拠にもとづいた介護技術**を実践することが、利用者のニーズに応じたサービスの提供につながるということです。

　しかし、従来の介護実習といえば、そのほとんどが特別養護老人ホーム（介護老人福祉施設）や介護老人保健施設、障害者支援施設などでの施設介護の体験でした。そこでは、食事や排泄、入浴のお世話といった、身体的な介護行為が分業的な形で提供されてきたのが一般的でした。そのため、「なぜ、そのような介護方法となるのか」「その介護方法の科学的根拠は何か」「同じ介護方法が別の利用者に対しても有効なのか」といった視点が希薄でした。

第3節 実習モデル②介護技術の実践を軸にした介護実習

もちろん、1つひとつの**基本的な介護技術**を身につけ、向上させることは大切です。それに加えて、それぞれの暮らしの場で個々の利用者の心身の状況に応じた介護技術を実践することも大切な視点です。

それでは、この目的をふまえ、どのような目標をもてばよいのか、次に考えてみましょう。

## 2 目標① 利用者の状態像を観察することができる

介護が必要な人にどのようなサービスを提供するのかを検討するためには、まず、その人の状態を観察することから始める必要があります。それは、その人の心身の状態をきちんと観察できていなければ、介護者側の一方的な介護技術の実践になってしまうためです。

ここでいう「利用者の状態」とは、決して身体的な側面のみをさしているのではありません。社会福祉士及び介護福祉士法でも規定されているように、介護福祉士は、利用者の心身の状況に応じた介護を業務内容としているので、**精神的な側面**も観察する必要があります。

加えて、世界保健機関（WHO）が採択した国際生活機能分類（ICF）によれば、個人因子だけでなく環境因子も人間の生活機能に大きな影響を与えていると定義づけられています。そこで、利用者の状態を観察するときは、その人を取り巻く**環境的な側面**にも着目する必要があるでしょう。

観察を通じてえられた情報は、介護技術を実践するための大きなよりどころとなります。そのため、実習モデル②では、利用者の**状態像**を観察することができるということが第一の目標と位置づけられます。

## 3 目標② 利用者の生活の課題を理解することができる

専門職としての介護福祉士の役割は、1人ひとりの利用者にとって、その人らしい日常的な生活を支援していくことにあります。では、日常的な生活とはどのようなものなのでしょうか。食事の場面を例に考えて

みましょう。

　介護福祉士が具体的な介護技術を実践する食事の場面としてすぐ思い浮かべるのは、利用者が食事をしている場面ではないでしょうか。しかし、私たちの日々の生活をふり返ってみると、決して摂食だけで食事が成り立っているのではないことが理解できるはずです。

　つまり、その人の好みや栄養のバランス、また食事療法が必要な人であればその内容などを考えながら献立を決めることから始まり、買い置きの物を確かめたうえで、予算の枠内で買い物をし、嗜好や咀嚼、嚥下状態に応じて調理の手順を考え、料理をつくり、場合によっては盛りつけや配膳の工夫をして、そこではじめて「おいしく食べる」という行為に行き着きます。また、食後の片づけもしなければなりません。食事というのは、このような一連の流れのうえに成り立っています。

　介護福祉士が生活を支援するときには、一連の食事の流れのなかでその人のできることに注目し、何を支援すればおいしく食事ができるかを考えます。その支援内容がその人にとっての課題であり、**ニーズ**と呼ばれます。このニーズこそが、介護技術を実践する根拠の1つになります。

　利用者の生活における具体的な**課題**を理解することは、実習モデル②の目標として大きな意味をもつことになります。

## 4　目標③　安全性と快適さに配慮した介護技術を実践することができる

　利用者の状態像を把握し、生活を送るなかでの具体的な課題を理解したうえで、介護福祉士は介護技術を実践していきます。そのときに配慮しなければならないこととして、**安全性**と**快適さ**があります。

　安全性については、介護福祉士は、実際の生活場面において利用者の身体に直接触れることになるわけですから、最大限に配慮する必要があります。身体機能はもちろんのこと、そのときの疲労度や気分によっても利用者の状態は変わる可能性があるため、常に観察をしながら安全な介護技術を実践するようにします。

　なお、ここでいう安全性とは、利用者にとっての安全性だけでなく、介護福祉士自身にとっての安全性の意味も含まれます。無理な体勢を

とったり、力まかせの介護を行ったりすると、介護をする側の健康をこわすもとにもなりかねません。利用者と介護福祉士の安全性は大前提であることを意識することはとても大切です。

また、たとえ安全であったとしても、介護福祉士が一方的に介護技術を実践してしまうと、利用者は満足のいく生活が送れません。決して押しつけるようなことはせず、それまでの生活習慣や利用者の意向などにも配慮しながら、利用者の安全性と快適さに配慮した**介護技術**を実践するように心がけてください。

## 5 目標④ 対人関係を意識したコミュニケーションをとることができる

実習モデル①を通じて、コミュニケーションの大切さについてはすでに理解しているわけですが、実習モデル②ではそこから一歩ふみ出して、実際にコミュニケーションをとるということを目標にかかげています。

介護技術を実践する場面では、必ず利用者に同意をえて、説明をしながら食事や着替えなどの介護をします。たとえば、食事の場面では、料理の味や温かさ（冷たさ）などについて話しかけたり、食べやすい大きさかどうかを確認したりします。また、いくつかの料理が並んでいるときには、どの順番で食べたいかを聞いてみたりもするでしょう。その際、言葉かけの方法として、話すときの声の大きさや目線、利用者との位置関係、言語障害の有無とその状態なども、コミュニケーションでは重要となります。

しかし、むやみに声をかければよいというわけではありません。咀嚼、嚥下時に発語をうながすことは、誤嚥等につながるため、大変危険です。

このように、利用者とのコミュニケーションには大切な意味があります。1つは、その場の雰囲気をやわらげたり、利用者の意欲を引き出す会話をするという意味であり、もう1つは、利用者の安全性や快適さを確認したりするという意味です。

ここでいうコミュニケーションとは、対人関係を意識した、介護サービスを利用する高齢者や障害のある人々との間でなされるものであり、

家族や友達との間で行われる単なるおしゃべりではないのです。したがって、利用者の尊厳を守ったものでなければなりませんし、信頼関係を損なうものであってはなりません。ていねいな言葉や態度は基本的なことです。

これらのことをふまえたうえで、対人関係を意識した**コミュニケーション**をとることを実習中の目標としてください。

## 6 実習モデル②と関連する他科目の学習内容

実習モデル②では、基本的な介護技術の実践を大きな目的にしていますから、「生活支援技術」で身につける具体的な介護技術が実習内容に大きく結びつくことはいうまでもありません。身じたくや食事といった生活場面別の支援はもちろん、視覚障害や聴覚・言語障害などのある利用者がもつ特性に応じた支援について、実習の前後に講義や演習を通じて確認するようにしてください。なかでも、利用者の特性に応じた支援の方法、介護技術の展開については、「認知症の理解」や「障害の理解」においても学習することになります。

また、介護技術を実践するときに大切になるポイントの1つとして、「科学的な根拠にもとづく」ということがあげられます。つまり、なぜその人に対してそのような介護をするのかについて、具体的に説明できなければならないということです。この根拠を形成していく際に有効となる思考過程が「介護過程」と呼ばれるものです。「こころとからだのしくみ」で学ぶ人間の身体的・心理的側面のメカニズムは、この根拠を形成するための重要な情報になります。

さらには「人間の理解」や「介護の基本」において、尊厳や自立という考え方のほか、介護における安全の確保や健康管理についても学ぶことになります。これらの視点は、安全性や快適さに配慮した、一方的な介護技術の展開にならないための大切なポイントの1つですので留意してください。

ほかにも、対人関係を意識したコミュニケーションをとるためには、「人間の理解」や「コミュニケーション技術」における学習が大切になるなど、実習モデル②に取り組むにあたっては、さまざまな科目で身につけた知識と技術を結びつけながら実習にのぞむ必要があります。

第3節　実習モデル②介護技術の実践を軸にした介護実習

> **コラム**　介護現場の理解につながる教材例
>
> ■ 書籍の紹介
> ・前川美智子『動作の"なぜ"がわかる基礎介護技術』中央法規出版、2018年
> 　　介護技術の基本的な動作をイラストで明示し、留意するポイントや、そのやり方をするのはなぜか等、すべてをわかりやすく解説しています。そのため、基礎となる介護技術の根拠が理解できます。また、解剖用語や介護・医療用語についてもわかりやすく説明しています。福祉用具の使用方法についても細かいところまで説明し、図で示しています。利用者の状況をアセスメントして介護の方法を個別に検討するための知識をえられる1冊です。
>
> ■ DVDの紹介
> ・白井孝子、櫻井恵美監『根拠に基づく生活支援技術の基本──見てわかる　利用者主体と自立支援の実践』中央法規出版、2015年
> 　　利用者の状態や環境に合わせた生活支援技術について、根拠を示しながら解説しています。利用者の状況によるアセスメントについて学べるほか、利用者の反応を待つなどの「間」を感じることができる映像教材であり、尊厳の保持、利用者主体、自立支援、安全・安楽といった考え方や、その実践を学ぶことができます。福祉用具や自助具の使い方なども説明しているため、自己学習にも適しています。

第5章　実習Ⅰの展開

 **演習5-3　食事場面における介護技術の展開**

【利用者の設定】
- Aさんは80歳代の女性。
- 軽度の認知症あり。身体面での不自由さはない。
- 箸を上手に使って食べるが、食事のペースが速く、味わって食べることはほとんどない。
- 現在、誤嚥はないものの、今後その危険性は考えられる。
- 今日の献立は、煮魚、汁物、きゅうりの酢の物、ご飯である。

① 次のポイントに留意しながら、Aさんの食事介助のロールプレイをやってみよう。

- 食事の前に、Aさんにどのような言葉をかければよいか。
- 手洗いや、食事の姿勢は適しているか。
- Aさんにとって、快適な食事の環境になっているか。
- 献立は気に入っているか。
- 食べる速さはどうか。もし速くて危険なときには、どのような介助が必要か。
- 煮魚をほぐして食べているか。
- 咀嚼や歯の状態はどうか。
- 汁物や酢の物の飲み込みはどうか。

② ロールプレイ終了後、どんなところに快・不快があったか、利用者の気持ちになって話し合ってみよう。また、不快があった場合は、どのようにすれば快になるのか考えてみよう。

③ 安心して食事をするために気をつけることは何か、話し合ってみよう。

④ 実習終了後、学内の演習と実習で体験した介護方法を比較し、違いがあれば理由を考えてみよう。

## 演習5-4 認知機能障害のある人への介護技術の展開

【利用者の設定】
- Bさんは70歳代の女性で、ショートステイ（短期入所生活介護）を利用して2日目になる。
- 軽度の認知症あり。
- 歩行は困難で、日中は車いすにて過ごすことが多い。
- 夕方になると、「家に帰って、食事のしたくをしないといけないので、帰してください」と訴える。そのため、職員は気分転換になるだろうと考え、施設の周りを車いすで散歩している。

**1** 次のポイントに留意しながら、Bさんの介助のロールプレイをやってみよう。
- 散歩に誘う前に、Bさんにどのような言葉をかければよいか。

**2** 上記のような設定によるロールプレイ終了後、次のことを話し合ってみよう。
- どんなところに快・不快があったか。また、不快があった場合はどのようにすれば快になるだろうか。
- なぜ朝や昼は落ち着いているのに、夕方になると「家の食事のしたくをしないといけない」とBさんは訴えるのだろうか。
- 施設の周りを散歩することで、Bさんは本当に落ち着いているのだろうか。
- 施設の周りを散歩すること以外に、Bさんへの支援の方法はあるだろうか。

第4節

# 実習モデル③家族、近隣、地域にも目を向ける介護実習

**学習のポイント**

■ これまでの実習場面で観察し、体験してきた利用者・家族・地域の暮らしの現実やサービスの現状を全体像としてつなげ、利用者や家族の暮らしの場としての地域に目を向け、近隣の関係や地域の暮らしを支える条件を理解する
■ 演習を通じて、生活支援の幅の広さを認識し、それを支える条件の確認や今後の支援のあり方を介護福祉士として模索していく姿勢を身につける

## 1 家族、近隣、地域にも目を向ける実習の目的

　実習モデル③の目的は、「地域で生活するために必要な支援体制を理解する」ことです。

　2005（平成17）年の介護保険制度改革の基本的な考え方のベースとなった「2015年の高齢者介護――高齢者の尊厳を支えるケアの確立に向けて」（高齢者介護研究会、2003年）では、認知症介護や地域ケアを推進するために、身近な地域において、その特性に合わせた多様で柔軟なサービス体系の確立がめざされることになりました。これにより、「施設か在宅か」ではなく、みずからの状況に合わせて多様化するサービスをうまく活用しながら、自分の住みたい地域で、自分らしく生きることを支援する時代がやってきました。

　介護福祉士養成教育もこのような変化を受けとめる必要があります。つまり、自分が働く職場だけに閉じこもらず、ほかの関連職種とも協働しながら、自分の職場のある地域の状況や条件に目配りし、一方で、利用者の思いやこれまでの人生、また、現在の生活の全体像をきちんと把握しながら、これからの生活や人生設計に柔軟に対応できる新しい発想力や実践力が求められるのではないでしょうか。

　だからこそ、ここで求められる視点は、すべての実習場面での観察や

体験のなかにいかされ、追求されるべきものかもしれません。

## 2 目標① 利用者を取り巻く家族や近隣との関係に注目できる

　私たちの目の前にいる利用者は、決して1人で生きているわけではありません。家族をはじめ、さまざまな人々とのかかわりのなかで、今の暮らしや人生が存在しています。

　私たちは、目の前の利用者との現在の日常生活場面でのかかわりを大切にしながらも、その人をより深く理解し、その人らしい暮らしを支えていくためには、その利用者にかかわりのある人々にも目を向け、ときには情報を収集し、力を借りていかなければなりません。

　利用者にとって、家族や親族の存在はとても大きな比重を占め、それがプラスの力になることがあります。一方、これまでのしがらみなどが影響し、家族や親族だからこそうまくいかず、かえってつらいときがあるかもしれません。家族にもよく話を聴いたり、相談に乗ることが必要です。

　家族も親族も、社会の変化のなかで小さくなり、ばらばらになり、老夫婦での老老介護や認認介護が社会問題になっています。家族も親族も高齢で、そのような関係だけでは支えきれないのが現代の介護問題です。

　これまで介護や子育ての支えになってきた近隣との関係も、どんどん希薄になってきているのも現実です。「近所の人」といわれたとき、みなさんはだれを思い浮かべるでしょう。その人は何かあったとき、力になってくれる存在でしょうか。あなたは「近所の人」に何かあったとき、力になれる存在でしょうか。

　また、認知症や精神障害をかかえる利用者の場合など、近隣からのクレームが寄せられることもあります。そんなときはどのような支援が必要でしょうか。

　実習場面で出会う利用者や家族の今の暮らしをできるだけ具体的にとらえ、今後の支援のあり方を考えていく契機とすることが大切です。

## 3 目標② 利用者を取り巻く社会の支援体制が理解できる

みなさんは、それぞれの実習で、利用者のさまざまな暮らしの現実や、それを支えるサービスにふれ、実際に体験します。

① 通所介護での実習

通所介護（デイサービス）では、サービス利用時の利用者ときちんとかかわり、どのような支援が展開されているのかを体験することが大切です。ぜひ送迎にも同行し、利用者の暮らす地域の様子を把握するだけでなく、その利用者の家を訪ねたり、家族とも言葉を交わしたりする機会をつくってください。

さらに、通所介護の利用者は地域で暮らしている人々であり、担当の介護支援専門員（ケアマネジャー）が作成している居宅サービス計画（ケアプラン）にもとづいて支援が行われています。実際に居宅サービス計画を見せてもらうことができれば、その人の支援の全体像をつかむことができます。

施設であっても、短期入所生活介護（ショートステイ）の利用者の場合には同様の学びができるはずです。

② 介護老人保健施設での実習

介護老人保健施設は、入所3か月をめどに在宅復帰を支援する中間施設的な役割をになっています。また、特別養護老人ホーム（介護老人福祉施設）でも、最近は、在宅復帰するケースが出てきています。そのため、介護福祉士として、地域の支援体制についての学びを深めていくことが必要です。

③ 訪問介護での実習

訪問介護（ホームヘルプサービス）では、利用者の居宅サービス計画の目標と、計画に関連するほかのサービスの利用状況をふまえたうえで、訪問介護における介護計画にもとづいた実習を意識する必要があります。また、その利用者にかかわっている医師や保健師、訪問看護師や理学療法士、作業療法士などの専門職のほか、民生委員や近隣の人々などが果たしている役割にも注目し、理解を深めましょう。

このように、みなさんが体験するすべての実習場面で、利用者のみならず、利用者を取り巻く家族や近隣にも目を向けてみましょう。そし

て、施設や事業所の機能にとどまらず、そこではどのような連携のもとに支援が行われているのかについて、少し意識的に追求してみると、利用者を取り巻く地域の支援体制がみえてくるはずです。地域の支援体制は、国全体の支援体制と連動しますが、その市町村独自の取り組みにも注目してみてください。

ここまで行き着くのはすべての実習の終了後かもしれませんが、それでも1つひとつの実習の積み重ねが全体としてつながり、みなさんの視点を確かなものにしていくはずです。

## 4 実習モデル③と関連する他科目の学習内容

実習モデル③では、利用者や家族の暮らしの場である地域に目を向けることになります。そのため、「社会の理解」で学んだ社会と生活のしくみ、地域共生社会の実現に向けた制度や施策、社会保障制度、高齢者福祉と介護保険制度、障害者福祉と障害者保健福祉制度、介護実践に関する諸制度について、また、「介護の基本」で学んだ介護の基本となる理念、介護を必要とする人に対する理解、介護を必要とする人の生活を支えるしくみについて、実習を通して具体的に学ぶことができます。

実習場面で出会う利用者や家族、地域の現実を、より幅広い視野で深く理解していくために、また、その人たちの生活を支える制度サービスが、実際に市町村レベルでどういう考え方のもとにどう展開しているかについて、現実的に学べる貴重な体験となるはずです。

---

**コラム　介護現場の理解につながる教材例**

■ 雑誌の紹介

・日本介護福祉教育学会編『介護福祉教育』No.48・No.49、日本介護福祉教育学会、2021年
　日本介護福祉教育学会の学会誌です。No.48、No.49では、「新型コロナウイルス感染拡大下における介護実習の現状と課題」という連続特集が組まれ、養成施設（＝送り出し側）と実習施設・事業所（＝受け入れ側）のそれぞれの立場から、コロナ禍の介護実習をめぐる試行錯誤が報告されています。介護実習の場を準備し、学生の学びを支える人々の熱い思いが伝わる内容となっており、その点からも、介護実習の重要性が理解できると思います。

### 演習5-5　あなたを取り巻く家族・親族

**1** 次の例示を参考にしながら、現在のあなた（☐）を中心において、家族・親族の関係図を書いてみよう。

【例示】（⸺⸺は住居と生計をともにしている世帯であることをあらわす）

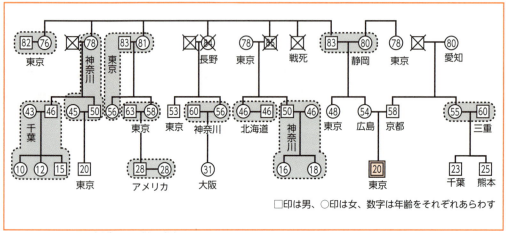

注：紙面の関係上、父方の祖父母の世代は略して例示している。

**2** **1** で書いた関係図のなかから気づいたことや感じたことをあげ、グループで話し合ってみよう。

第 4 節　実習モデル③家族、近隣、地域にも目を向ける介護実習

 **演習5-6　あなたを取り巻く近所の人たち**

1 あなたがイメージする「近所の人」とはだれになるだろうか。具体的に箇条書きであげてみよう。
　①
　②
　③
　④
　⑤

2 1であげた人たちとは、日々どのようなかかわりがあるか考えてみよう。
　①の人とのかかわり
　　（　　　　　　　　　　　　　　　　　　　　　　　　　　　　　　　　　　）
　②の人とのかかわり
　　（　　　　　　　　　　　　　　　　　　　　　　　　　　　　　　　　　　）
　③の人とのかかわり
　　（　　　　　　　　　　　　　　　　　　　　　　　　　　　　　　　　　　）
　④の人とのかかわり
　　（　　　　　　　　　　　　　　　　　　　　　　　　　　　　　　　　　　）
　⑤の人とのかかわり
　　（　　　　　　　　　　　　　　　　　　　　　　　　　　　　　　　　　　）

3 あなたにとっての「近所の人」だけでなく、あなたの父母の世代にとっての「近所の人」、さらにあなたの祖父母の世代にとっての「近所の人」も聞いてみよう。また、その日々のかかわりを聞いてみよう。「近所の人」とのかかわりの内容はどのように変化してきているだろうか。

**演習5-7　あなたを取り巻く福祉・介護のサービス**

❶ 自宅に配布される「住民便り」や「回覧板」などに注目し、福祉や介護に関する情報を集めてみよう。

❷ 自分が住む市町村の窓口に行き、介護保険法や障害者の日常生活及び社会生活を総合的に支援するための法律（障害者総合支援法）、その他関連の諸サービスの住民に向けたパンフレットやチラシを集めてみよう。

❸ 集めた資料をグループで読み合わせ、地域住民の1人として、読みやすく、わかりやすく、利用しやすい内容であるか、検討してみよう。

❹ ❸までの作業をふまえ、読みやすく、わかりやすく、利用しやすいパンフレットやチラシづくりに取り組んでみよう。

# 第6章 実習Ⅱの展開

第 1 節　実習Ⅱのねらいと実習モデル

第 2 節　実習モデル・介護過程を展開する介護実習

第1節

# 実習IIのねらいと実習モデル

**学習のポイント**
- 本書の第2章とも関連させながら、実習IIのねらいを理解する
- 実習IIのモデル（目的や目標など）を具体的にイメージする

## 1 実習IIのねらい

　2007（平成19）年度に厚生労働省が示した資料（「介護福祉士養成課程における教育内容等の見直しについて」）によれば、実習IIのねらいは、「一つの施設・事業等において一定期間以上継続して実習を行う中で、利用者ごとの介護計画の作成、実施後の評価やこれを踏まえた計画の修正といった一連の介護過程のすべてを継続的に実践すること」に重点をおくこととしています。

　また、「個別ケアを理解するため、介護計画の作成、実施後の評価やこれを踏まえた計画の修正といった介護福祉士としての一連の介護過程のすべてを実践する場としてふさわしい」施設や事業所を実習先として提案しています。

　つまり、すでに実習を終えている実習Iでの体験をふまえながら、コミュニケーション技術や介護技術を用いて個別的な生活支援を展開することになります。そうした具体的な支援は、介護過程にもとづいた専門的・計画的なものであることを理解し、体験することが、実習IIでは大切になります。

## 2 実習Ⅱのモデル

　実習Ⅱのねらいや実習先などをもとに考えあわせると、次の実習モデルが組み立てられます。

### （1）実習モデル・介護過程を展開する介護実習

【目的】
　実習での体験を通じて、専門的・計画的に個別の介護サービスを提供できる能力を身につける

【目標】
- 観察、コミュニケーション、記録類を通じて介護に必要な情報が収集できる
- 収集した情報の解釈、関連づけ、統合化をして、利用者の生活課題を明確化できる
- 利用者や他職種とともに介護計画（介護目標、具体的な支援内容・方法）が立案できる
- 利用者の安全性、快適さ、自立に配慮した介護が実践できる
- 介護目標が達成できたかの評価ができる
- 具体的な支援内容が適切であったかの評価ができる
- 介護計画を修正する必要があるかの判断ができる

　実習Ⅱは、利用者ごとの介護計画の作成、実施後の評価やこれをふまえた計画の修正といった一連の介護過程の展開が目的であるため、本章においても、1つひとつのプロセスにそった形で目標をかかげ、実習モデルを提示しています。
　介護過程にもとづく介護実践は、介護福祉士が個人的にもち合わせている勘や経験、コツだけをよりどころにした介護活動からの脱却をめざすことにもつながります。みなさんは、実習という限られた期間ではありますが、担当する利用者との相互関係のなかから、介護過程の実践が介護の質の向上のためには不可欠な支援であることを体験するようにしてください。

# 第2節 実習モデル・介護過程を展開する介護実習

> **学習のポイント**
> 
> - 介護過程の展開を軸にした介護実習の目的と目標を理解する
> - ほかの科目で学習した内容を結びつけ、実習のイメージをふくらませる
> - 演習を通じて、「自分が担当する利用者」という当事者意識のもとに介護過程を展開する

## 1 介護過程の展開を軸にした実習の目的

　実習モデルの目的は、「実習での体験を通じて、専門的・計画的に個別の介護サービスを提供できる能力を身につける」ことにあります。

　実習Ⅰでは、「利用者の生活の場である多様な介護現場において、利用者の理解を中心とし、これに併せて利用者・家族との関わりを通じたコミュニケーションの実践、多職種協働の実践、介護技術の確認等を行うこと」に重点をおいた実習に取り組んできました。そうした取り組みのなかで、みなさんは、現場の介護福祉士がどのような知識や技術を活用して高齢者や障害のある人々にかかわっているのかを目のあたりにすると同時に、自分自身もさまざまな生活場面で介護を行ってきたと思います。

　それでは、現場の介護福祉士の仕事をもう一度ふり返ってみましょう。果たして生活場面における具体的な介護活動は、その場の思いつきで行われていたでしょうか。

　答えはすぐに導き出せると思います。とくに実習Ⅰのモデル②（介護技術の実践を軸にした介護実習）における経験からも明らかなように、介護とは単なる食事や入浴のお世話といった、身体介護のみをさすのではありません。

　利用者の生活をトータルにとらえ、その人はどのような生活を送りた

いのか、その人が希望する生活を送るためには今どのような困りごとがあるのかをきちんと整理し、ある一定の目標に向けて具体的な活動を行う、これこそが介護の本質であるといえます。つまり、介護活動は専門的な知識や技術を計画的に駆使する必要があるのです。

利用者が希望する生活の実現に向けて、意図的な介護を展開するためのプロセスを**介護過程**といいます。これは、介護を進めていくうえでの手順や経過という意味でもあります。

介護過程にもとづく介護実践は、介護福祉士が個人的に有している勘や経験、コツだけをよりどころにした介護活動からの脱却という側面ももち合わせていると考えられます。それは、利用者の心身の状況や利用者を取り巻く環境面に目を向け、具体的な根拠をもって介護サービスを提供することが求められるなか、介護過程は、利用者と介護福祉士との相互関係によって進められるものであり、介護の質の向上のためには不可欠な支援方法だといえるからです。

実習Ⅱでは、この一連の介護過程を展開するなかから、専門的で計画的な介護サービスを提供する能力を身につけることが目的になります。それでは、この目的をふまえ、どのような目標をもてばよいのかについて、次に考えてみましょう。

## 2　目標① 観察、コミュニケーション、記録類を通じて介護に必要な情報が収集できる

介護過程の第一歩は、**情報の収集**にあります。つまり、どのような情報を、だれからどのように収集するかがカギをにぎることになります。集めた情報の量と質によって、その後の介護過程の展開が大きく左右されるといっても過言ではないのです。

ここでいう情報とは、利用者の身体状況のみをさすのではありません。利用者の疾病や障害、それにともなうADL（Activities of Daily Living：日常生活動作）など、私たちはどうしても目に見えやすい情報ばかりを集める傾向にあります。しかし、介護福祉士は利用者の生活全体を支援するのであって、生活行為のみを支援するわけではありません。そのため、利用者がかかえる心理状態のほか、利用者を取り巻く環境的な側面など、幅広い視点から情報を収集する必要があります。

情報の収集にあたっては、各学校、また各施設で用意した「アセスメントシート」「情報収集シート」と呼ばれる用紙を活用すると思いますが、その際、もっとも重要な情報源となるのは利用者です。利用者が今どういう状態にあるのか、そのことを利用者はどのように感じ、今後どうしたいと考えているのかを、まずはきちんと把握する必要があります。

　ただし、介護サービスを利用する高齢者や障害のある人々のなかには、みずから意思表示をすることが困難であったり、苦手であったりする人たちもいます。また、実習という限られた期間のなかで行わなければならないことから、必ずしも、実習生と利用者との関係性も親密なものとは限りません。そこで、実習指導者の指導と協力をえながら、利用者の家族や実際に介護にたずさわっている専門職などからも情報を収集することが大切になります。さらには、ケース記録や日報をはじめとする記録類から情報を収集することも有効な手段だといえます。

　なお、相手がだれであったとしても共通していえるのは、情報の収集が質問攻めや尋問になってはならないということです。また、「介護に必要な情報」を収集することが目的なのであって、興味本位に、必要以上にいろいろなことを聞き出すことはしないように気をつけましょう。

## 3　目標② 収集した情報の解釈、関連づけ、統合化をして、利用者の生活課題を明確化できる

　情報を収集したあとに行う作業としては、**情報の解釈**、**関連づけ**、**統合化**、そして利用者の**生活課題の明確化**があります。

　収集した情報というのは、個々のバラバラなものでしかありません。そこで、その情報について「解釈、関連づけ、統合化」を行い、利用者が生活を送るうえでの具体的な希望や困りごとを明らかにしていく（生活課題を明確化していく）必要があります。

　この情報の解釈、関連づけ、統合化、そして生活課題の明確化を適切に行うには、正確で客観的な情報収集が不可欠ですが、逆に、情報の収集だけでは、利用者の生活課題を明確化することはできません。

　利用者の情報をたくさん集めてきて終了ということではなく、1つひとつの情報に、利用者にとってどのような意味があるのかを解釈し、関

係のありそうな情報と関連づけて分析し、統合化することで、生活課題を明確化することができます。

## 4 目標③ 利用者や他職種とともに介護計画（介護目標、具体的な支援内容・方法）が立案できる

利用者が望む暮らしを続けていくうえでの具体的な困りごとが明らかになったことを受けて、次の段階として、**介護計画**を作成します。

### 1 介護計画に盛り込まれる内容
① 生活課題（介護上の課題）
② 目標（利用者のあるべき姿、あるいは利用者の期待される結果）
③ 支援内容・支援方法（いつ、どこで、だれが、何を、何のために、どのように行うか＝５Ｗ１Ｈ）

### 2 介護計画を作成する際のポイント

介護計画を作成する際は、①→②→③の順番で検討していきます。

つまり、生活課題をふまえ、今後どのようになりたいかという目標をもち、その目標を実現するためにはどのような介護が必要になるか、この検討の手順こそが大きなカギをにぎっているのです。

介護者側の都合による一方的な計画とならないためにも、計画の作成にあたっては、利用者やその家族とともに行っていくことが大切になります。可能であれば、計画を作成する際の**ケアカンファレンス**の場に出席してもらうなど、利用者といっしょに作業を進めることが理想的です。しかし、実際には、実習中は物理的にも時間的にも制約があって、そのような場を設けることはむずかしいかもしれません。それでも、作成した計画をいっしょに見ながら、なぜこのような計画になったのかを説明し、利用者や家族の了解をえるという作業は必要です。くり返しになりますが、だれのための、何のための計画なのかを常に意識しておくようにしましょう。

また、利用者の生活を支援しているのは、決して介護福祉士だけではありません。多様な生活課題を解決するためには、医師、看護師のほか、栄養士や社会福祉士など、ほかの関連領域における専門職と連携しながら仕事を進めているのです。したがって、計画の作成にあたっても、他職種とともに、それぞれの専門性をふまえた内容にしていくよう

にします。それと同時に、利用者にかかわるメンバー全員が介護計画の意図をしっかりと理解していることが重要になります。メンバーにどのようにして計画の意図を伝えていくのか、具体的にはケアカンファレンスのもち方についてもあらかじめ検討しておくことが大切です。

　実習の期間中、自分が担当する利用者の介護計画を利用者・家族や他職種とともに作成することはもちろんですが、機会があれば、ほかの利用者の計画を作成・修正するケアカンファレンスに参加させてもらうことも、実習生にとっては大きな経験になります。

## 5 目標④ 利用者の安全性、快適さ、自立に配慮した介護が実践できる

　実習Ⅰのモデル②を通じて、目標の1つである「安全性と快適さに配慮した介護技術を実践することができる」の意味について、実習体験も重ねて理解していると思いますが、実習Ⅱでは、一連の介護過程における**計画の実施**という側面を意識することが大切になります。

　安全性と快適さは、介護技術を実践するうえで欠かすことのできない重要な視点です。また、実習Ⅰを終えて以降、学校に戻ってからも、「生活支援技術」の講義や演習を通じて、1つひとつの介護技術の習得と向上をはかっていると思います。それに加えて実習Ⅱでは、利用者の自立にも配慮した介護の展開が求められます。

　ここでいう自立とは、食事や入浴、排泄などの生活場面において、すべての行為を利用者にしてもらうといった、身体的自立のみを意味しているのではありません。自立という場合、自分の生活が自分の主体的な意思によって営まれているかどうかが重要なのであって、介護の展開にあたっても、介護者側の都合によって一方的に行ってはならないのです。

　そのとき、実習生がよりどころとしてほしいのが介護計画です。この計画のなかには生活課題（利用者が望む暮らしを続けていくうえでの具体的な困りごと）があり、今後どうなりたいかという目標と、目標実現のための具体的な方策が盛り込まれています。つまり、この計画にもとづいて介護を展開することこそが、利用者の自立に配慮することにつながるわけです。

　だれのために、また、何のために計画を作成し、その計画にもとづい

た介護の展開（＝計画の実施）がどのような意味をもつのかについて、常に意識しながら実習に取り組むことが、実習Ⅱでは大切なポイントになります。

## 6 目標⑤ 介護目標が達成できたかの評価ができる

　介護過程で重要となるプロセスの1つが評価です。ここでいう評価とは、介護サービスを提供したあとの評価（エバリュエーション）のことであり、事前評価（アセスメント）とは異なります。

　計画の立てっ放し、介護のやりっ放しという状態のまま、何のふり返りもないというのでは、そもそも介護計画を立案する意味がありません。立案した計画が利用者の生活を支援することにどれだけ役に立っているか、また、残された生活課題としてどのようなものがあるかを明確にすることが、評価を通じて問われる大切なポイントです。

　なかでも介護目標とは、情報収集のあと、情報の解釈、関連づけ、統合化、さらには生活課題の明確化を受けて設定されるものであり、利用者がこうありたいと望む状態、言い換えれば、生活課題が解決されてニーズが満たされている状態をあらわすものです。実習のある一定期間のなかで、利用者の安全性、快適さ、自立に配慮した介護を展開したあとには、必ずこの介護目標に立ち戻って達成の度合いをはからなければなりません。

　介護目標の評価は、計画で設定した評価期日に行うことが前提になりますが、それ以外にも、評価期日より前に目標が達成したと判断されたり、利用者の生活状態に大きな変化が生じたりしたときには、すみやかに評価を行うようにします。

　その際のポイントとしては、目標にそって現状を観察し、客観的にみて目標に達しているかどうかを検討します。そのうえで、目標に達していない場合には、まずその原因を検討する必要があります。

　原因としては、目標自体があまり現実的でなかったということや、現実的であったとしても、実施期間が短かったことで目標に達しなかったとも考えられます。

　また、次の項目で詳しく解説しますが、具体的な支援内容が適切でなかったために、目標の達成につながらなかったのかもしれません。さら

には、情報の収集以降、生活課題の明確化までの作業が不十分であったため、介護目標と利用者の実態との間にズレが生じてしまったことに原因があるとも考えられます。その場合は、**再アセスメント**として原因がどこにあったのかを明らかにして、今後の対策を考えていくことが必要です。

目標に達している場合には、必要に応じて次の段階の目標を設定するようにします。

いずれの場合であっても、実習指導者や介護にかかわるほかのメンバーからの指導と助言をえながら、的確な評価の作業を進めていく必要があります。

## 7 目標⑥ 具体的な支援内容が適切であったかの評価ができる

介護目標の評価に際しては、目標に達していない場合、その原因を検討することになります。とくに検討しなければならないのは、利用者に対する支援内容が果たして適切であったかどうかという点です。

介護計画のなかには、利用者に対して、いつ、どこで、だれが、何を、何のために、どのように行うのかという支援内容・支援方法が記載されています。これらの内容は、介護目標を実現させるための具体的な方策であるため、介護目標と密接する要因として吟味していかなければなりません。「どのような介護サービスをどのように提供するのか」という支援内容に問題があったのか、「いつ（どのくらいの頻度で）、だれが行うのか」という支援方法に問題があったのかなど、評価のポイントはいくつかあります。

加えて、実習先の介護にかかわるメンバー1人ひとりに、どこまで支援内容や支援方法が理解され、実施されていたのかも大切なポイントの1つといえるでしょう。いくら理想的な支援内容が計画に盛り込まれていたとしても、それがメンバー全員に浸透して実施されていなかったりすると、計画も実現しにくくなります。

ケアカンファレンスの場などを効果的に活用しながら、介護にかかわるメンバーとともに具体的な支援内容の1つひとつを評価していきましょう。

## 8　目標⑦　介護計画を修正する必要があるかの判断ができる

　介護目標や具体的な支援内容を評価した結果、利用者がかかえている生活課題がすべて解決されていれば、そこでその人への支援は終了することになります。一方で、評価の結果、このまま同じ形で支援を続けても利用者のかかえる生活課題の解決につながらないことが明らかになった場合には、**介護計画の修正**が求められます。つまり、評価のあとには、介護計画を修正するかどうかの判断が必要になるのです。

　介護計画を修正する場合、部分的なものと大幅なものと、大きく分けて2通り考えられます。なかでも、評価の結果、情報の収集以降の作業が不十分だと判断された場合や、利用者の生活状態に大きな変化がみられた場合などには、介護過程のプロセスのうちの「情報の収集」や「情報の解釈、関連づけ、統合化」「生活課題の明確化」までさかのぼり、新たに情報を収集し直したり、生活課題を整理し直したりすることが必要になります。そのうえで、修正された計画にもとづいて介護が展開されることになるわけです。

　また、介護目標はそのままで、具体的な支援内容のみを変更する場合もあります。

　いずれにしても、介護過程では、このように必要に応じて情報収集をし直すなど、循環した形で展開していくことになりますが、実習という限られた期間においては、循環をくり返すことはむずかしいかもしれません。それでも、介護計画の実施後、再度修正の必要があるかどうかの判断をするというポイントだけは押さえるようにしておきましょう。

## 9 実習Ⅱのモデルと関連する他科目の学習内容

　実習Ⅱは、介護過程の展開を通じて、専門的・計画的に介護サービスを提供できる能力を身につけることが目的となっています。したがって、「介護過程」で学習する内容が実習でおおいに役立つことはいうまでもありません。具体的な展開過程はもちろんのこと、各過程での留意事項について、実習の前後に講義や演習を通して確認するようにしてください。

　なかでも、アセスメント段階における「情報の収集」は、介護過程のなかでも重要な役割を果たすものの1つとなります。なぜなら、集めた情報の量と質によって、その後の情報の解釈、関連づけ、統合化、生活課題の明確化といった作業に食い違いが生じる可能性があるからです。そこで、「コミュニケーション技術」の講義や演習のなかで、介護場面や利用者の特性に応じたコミュニケーションのあり方を習得するようにします。コミュニケーションそのものの大切さや、人間関係を構築するためのコミュニケーション技術などについては、すでに実習Ⅰや「人間の理解」の講義・演習のなかで学んでいることと思います。

　また、介護計画において根拠にもとづいた介護技術を実践するときには、「生活支援技術」における1つひとつの介護技術が基盤となりますので、講義だけでなく演習も活用して基本を身につけるようにしてください。

　実習Ⅱは、実習Ⅰと比べて、より個別的な介護の実践を意識した体験学習となるため、担当する利用者がどのような身体状況や心理状況にあるのか、そうした特性をどのように理解すればよいのかが、実際の介護場面で大きなカギをにぎることになります。「認知症の理解」「障害の理解」「こころとからだのしくみ」といった科目のなかで、しっかりと根拠となる知識や技術を習得しておくことが大切です。

**演習6-1　「介護過程の展開」のまとめとふり返り**

❶ 実習中に担当した利用者の概要を整理し、その人を知らない人がその人をイメージできるように発表してみよう。

❷ 実習中に立案した介護計画を発表してみよう。その際、次のポイントに留意しながら発表してみよう。
・利用者が希望する生活を送るうえで、どのような課題をかかえているのか
・生活課題に対して、どのような介護目標を立てたか
・生活課題の解決に向けて、どのような具体的な支援を計画したか

❸ 介護計画にもとづいて介護を実践するなかで、利用者にはどのような反応や変化がみられただろうか。具体的にまとめてみよう。

**4** **3**でまとめたような反応や変化がみられたのはなぜだろうか。その理由を考えてみよう。

**5** 介護計画にもとづいて介護を実践するなかで、利用者に反応や変化がみられなかったとしたら、その理由は何だろうか。考えられる理由をあげてみよう。

6 介護計画にもとづいて介護を実践した結果、介護目標は達成できただろうか。達成できた場合、もしくは達成できなかった場合、その理由をまとめてみよう。

7 介護計画にもとづいた具体的な支援内容は適切だっただろうか。適切であった場合、もしくは適切でなかった場合、その理由をまとめてみよう。

## 演習6-2　あなたが感動したこと・学んだこと

　実習全体を通じて見たことや感じたこと、また、自分が担当した利用者とのかかわりを通じて感動したことや学んだことを自由にまとめてみよう。

# 第 7 章

# 介護総合演習の実際

第 1 節 介護総合演習における知識と技術の統合化
第 2 節 介護総合演習における介護観の形成

第 1 節

# 介護総合演習における知識と技術の統合化

**学習のポイント**
- 記録を活用したふり返り学習の方法とその効果を理解する
- 事例研究で扱うテーマや方法についてイメージする

**関連項目** ⑨『介護過程』▶第1章第2節「生活過程における事例検討・事例研究の必要性」

　第1章で述べたように、介護総合演習の目的には、①介護実習の指導、②他科目での学びの統合化、③多職種協働の意味と重要性の意識化、④学習到達状況の把握と個別指導、⑤養成教育全体の総まとめがありました。なかでも本節では、他科目での学びの統合化を取り上げます。介護実習を通して知識と技術の統合を実践するには、介護総合演習でどのように学習を進めていくのが効果的なのかを学びましょう。

## 1 他科目で学んだ知識と技術を統合する方法

　利用者との直接的なかかわりから、利用者の理解に必要な知識を統合したり、障害に応じた技術を展開できる力は、みなさんが介護福祉職として介護現場に立つうえで、もっとも基礎となるものであり、**実践力**とよばれています。この実践力をはぐくむ経験が、介護実習を通して行う知識と技術を統合する実践であるともいえるでしょう。
　このような貴重な統合の経験を無駄にしないために有効な方法が、介護総合演習で行う**記録**を活用したふり返り学習です。
　実習で扱う記録には、実習日誌やプロセスレコード、介護過程を展開するときに使う介護過程記録など、さまざまなものがあります。いずれの記録も、記録を作成するときにえられる効果だけでなく、あとから見

第1節　介護総合演習における知識と技術の統合化

直すことでえられる効果もあります。とくに後者は、みずからの実践をふり返ることができるため、幅広い学習効果をえることができます。

　みずからの経験を記録にあらわすことは、利用者とのかかわりから、自分が何を情報として、どのように理解していたのかなどを自覚することにつながります。また、記録は、自分の行ったケアが利用者にどのような効果を生み出しているかなどを考察することができるため、日々の実習のふり返りとしても、また、実習全体をまとめるふり返りとしても、気づきや発見をうながす効果が期待できます。

## （1）記録を活用したふり返り学習の例

　次の事例は、ある学生が2年次に特別養護老人ホームの介護実習で経験した出来事をふり返り、実習後に行われた介護総合演習で、あらためて必要なケアについて考察することを目的に記録したものです。

**事例1　夜間、廊下を歩行中（徘徊中）に転倒したAさん（85歳・女性・アルツハイマー型認知症）**

　Aさんは、ADL（Activities of Daily Living：日常生活動作）がほぼ自立しており、ユニット型の特別養護老人ホームに入所していました。

　自力での歩行が可能なAさんは、午前0時ごろ、居室を出て、暗い廊下を不安そうな表情で歩いていました。私には、ここはどこなのかを確認しようと起きている人を探して歩いているように見えました。私はそのとき、定時の排泄介助で、ほかの職員といっしょに各居室におむつ交換にまわっていました。

　施設の廊下は長く、Aさんはこの長い廊下を5分ほど歩き続けていました。別の利用者のおむつ交換が終わり、職員とともに中央にある職員室に戻ると、職員室の明かりを発見したAさんは、遠くから足を速めてこちらにかけ出してきました。私には、Aさんが「あの人に聞けば何かがわかるかもしれない」と期待をふくらませて足を速めたように見えました。

　そのとき、Aさんは、足をすべらせて転倒してしまいました。Aさんは靴をはいておらず、靴下もねじれて、すでに半分ぬげている状態でした。

　転倒してしまったAさんは幸いけがもなく、その後もいつもどおりの

第7章　介護総合演習の実際

歩行状態で過ごしていたそうですが、Aさんによる夜間帯の徘徊は、実習最終日まで申し送りで報告されていたそうです。

　この出来事を経験した学生は、実習中、「AさんはADLがほぼ自立しているため、運動機能として自力での歩行が可能である」と理解していたそうです。また、「認知症があることから、記憶障害と見当識障害によって状況がうまく理解できず、その不安を解消するための手がかりを求めて歩きはじめたのではないか」と考えていたようです。このことについて、当時の実習日誌には、次のような記録が残されています。

> **実習日誌の記録**
> 　今日の夜勤実習で、徘徊するAさんが転倒してしまうという出来事があった。Aさんの徘徊は、記憶障害や見当識障害による影響から、今いる場所が理解できずに、不安で歩いていたのかもしれないと感じた。
> 　私は、Aさんが日中も歩いている姿をよく見かけていた。しかし、レクリエーションに参加しているときは、落ち着いて過ごしていることも多くあった。
> 　このことから、今回の対応は夜間であるため、レクリエーションがあるわけではないこと、Aさんは徘徊が多いことにもっと意識をして見守ることが大切であったと考える。とくに、夜間は職員の数が少なく見守りが十分には行き届いていなかったりする。だからこそ、見守るという意識を、日勤帯以上に夜勤職員がもつことが大切だと考えた。
> 　Aさんは、転倒によるけがは確認されなかったが、転倒の危険性が高いことは、朝の日勤職員への申し送りでも報告されていた。今回の夜勤実習では、認知症ケアは、昼夜を通して見守っていく体制をつくっていくことが大切であることも学ぶことができた。

　この学生は、「認知症の理解」の科目で学習した内容から、認知症の代表的な症状には、記憶障害や見当識障害、判断力の低下等からなる中核症状があることを理解しています。そして、短期記憶や見当識に障害を受けた認知症のある人は、「自分のいる場所」や「その場所にいる意味」を理解することが困難なために、「家に帰る」「こんなよくわからない所にいてはいけない」「知っている人を探さなくては」など、状況を

理解して解決するための行動がBPSD（Behavioral and Psychological Symptoms of Dementia：認知症周辺症状）として出現することを理解できているのがわかります。

しかし、実習後の介護総合演習で、この出来事をあらためて考察し直すことで、①不安感を助長させる要因と対策、②夜間の歩行に対する対策の2つの視点が欠けていたという気づきをえました。

### 1 不安感を助長させる要因と対策という視点

この学生は、「介護過程」の展開で学習した生活全体の流れを把握するという視点から、夜間に不安感が生じたのは、日中からの不安感が継続していたとも考えられるのではないかという、生活全般をみる視点が自分には欠けていたのではないかとふり返りました。

このふり返りは、介護過程記録を複数の学生とディスカッションしながら確認する演習によって見いだされた視点です。

この演習では、ほかの実習生から、施設での環境整備を工夫することで、不安感を助長させる要因を取り除いたり、なじみのある空間づくりによって安心感を高めることができたのではないかという意見も出ました。

この学生は、こうした視点を手がかりに、Aさんには自宅で活用していた枕やベッドまわりの小物、かけ時計等、肌や目にふれ、「感覚的」に安心感をえやすい私物を取り入れることが、ケアとして効果的ではないかと考察しました。

### 2 夜間の歩行に対する対策という視点

介護過程記録を活用した「生活支援技術」でのふり返り学習でも、認知機能の低下だけでなく、加齢による身体機能の低下が、歩行機能にも大きく影響を与えているのではないかという気づきをえました。

Aさんの場合は、夜間帯であることから、仮に寝起きであった場合、さらにふらつきやすい状態となり、転倒のリスクを高めていたとも考えられます。

また、暗いなかでの移動は、居室内に置いてあるごみ箱や、床材の模様を段差と勘違いすることなども予測され、夜間という環境によって生じる色覚や視野等への影響が不安を助長させる要因であったとも考えられます。

この学生は、こうした夜間の歩行に対する視点を、利用者が施設の居室外のトイレを利用したり、不安で職員室を頻繁に訪れたりすることが

予測される場合には、「廊下での移動を極力少なくできるような居室配置や、安全に移動できる環境整備をはかることも重要である」という、新たなケアの提案に結びつけることができました。

とくに、靴のはき忘れや、靴下のねじれなど、たとえAさん自身がそのことに気づいていても、うまく修正できず、無理な姿勢から転倒を招く危険性もひそんでいるのではないかという気づきから、Aさんには、就寝前に靴下をぬいでおいてもらうような事前対応や、靴をはく行為（活動）を想定して、ベッドサイドや部屋の出入り口に明かりを用意したり、センサーマット等を活用することで、夜間の行動にいち早く対応できるよう工夫することも効果的であると考察しました。

## (2) 介護総合演習でふり返ることの意義

実習先で経験するさまざまな状況や内容は、場合によっては冷静に考え、余裕をもって予測をはたらかせて行動していくのがむずかしいことがあります。

とりわけ認知症ケアの場合、日ごろから対応していない実習生では、逆に利用者に混乱を与えてしまい、よい効果が見込めない場合も少なくありません。

そのため、実習中は「ケアの方法がわからない」「コミュニケーションがうまくいかない」「必要と考えたケアが逆に利用者の不安を助長させてしまった」など、介護実践の失敗体験として蓄積されていくものも多いことでしょう。

このように、実習はさまざまな科目で学んだ知識と技術を統合して介護実践につなげるための経験をえやすい一方で、成功体験として重ねていくことは決して容易ではありません。うまくいかないケアも、すぐにその場で実習指導者に相談したり、実習担当教員の助言を受けて、実習中に解決していくことがむずかしい場合もあります。

だからこそ、介護総合演習において、このような失敗体験を材料に「他科目で学んだ知識と技術を統合して介護実践につなげる学習」を深めることが重要なのです。

先に紹介した例では、「認知症の理解」で学習した徘徊という視点だけでなく、「介護過程」や「生活支援技術」での学習内容を統合し、Aさんの状態をあらためて理解し直すことから、Aさんへの直接的なケアだけでなく、環境整備という技術も根拠をもって示すことにつながって

第1節 介護総合演習における知識と技術の統合化

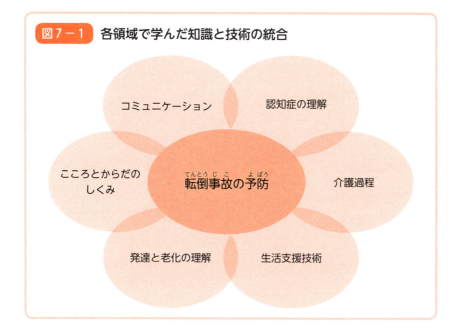

図7-1 各領域で学んだ知識と技術の統合

います。「転倒事故」1つとっても、さまざまな科目での学習内容を統合して、事態を理解したり、解決方法を考えたりすることが必要となります（図7-1）。

実習時には失敗体験であったとしても、介護総合演習で深めることによって、大変効果的な学習につながっていることを証明しています。

このように、実習経験を記録に残し、この記録を活用した介護総合演習を行うことは、あらためて深い考察を行うことにつながります。

## 2 質の高い介護に向けた実践研究

自分自身の経験を意図的にふり返り、目的をもって考察する取り組みは、介護総合演習に限らず、介護福祉職として現場に立ってからも大切な活動です。

介護総合演習を行うことは、介護実習での経験をふり返る学習によって、新たなケア内容の提案にもつながることを紹介しました。このような活動は、**質の高い介護に向けた実践研究**と呼ぶこともできます。

介護現場にいると「質の高い介護をめざす」という言葉をよく耳にします。質という言葉は、上質や高質、品質など、できのよさや悪さをあらわして評価する尺度として用いられます。尺度は一定の基準から評価

する観点を明確にすることが必要ですが、介護実践における「質」をとらえるうえでは、もう少し別の観点を理解することが必要です。

みなさんも、QOL（Quality of Life：生活の質）という言葉を聞いたことがあると思います。これは、個人の生活の質のことをさし、どれだけその人にとって、自分らしいと思える生活が送れているかという観点です。

個人の幸福感という観点は、人によって異なります。健康であることがいちばんであると考える人や、充実した人間関係の交流が維持できていることをもっとも望む人、ほかにも、快適な住環境であることや、自分らしさを感じるような充実した余暇を過ごせることがいちばんだと考える人もいます。個別性が高いからこそ、一律の基準ではなく、さまざまな観点ではかられることが必要です。

とくに介護実践の場合は、利用者にとっては生活支援として受ける介護者からの手法や、介護を行う環境の設備、介護サービスを提供するときの職員の言葉づかいや雰囲気なども、すべて質にかかわる要素です。利用者だけでなく、利用者を取り巻く環境的な要素によっても質が成り立っていることを考えると、質をとらえるうえでは、幅広い情報を扱うことも必要であることがわかります。

幅広い情報から、利用者個々の生活の質をとらえる視点として、**介護過程**があります。これは、利用者の望む暮らしを「ニーズを明確にする」ことによってとらえ、ニーズとケアの効果を照らしながら、満足感や幸福感をふまえて評価するという方法です。この点で介護過程は、質の高さを根拠づける視点を明確にする実践研究だととらえることもできます。

しかし、実践研究として展開するためには、「質の高い介護とは何か」を考える活動を重視する必要があります。つまり、必要なケアとその根拠を確認するだけでなく、「ケアの効果が利用者の望む暮らしにどのような意味をもつかを考えて評価」したり、それらを通して「新しい試みを提案」したり、「ほかの人の考えや取り組みと比較し、よりよい方法を考える」などを加えることが必要です。

## （1）実践研究とは何か

実践研究というと、介護を実践することとは別の次元であると思ってしまうかもしれません。また、ゼミ活動に取り組んでいる人は、アン

ケート調査や分析を通してまとめる卒業研究というイメージを抱くこともあるでしょう。

実践研究は、多様な定義が存在しますが、ここでは「みずからの介護実践のうえで行われる研究活動」ととらえることにします。

研究という言葉を辞書でひくと、「特定の物事に対し」「実験や観察・調査などを通して調べ」「事実を深く追求する一連の過程」等と解説された言葉が目につきます。

研究には、研究するためのデータが必要であり、一般的に**量的データ❶**と**質的データ❷**の2種類のデータを活用します。量的データを活用した研究を量的研究、質的データを活用した研究を質的研究と呼びます。

量的研究は、おもに数量的なデータを収集し、統計手法を用いて分析する研究方法です。

質的研究は、数字ではあらわすことができない、人の会話の内容や行動などをデータにして分析する研究です。統計的な分析とは異なり、会話や行動の記録から、意味の読み取りや、理論的な分析・考察を行うことが特徴です。

介護現場における実践研究は、量的データ、質的データのどちらを活用するにせよ、研究の対象である介護は、個別の事例を通して行われることが基本なので、事例研究（ケーススタディ）として取り組むことがもっとも一般的です。

❶量的データ
代表的なものは数値。回数、量、身長、体重など、数字によって表現され、その差異に意味をもつデータ。

❷質的データ
代表的なものは言語。インタビューやアンケートの自由記述、ケース記録などに書かれたケア内容の叙述など、記述によってあらわされたデータ。

## （2）事例研究（ケーススタディ）の目的

介護現場における実践研究として、事例研究を行うことは、さまざまな意味をもっています。その意味をいくつか取り上げると、「ケアの根拠が明確になること」「新しい試みを提案できること」「ケアの効果を確認し自信につなげること」「介護実践上の課題をチームで共有し、改善に向かう土台をつくること」などです。どれも質の高い介護を支える研究の要素です。

みなさんが事例研究に取り組む場合、介護実習で担当した利用者に行った介護過程の取り組みを材料にするとよいでしょう。

介護過程は、アセスメントのプロセスを通して課題およびニーズをとらえ、この解決・達成に向けたさまざまな活動を具体化します。そして、介護計画を通して実践しながら、ケアの効果やその意味をとらえ直す過

程をたどります。この介護過程そのものが、実践研究のプロセスともいえます。

「それなら介護過程をくり返すことで十分だ」と思っている人もいるかもしれません。しかし、事例研究は介護過程では焦点をあてにくいみずからの実践上の違和感や手ごたえ、つまり介護者側の観点で生じている課題を浮かび上がらせるという特徴もあり、介護過程とは違った視点をもち合わせています。

### （3）事例研究で扱うテーマ

事例研究は、1つまたは複数の事例を扱う研究です。しかし、介護実践は同じ事例であっても、まったく同じことがくり返されるわけではなく、実践上の課題のあらわれ方や、同じ状況でも対応する人によって課題解決の方法が変わってくることが特徴です。

こうした特徴から、事例研究で扱う事例は、介護過程の対象となった利用者だけでなく、利用者にかかわった自分自身も含まれていることを理解することが大切です。

事例研究で扱うテーマは、介護過程以外にも、さまざまな介護実践やそれに関連するレクリエーション活動、生活支援技術なども、有効なテーマといえるでしょう。みずからの介護実践のうえで行われている活動事例であれば、目的を明確化し、実施状況とその結果にいたる事例のプロセスを詳細にとらえ直すことで、さまざまな考察や新たな提案を生み出す手がかりがえられます。このような視点をもって取り組まれる研究であれば、扱う事例はどのようなものでも研究として活用することができます。

### （4）事例研究の実際

ここでは、介護実習で経験した事例を活用して、利用者Bさんの移動・移乗介助の留意点を明らかにすることをめざした事例研究の一例を紹介します。

事例研究は、事例を整理したり、分析するために、多くの利用者の情報を扱います。そのため、個人が特定できないように情報を保護することや、事例研究を行うことによって利用者や実習先に不利益を与えないことを前提にして取り組むことが必要です。これを**倫理的配慮**といいます。

第 1 節 介護総合演習における知識と技術の統合化

倫理的配慮としては、事例の対象者（利用者や職員等）に対するものだけでなく、事例研究で参考・引用した文献の名称や著者、出版社等を明示することも必要になります。

### 1 研究テーマを設定する

図7-2は、ある学生が事例研究で活用したメモの記録です。事例研究を行うために、研究テーマを「移動・移乗介助の留意点を明らかにする」と設定しています。

この学生は、Bさんを対象者とし、介護過程の展開から、介護実践には移動・移乗に関する支援が必要であることをアセスメントしました。しかし、それらを具体的な生活場面における支援として、どのようなときにどのような方法で行うのか、そこでの個別の留意点は何かという具体的な視点までをとらえることは、介護過程では到達できずにいました。そこで、介護過程で取り組んだ課題分析を、「生活支援技術を考える」という観点でとらえなおし、再度事例研究として取り組むことにしました。図7-2は、そのときに使用した最初の資料になります。

この研究は、「生活支援技術」の根拠を明らかにすることが重要なねらいの1つです。そのため、病気や障害から分析できる基本的な項目だけでなく、Bさんという個別の対象、活動に求められる留意点を明らかにすることが必要です。そのために事例研究で扱う情報は、記録だけでなく、観察した内容や活動時のBさんの発言、ケアにかかわっている職員の発言等、幅広く収集することが求められます。このように、事例研究のテーマ、目的によって、どのような情報が必要となるのかを考えることが大切です。

### 2 事例の情報を整理する

事例研究を進めるためには、事例の**情報を整理する**ことが必要です。これは介護過程で行う情報の収集と同様ですが、先にも説明したように、事例研究で扱う事例は、介護実践を行う自分自身も含まれています。この点で図7-2では、「観察からわかったこと」「会話からわかったこと」などに、自分自身の利用者に対してのかかわり方や理解の仕方について整理されています。しかし、メモの記録であるために、より実践的な分析を行うには十分に整理されているとはいえません。また、どのような方法でケアが展開されているのかという現在のケア内容について十分にとらえられていない点も、研究資料として扱う課題の1つといえるでしょう。

いずれにしても、この研究の場合、移動・移乗介助にかかわる留意点を明らかにするための情報が整理されていることが必要です。つまり、ここで整理すべき情報は、事例にもとづいているということだけでなく、「研究テーマに必要な情報」が整理されているかという視点が大切です。

### 3 研究テーマを軸にした分析を行う

研究テーマである「移動・移乗介助の留意点を明らかにする」ことのためには、記載した情報を関連づける分析を行うことが必要です。そのためには、移動・移乗介助の留意点を考察できる分析資料に整えます。事例研究で用いられる分析方法はさまざまありますが、介護実践にかかわる事例研究の場合、ICF（International Classification of Functioning, Disability and Health：国際生活機能分類）を活用した課題分析が有効です。

ICFは、人が生きることの全体像を「健康状態」「心身機能・身体構造」「活動」「参加」「環境因子」「個人因子」という構成要素から、それらがどのように相互に影響し合う関係にあるのかを考察するうえで、とても役立つ枠組みです。

---

**図7-2　移動・移乗介助の留意点を明らかにするためのメモ**

対象者：Bさん（80代）

○ケース記録にあった情報
（入所記録にあった情報）
性別：男　要介護4
認知症の日常生活自立度：Ⅱa　　障害老人の日常生活自立度：ランクB
生活歴：C市にて夫婦で農家を経営していたが、60代のころ、車から転落し大腿骨頸部を骨折する。その後、杖歩行となり仕事はやめた。その3年後脳梗塞を発症し、入院治療後は自宅での生活が困難になり、特別養護老人ホームに入所する。子どもはおらず、在宅生活での介護者は妻（70代）である。

（ケアプランのカンファレンス記録にあった情報）
入所後から、ADLの維持を前提にケアを受けており、低下はみられない。

（看護記録にあった情報）
・2005（平成17）年に左大腿骨頸部を骨折して手術した。その後、左足の筋力低下がひどく、歩行がむずかしくなった。⇒その後、ずっと車いすでの生活。
・2008（平成20）年に白内障で手術した。視力は回復したようだが、どれだけ見えるか不明である。同じ年に脳梗塞にもなった。後遺症で認知症の発症と片麻痺になった。手も足も右側に麻痺がある。

「関節拘縮により可動域制限あり」⇒これは診断書に記載している。左手は握力もあり良好だが、左足は筋力低下あり。
- 脳梗塞の後遺症で失語症もある。診断書に「ブローカ失語」と記載している。
- 現在の病気は高血圧と脳梗塞の後遺症（認知症も）。
- 発語障害あり。白内障手術後の経過良好だが、視力不明である。聴覚機能は良好である。認知症による軽度の記憶障害あり。
- 2014（平成26）年に認知症の有無を診断するための長谷川式認知症スケール（HDS-R）を実施し20点（軽度の記憶障害）。
- 体格：身長160㎝、体重65kg（2014（平成26）年の測定記録）。

〇職員からの情報
（看護師より）
「高血圧は塩酸ラベタロールという降圧剤を服用している」「副作用で眠気に注意している」「脳梗塞の後遺症で麻痺になった」「脳梗塞の後遺症は麻痺や失語だけでなく、浮動性めまいもあるので注意している」。

（介護職員より）
「日中はデイルームのテレビの前、喫茶コーナーで過ごすことが多いようです。だから、日中はそれに必要な移乗・移動の介助が必要です」「冬になると足が痛むと訴えることが多い」「白内障については、見えにくい等の訴えは聞いたことがない」。

〇観察からわかったこと
- 移動は車いすを使用している（施設貸出用で、学校で見たモジュールタイプとは違った）。
- 左手・左足を活用し、みずから操作している。右足がフットサポートから落ちかけているのに気づかないことが多く、危険。
- 妻の面会以外では、他者とのかかわりが少ない。
- 居室は個室。ベッドとタンスのみで、テレビはない。
- 居室内にトイレがある、でも手すりがない！（なぜ？）。ベッドにはL字バー、足元にすべりどめマットがあった。
- 居室のトイレは手すりがないので、全介助。
- 日中、フロアにいる職員は1名（日勤者だけが常駐）。
- ユニット型でデイルームに10名の利用者がいる（なんと全員女性！）。ちなみに職員も全員が女性！
- デイルームは4人がけのテーブルが3台設置してある。
- 移乗は、ベッドから車いす、車いすからトイレへの移乗が中心（職員の一部介助あり）。
- 居室での移乗は左手・左足でベッドのL字バーを活用しながら立位を行っているが、職員の支えがないと腰が上がらない。

〇Bさんとの会話からわかったこと
- 発語が不明瞭。
- いつも笑顔であいさつしてくれる（しかし無口……失語症だから？）。
- テレビを観ながらコーヒーを飲む習慣を好んでいる様子。だから、移動は居室とデイルームの往復がほとんど。
- ほかの利用者との会話はほとんどない、私がうながしても手をふって拒否する。

### 図7-3　ICFを活用して移動・移乗介助のポイントを分析した資料

**1．情報整理：ICFの構成要素による整理**

#### 健康状態

**記録物から**

既往歴：
　左大腿骨頸部骨折（2005（平成17）年手術）
　白内障（2008（平成20）年手術）
① 脳梗塞（2008（平成20）年発症）
現病歴：
　高血圧（2008（平成20）年～）
② 脳梗塞後遺症、脳血管性認知症
　（2008（平成20）年～）
冬になると足が痛むと訴えることが多い。
見えにくい等の訴えは聞いたことがない。

**職員の助言から**

③ この疾病で右片麻痺、失語症（ブローカ失語）を発症
内服治療中（降圧剤：塩酸ラベタロール）
※副作用による眠気や浮動性めまいに注意。

#### 心身機能・身体構造

**記録物から**

運動機能（上肢）：①右片麻痺、右関節拘縮により可動域制限あり。左手は良好。
運動機能（下肢）：②上肢同様に右片麻痺、関節拘縮により可動域制限。左足も筋力低下。
言語聴覚機能：③ブローカ失語、聴覚良好。
視覚機能：白内障手術後の経過良好。視力不明。
認知機能：軽度の記憶障害　HDS-R20点（2014（平成26）年）
体格：身長160cm、体重65kg（2014（平成26）年）

#### 活動

**観察から**

移動時は車いすを使用している。
① 左手・左足を活用し自走している。右足がフットサポートから落ちかけているのに気づかないことが多い。
② 移乗は、ベッドから車いす、車いすからトイレへの移乗が中心（職員の一部介助あり）。
居室での移乗は左手・左足でベッドのL字バーを活用しながら立位を行っているが、職員の支えがないと腰が上がらない。
居室のトイレは手すりがなく、全介助。

#### 参加

**観察から**

人間関係：他者とのかかわりが少ない。

**職員の助言から**

支援内容：①日中はデイルームのテレビの前、喫茶コーナーで過ごすことが多いため、それに必要な移乗・移動の介護が必要。

**Bさんとの会話から**

欲求・要望：発語が不明瞭であるが、テレビを観ながらコーヒーを飲む習慣を好んでいる様子。ほかの利用者との会話には手をふって拒否する。

第 1 節　介護総合演習における知識と技術の統合化

| 環境因子 | 個人因子 |
|---|---|
| **観察から** | **記録物から** |

**環境因子（観察から）**

物的環境：
　居室は個室。ベッドとタンスのみで、テレビはない。
① 居室内にトイレがあるものの、手すりがない。
・ベッドにL字バー、足元にすべりどめマットあり。
・デイルームは4人がけのテーブルが3台設置。
・車いすは施設貸出のもので、モジュールタイプではない。

人的環境：
・日中、フロアに常駐している職員は1名（日勤者）。
・ユニット型でデイルームに10名の利用者がいる。

**個人因子（記録物から）**

年齢：80代　　性別：男　　要介護：4
認知症の日常生活自立度：Ⅱa
障害老人の日常生活自立度：ランクB
生活歴：C市にて夫婦で農家を経営していたが、60代のころ、車から転落し大腿骨頸部を骨折する。その後、杖歩行となり退職。その3年後脳梗塞を発症し、入院治療後、自宅での生活が困難になり、特別養護老人ホームに入所。子どもはおらず、在宅生活での介護者は妻（70代）。
入所の経過：ADLの維持を前提にケアを受け、低下はみられていない。

**Bさんとの会話から**

性格：笑顔であいさつをすることが多い。失語症からか無口。
① 移動に関する習慣：居室とデイルームの往復がほとんど。

## 2．分析：移動・移乗介助のポイントは何か？

　Bさんは健康状態①②③より右片麻痺があり、移動、移乗は介助が必要である。日中の生活は、参加①、個人因子①よりデイルームでテレビを観たり、喫茶コーナーで過ごすことが多いことがわかる。

　さらに、活動②より移動にかかわる必要な介助は「居室のベッドから車いす」「車いすからトイレ」「デイルーム、喫茶コーナーへの移動」が中心であることがわかる。

　具体的な支援内容は、心身機能・身体構造①②より、左手の機能が良好であるため、立位時、車いすで移動時は左手の活用をうながすこと、左足の筋力が低下しているために、移乗時のふらつきに注意し、支えることが必要になる。

　また、環境因子①より、居室内のトイレは手すりがないために、デイルームのトイレを使用したほうが安全かつ保有能力をいかしやすいのではないか。活動①より、車いす自走時に右足がフットサポートから落ちかけていることが多く、Bさんも気づいていないため、移動時は見守りに努め、右足への注意をうながす言葉かけが必要ではないか。その際、健康状態③、心身機能・身体構造③より「はい・いいえ」等の返答をうながしやすい言葉かけが必要である。

　さらにBさんのユニットは、利用者、職員ともに女性であることが、活動意欲の低下を招く要因とも考えられる。Bさんの意向を確認し、ユニットを変更することも移動支援にかかわる対応として必要と考える。

さまざまな科目で学習しているとおり、利用者の心身の状態を把握するだけでなく、日常の活動に影響を与えている要因を分析し、介護を行うことの意味を明確化することができます。また、参加や環境因子に着目することで、現在行っている介護実践が、活動や参加、心身機能などにどのように影響しているのかを分析することもできます。

　図7-3は、そのICFの構成要素を用いて情報を整理し直し、移動・移乗介助の留意点を分析した資料です。ここでは、情報をICFの構成要素ごとに分類したものをバラバラにみるのではなく、心身機能・身体構造が活動にどのように影響しているのかなどの相互作用をみています。この相互作用はよい影響と悪い影響が存在するため、1つの情報を双方の視点でとらえることが大切です。これにより、悪い影響を生み出している要因をみつけたり、解決方法を導く手がかりを探っていきます。

### 4 分析結果を根拠に新たな提案を行う

　図7-3では、ICFを活用して分析することにより、介護過程の課題分析で取り組んだ内容以上に、移動・移乗といった特定の介護場面に必要なさまざまな留意点を明らかにすることができています。

　ICFを活用した分析は、移動・移乗に限らず、入浴や食事、レクリエーションの効果、環境整備に求められる内容を検討するなど、さまざまなテーマから事例研究として取り組むことが可能です。こうした事例研究を通して導かれるものは、今後起こりうるリスクを予見したり、課題解決・達成に向けてより質の高い介護を提案することにもつながります。

　今回紹介した方法は、あくまで事例研究の1つにすぎませんが、このような事例研究をチームで取り組むことができれば、介護実践をより具体的なレベルで評価したり、新しい方法を検討して共有したりすることが可能になります。実践研究はチーム全体で質の高い介護実践に向かう土台をつくるうえで、とても効果的な活動なのです。

# 第 2 節

# 介護総合演習における介護観の形成

> **学習のポイント**
> - 介護福祉士として介護観を形成することの意義を理解する
> - 介護観を自分の言葉でまとめるためのポイントを学習する

　ここでは、介護総合演習で行う学内での学習や実習をふり返り、専門職としての態度を養うことをめざした総まとめとして、**介護観**を形成することの意義と方法について述べます。

## 1 介護観とは何か

　対人援助の専門職である介護福祉士は、知識と技術が備わっていれば質の高い介護が提供できるかというと、そうではありません。

　介護観という言葉から、大変かたくむずかしい印象をもつかもしれませんが、介護福祉職としてあるべき姿、求められる介護福祉士像などから、介護観を養い、社会の要請にこたえられる専門職としての立場を明らかにしていくことは、介護福祉士の専門性を高めるうえでも、大変重要な意味をもちます。また、個々の介護福祉職が、介護観を養い、その実現に向けて実践を重ねていく姿勢をもつことが、利用者や社会の信頼をえることや**自己研鑽**[1]にもつながっていくのです。

❶**自己研鑽**
自分自身のスキルや能力をみがくこと。

　みなさんは、学内での学習や実習をふり返ったうえで、「あなたが介護でもっとも大切にしたいことは何ですか？」と質問を受けたら、どのように答えますか？

　きっと最初に浮かぶ言葉が、あなたの介護観をあらわしているものと思います。介護観は、人によって、介護で大切にしたいという思いや、こうあるべきという強い考え方までさまざまです。

　介護観は、自分自身がめざす姿というだけでなく、**介護福祉士として**

**社会から求められる姿やあるべき姿**とする考え方、こころざしということもできるでしょう。

　このような介護観を養ううえで、参考にすべきものが、厚生労働省が示す「求められる介護福祉士像」です。

　「求められる介護福祉士像」は、2018（平成30）年度のカリキュラム改正であらためて見直され、介護福祉士に共通する大切なこととして、10項目と「高い倫理性の保持」をあげて整理されています（**図7-4**）。

　この見直しは、多様化・複雑化する介護のニーズや、施設や在宅に限定しない地域での継続的な暮らしの実現に向けて、介護福祉士に求められていることが、より広くより深みをもって期待されていることをあらわしています。

## 2 介護観を養う

　求められる介護福祉像の1つには「尊厳と自立を支えるケアを実践する」とかかげられています。今回の改正では「自立」という言葉が追加されていますが、介護実践において「自立」が重視されていることは今に始まったことではありません。しかし、なぜ、2018（平成30）年度の改正であらためて自立という言葉が尊厳とともにかかげられたのでしょうか。

　介護実習中、介護過程に取り組んでいる学生から、次のような質問を受けたことがあります。

　「私は、Ｃさんの介護計画を作成するうえで、自立した歩行をめざすのではなく、歩行はできなくても車いすを活用して自由で好きなように施設内を移動できることを目標としたいと考えています。これでは利用者の自立を支えることにはなりませんか？」

　この質問は、脳梗塞の後遺症によって両上下肢の関節拘縮と麻痺のある男性の利用者（Ｃさん）を介護過程の対象として取り組んでいた学生からされたものでした。介護過程を展開するうえで、自立とは何かをあらためて問う事例ともいえます。

　介護過程を展開するうえで、このＣさんの情報を整理していくと、健

## 第2節 介護総合演習における介護観の形成

**図7-4 求められる介護福祉士像**

&lt;平成19年度カリキュラム改正時&gt;

1. 尊厳を支えるケアの実践
2. 現場で必要とされる実践的能力
3. 自立支援を重視し、これからの介護ニーズ、政策にも対応できる
4. 施設・地域(在宅)を通じた汎用性ある能力
5. 心理的・社会的支援の重視
6. 予防からリハビリテーション、看取りまで、利用者の状態の変化に対応できる
7. 多職種協働によるチームケア
8. 一人でも基本的な対応ができる
9. 「個別ケア」の実践
10. 利用者・家族、チームに対するコミュニケーション能力や的確な記録・記述力
11. 関連領域の基本的な理解
12. 高い倫理性の保持

→ 社会状況や人々の意識の移り変わり、制度改正等

&lt;今回の改正で目指すべき像&gt;

1. 尊厳と自立を支えるケアを実践する
2. 専門職として自律的に介護過程の展開ができる
3. 身体的な支援だけでなく、心理的・社会的支援も展開できる
4. 介護ニーズの複雑化・多様化・高度化に対応し、本人や家族等のエンパワメントを重視した支援ができる
5. QOL(生活の質)の維持・向上の視点を持って、介護予防からリハビリテーション、看取りまで、対象者の状態の変化に対応できる
6. 地域の中で、施設・在宅にかかわらず、本人が望む生活を支えることができる
7. 関連領域の基本的なことを理解し、多職種協働によるチームケアを実践する
8. 本人や家族、チームに対するコミュニケーションや、的確な記録・記述ができる
9. 制度を理解しつつ、地域や社会のニーズに対応できる
10. 介護職の中で中核的な役割を担う

＋

高い倫理性の保持

資料：厚生労働省社会保障審議会福祉部会福祉人材確保専門委員会「介護福祉士養成課程における教育内容の見直しについて」2018年

---

側は活用できる能力が十分にあること、機能訓練指導員からは杖の使用を積極的に提案されていること、立位訓練を継続していることから、立位や歩行・座位については、杖の使用や麻痺のあるほうを介護福祉職が支えることで、時間はかかるものの行えそうであることを明らかにできます。

しかし、この学生は、これらのアセスメントだけでなく、Cさんとの会話や、さまざまな生活場面での様子を目にするなかで、Cさんが移動時に必ず介護福祉職を呼ばなくてはいけないことに気疲れしてしまっていることや、トイレや洗面にも毎回5分ほどかけて移動することにつら

い思いをしていることなどに気づきました。

　Cさんはこうした苦労が重なって、活動意欲そのものが低下しはじめていました。そのため、車いすを活用して自由に施設内を移動できることのほうが、Cさんの自立を支援することにつながるのではないかと考えたのです。どちらの対応に自立の意味や効果があるかは、さまざまな観点から考える必要があります。

　この学生は、実習での出来事をきっかけに、「利用者にとっての自立の意味を考えること」が介護過程の意義であり、みずからの介護観であるとして、実習報告会で報告をしました。

　みなさんもまったく同じではないものの、このような経験や疑問をもとに、介護において大切にしたいと気づいたことが、たくさんあるのではないでしょうか。

　このような実習経験や学内の授業を通して抱いた疑問を追求し、大切にしたいことやその理由を**言語化**することは、介護観を養ううえでもっとも効果的な方法です。

## 3 介護観を発信する

　介護観は、みなさんの経験のうえで形成されるものですので、生涯変わることのないものではありません。しかし、介護福祉士養成学校の卒業前の総まとめとして、この介護観をまとめたレポートを作成することは、大変大きな意味をもちます。介護福祉士として現場に立つための心がまえやこころざしといった、気持ちの整理や姿勢を整えることにも役立つことでしょう。

　介護観は頭のなかで思い描くだけでなく、レポートにまとめて文章化することが大切です。文章化することで、みなさんのふり返りがうながされたり、学んだことを実践にいかすうえでの考え方などを、より具体化する総まとめにつながるからです。

　レポートでは、①自分の介護観がどのようなものであるのか、②なぜそのような介護観が形成されたのか、③形成された介護観をどのように実践でいかしていきたいのかをあわせてまとめるようにします。次に示すのは、文章化するときのポイントをまとめたものです。このようなポイントをふまえながら、介護観を伝えていくようにしましょう。

① はじめに自分自身の介護観を明確に示す。
② ①で示した理由を学習内容や実習体験を取り上げて述べる。その際、取り上げる体験が介護観の形成にどのようにつながっているのかを示す。
③ 形成された介護観を、介護現場でどのように実践していきたいかといった抱負を述べる。

 **演習7-1　「介護とは何か」を考える**

**1** 実習前、「介護」という言葉から、どのようなイメージをもっていたか書いてみよう。

**2** 実習前、「介護サービスの利用者」に対して、どのようなイメージをもっていたか書いてみよう。

**3** 実習をふり返ってみて、**1**と**2**であげたイメージと変化はあっただろうか。

**4** 実習をふり返ってみて、実習先で働く介護福祉職、もしくは介護という仕事に魅力を感じただろうか。

**5** これらの各自の「介護」についての考えをグループになって話し合い、各グループでの発表をもとにしながら私たちにとっての「介護観」について考えてみよう。

# 索引

## 欧文

ICF ······················ 223、264
ICT ······················ 98、132
OT ······ 84、96、106、118、130、
　　179、191、203
PT ······ 84、96、106、118、130、
　　179、191、203
ST
　··84、96、106、130、179、203

## あ

アセスメント ···················· 245
アセスメントシート ············ 242
安全性 ···························· 224
安全対策委員会 ················ 133
委員会活動 ······················ 132
医師··· 83、106、118、130、142、
　　190、202
一般型特定施設入居者生活介護
　································· 137
医療型障害児入所施設 ······· 197
運営推進会議 ····················· 99
運転手 ···························· 204
栄養士 ······· 96、107、118、131、
　　143、179、191、203
エバリュエーション ············ 245
エンパワメント ·················· 184

## か

介護 ································· 2
介護過程 ······ 28、60、226、241、
　　248、260
…に関する記録 ··············· 69
…の展開 ······················ 240
介護観 ·············· 12、70、269
…の形成 ······················ 269
介護技術 ······················· 222
…の展開 ······················ 228
介護計画 ······················· 243
…の実施 ······················ 244

…の修正 ······················ 247
介護サービスの基盤強化のための
　介護保険法等の一部を改正する
　法律 ······························ 7
介護サービスの利用者 ········ 215
介護支援専門員
　········ 84、118、131、155、168
介護実習 ···················· 2、14
…の位置づけ ··················· 14
…のおもな流れ ················· 18
…の指導 ·························· 6
…の種類 ························· 23
…の展開例 ····················· 42
…のねらい ······················ 16
…の目標 ···················· 15、41
介護実習指導 ····················· 3
介護総合演習 ··············· 2、254
…の目的 ·························· 6
介護付きのケアハウス ········ 174
介護の基本 ········ 218、226、233
介護福祉士養成課程における教育
　内容等の見直しについて
　····················· 24、210、238
介護福祉士養成カリキュラム
　·································· 23
介護保険施設 ············ 113、125
介護保険法 ··············· 112、125
介護目標 ························ 245
…の評価 ······················· 245
介護予防通所介護 ·············· 90
介護予防・日常生活支援総合事
　業 ······················· 79、91
介護予防訪問介護 ·············· 79
介護老人保健施設 ······· 125、232
快適さ ···························· 224
外部サービス利用型特定施設入居
　者生活介護 ··················· 136
科学的な根拠にもとづいた介護技
　術 ······························ 222
学習到達状況 ····················· 11

家族 ······························ 230
活動段階 ···················· 21、31
家庭奉仕員派遣制度 ············ 78
家庭養護婦派遣事業 ············ 78
通い ······························ 161
カリキュラム ······················ 32
カリキュラム比較表 ··············· 4
環境的な側面 ··················· 223
関係図 ···························· 234
看護師 ········· 83、96、106、118、
　　130、142、168、179、190、203
看護小規模多機能型居宅介護
　·································· 162
観察 ································ 59
感染 ································ 62
感染症対策委員会 ·············· 133
看多機 ··························· 162
管理栄養士··· 84、96、107、118、
　　131、179、191、203
管理者 ················ 96、154、167
帰校日 ························ 6、22
基本的な介護技術 ·············· 223
虐待 ································ 62
虐待防止検討委員会 ··········· 133
給食員 ··························· 204
行事・レクリエーション委員会
　·································· 133
居宅サービス ········· 26、90、101
記録 ······························ 254
記録類のふり返り ················ 68
近隣 ······························ 230
暮らしの場 ······················ 215
グループスーパービジョン ····· 21
グループホーム ················· 149
ケアカンファレンス ······ 30、87、
　　109、121、132、147、243
ケアハウス ······················ 173
ケアマネジャー
　········ 84、118、131、155、168
計画作成担当者 ········ 154、180

| | | |
|---|---|---|
| 経験……………………… 64 | 歯科医師……………… 119、203 | 実習の全体像……………… 41 |
| 経験学習モデル………………… 65 | 歯科衛生士 | 実習の評価………………… 74 |
| 軽費老人ホーム………………… 173 | …………84、96、119、131、203 | 実習評価表………………… 74 |
| ケーススタディ………………… 261 | 事後学習…………………… 64 | 実習ファイル（実習ノート） |
| 言語化……………………… 272 | 自己研鑽…………………… 269 | ………………………… 43、66 |
| 言語聴覚士… 84、96、106、130、 | 自己評価表…………… 22、74 | 実習報告会………………… 72 |
| 179、203 | 施設長……… 117、142、179、190 | …の方法…………………… 72 |
| 研修委員会………………… 133 | 事前学習…………………… 19、40 | 実習報告書………………… 22 |
| 権利擁護…………………… 196 | 事前評価…………………… 245 | 実習前……………………… 19 |
| 考察………………………… 60 | 事前訪問…………………… 20、48 | …の流れ…………………… 40 |
| 行動目標…………………… 58 | …の流れ…………………… 50 | 実習目標（実習計画書）……… 43 |
| 広報委員会………………… 133 | 事前訪問報告書…………… 50 | …の記入例………………… 47 |
| 高齢者介護研究会… 7、161、230 | 肢体不自由児……………… 198 | 実践研究…………………… 260 |
| 高齢者保健福祉推進十か年戦略 | 肢体不自由者……………… 186 | 実践力……………………… 254 |
| ……………………………… 78 | 自宅訪問調査……………… 133 | 質的研究…………………… 261 |
| ゴールドプラン…………… 78 | 失語症……………………… 131 | 質的データ………………… 261 |
| 国際生活機能分類……… 223、264 | 実習Ⅰ………………… 6、23 | 質の高い介護……………… 259 |
| 心得……………………… 20、51 | …での学び………………… 26 | …に向けた実践研究……… 259 |
| こころとからだのしくみ | …のねらい………………… 210 | 指定介護老人福祉施設……… 112 |
| ……………… 2、226、248 | …の目的と実習内容………… 24 | 児童発達支援管理責任者…… 203 |
| 個人情報保護……………… 20 | …の枠組み………………… 24 | 事務員 |
| 個人スーパービジョン…… 21 | …を実施する施設・事業等… 24 | ……… 119、131、180、191、204 |
| 個人票の記入例…………… 45 | 実習記録…………………… 16 | 事務職……………………… 107 |
| 個別活動…………………… 188 | 実習計画書…………… 20、48 | 社会の理解…………… 218、233 |
| 個別ケア………… 11、17、29、123 | 実習後……………………… 22 | 重症心身障害児（者）……… 198 |
| 個別支援計画………… 189、194 | …の学習の目標…………… 65 | 集団活動…………………… 188 |
| 個別指導…………………… 11 | …の流れ…………………… 66 | 集団処遇…………………… 26 |
| コミュニケーション | 実習先……………………… 42 | 重度身体障害者…………… 186 |
| ………………… 27、217、225 | 実習施設・事業等（Ⅰ）…… 6、23 | 巡回指導………………… 6、21 |
| コミュニケーション技術 | 実習施設・事業等（Ⅱ）…… 7、23 | 准看護師…………………… 83 |
| ……………… 18、218、226、248 | 実習指導者………………… 20 | 準備段階…………………… 19、31 |
| | 実習終了報告……………… 66 | 障害支援区分……………… 186 |
| **さ** | 実習総括レポート……… 22、70 | 障害者支援施設…………… 185 |
| サービス管理責任者…… 190、203 | 実習中……………………… 21 | 障害者の日常生活及び社会生活を |
| サービス担当者会議…… 30、109 | …の事故…………………… 61 | 総合的に支援するための法律 |
| サービス付き高齢者向け住宅 | …の態度…………………… 57 | （障害者総合支援法）……… 185 |
| ……………………………… 26 | 実習Ⅱ………………… 8、23、60 | 障害の理解………… 18、226、248 |
| 再アセスメント…………… 246 | …での学び………………… 28 | 障害福祉サービス等の提供に係る |
| 災害対策委員会…………… 133 | …のねらい………………… 238 | 意思決定支援ガイドライン |
| 在宅復帰支援……………… 125 | …の目的と実習内容………… 28 | ……………………………… 186 |
| 在宅療養支援……………… 126 | …のモデル………………… 239 | 小規模多機能型居宅介護 |
| 作業療法士… 84、96、106、118、 | …の枠組み………………… 28 | ………………………… 26、161 |
| 130、179、191、203 | …を実施する施設・事業等… 28 | 小多機……………………… 161 |
| 支援員……………………… 143 | 実習日誌… 21、43、51、68、256 | 情報収集シート…………… 242 |
| 支援相談員………………… 130 | …の記入例………………… 54 | 情報通信技術……………… 98 |

# 索引

情報の解釈、関連づけ、統合化 ……………………………… 242
情報の収集 …………… 241、248
情報の整理 ………………… 263
ショートステイ ……… 186、232
職業観 ……………………… 12
食事検討委員会 …………… 133
自立 ………………………… 270
自立支援 …………………… 196
事例研究 …………………… 261
 …の実際 ………………… 262
 …の目的 ………………… 261
事例報告 …………………… 70
心身の状況に応じた介護 …… 216
身体介護 …………… 82、142
身体拘束・事故防止委員会 … 133
身体障害者手帳 …………… 186
診療放射線技師 …………… 204
数学的な思考 ……………… 36
スーパービジョン ………… 20
生活援助 …………………… 82
生活課題 …………… 60、244
 …の明確化 ……………… 242
生活支援 …………… 142、216
生活支援員 ………………… 191
生活支援技術
 …………… 18、60、226、248
生活相談員 … 96、118、142、179
生活歴 ……………………… 29
精神的な側面 ……………… 223
整備員 ……………………… 204
想像力 ……………………… 35
創造力 ……………………… 35
相談 ………………………… 61
相談援助 …………………… 178
相談支援専門員 …………… 191
想定される実習Ⅰのモデル … 211

## た

体験 ………………………… 64
退所支援 …………………… 135
宅老所 ……………………… 161
多職種協働 ………… 10、30
短期入所サービス ………… 186
短期入所生活介護 ………… 232

地域 ………………………… 230
地域共生社会 ……… 17、195
地域貢献活動 ……………… 134
地域生活支援拠点等 ……… 186
地域包括ケア研究会報告書 …… 7
地域包括ケアシステム …… 17
地域密着型介護老人福祉施設 ……………………………… 113
地域密着型サービス
 ………………… 26、150、161
地域密着型通所介護 ……… 91
チームアプローチ ………… 135
知識と技術の統合 ………… 259
痴呆対応型共同生活介護 … 150
痴呆対応型老人共同生活援助事業 …………………………… 149
中間総括・カンファレンス …… 21
調理員 …… 96、118、131、143、179、191、203
通所介護 …………… 90、232
通所リハビリテーション …… 101
デイケア …………………… 101
デイサービス ……… 90、232
手続き記憶 ………………… 159
電話をかける前の準備 …… 49
統合化 ……………………… 9
特別養護老人ホーム ……… 112
泊まり ……………………… 161

## な

ニーズ ……………………… 260
2015年の高齢者介護
 ………………… 7、161、230
日本介護クラフトユニオン
 （NCCU） ………………… 62
日本介護福祉士会倫理基準（行動規範） ……………………… 57
日本介護福祉士会倫理綱領 … 57
入浴委員会 ………………… 133
人間と社会 ………… 2、17
人間の暮らし ……………… 217
人間の理解 ………… 218、226
認知症対応型共同生活介護
 ………………… 149、150
認知症対応型通所介護 …… 90

認知症の理解
 ………… 18、226、248、256
認認介護 …………………… 231

## は

排泄委員会 ………………… 133
バイタルサイン …………… 132
廃用症候群 ………………… 90
ハラスメント ……………… 62
評価 ………………… 245、246
昼間実施サービス（施設障害福祉サービス） …………………… 185
複合型サービス …………… 162
福祉ホーム ………………… 187
福祉用具専門相談員 ……… 84
ふり返り …………………… 255
ふり返り段階 ……… 22、31
プロセスレコード ………… 69
保育士 ……………………… 203
報告 ………………………… 60
訪問 ………………………… 161
訪問介護 …………… 78、232
訪問介護員 ………………… 79
訪問看護 …………………… 162
ほうれんそう ……………… 20
ホームヘルパー …………… 78
ホームヘルプサービス … 78、232
保健師 ……………………… 83

## ま

マナー ……………… 20、51
麻痺性構音障害 …………… 131
民生委員 …………………… 85
申し送り …………… 131、191
求められる介護福祉士像 …… 270

## や

夜間実施サービス（施設入所支援） ……………………… 185
薬剤師 …………… 84、130、203
ユニットケア ……………… 26
養護老人ホーム …………… 136
養護老人ホームの現状と今後のあり方——機能強化型養護老人ホームの提案 ……………… 137

## ら

ライフサポートプラン ……… 168
ライブスーパービジョン ……… 22
ライフヒストリー ……………… 29
理学療法士 … 84、96、106、118、
　130、179、191、203
リハビリテーション ………… 103
療育 …………………………… 207
利用者の状態像 ……………… 223
量的研究 ……………………… 261
量的データ …………………… 261
療養介護施設 ………………… 198
臨床検査技師 ………………… 203
倫理観 …………………………… 12
倫理的配慮 …………………… 262
礼状 ……………………………… 66
　…の書き方 …………………… 67
レクリエーション …………… 105
レスパイト …………………… 127
連絡 ……………………………… 60
連絡ノート …………………… 192
老人福祉施設 ………………… 136
老人福祉法 ……… 78、136、173
老人保健法 ………… 101、125
老老介護 ……………………… 231
ロールプレイング ……………… 49

## 『最新 介護福祉士養成講座』編集代表 (五十音順)

**秋山 昌江** (あきやま まさえ)
聖カタリナ大学人間健康福祉学部教授

**上原 千寿子** (うえはら ちずこ)
元・広島国際大学教授

**川井 太加子** (かわい たかこ)
桃山学院大学社会学部教授

**白井 孝子** (しらい たかこ)
東京福祉専門学校副学校長

## 「10 介護総合演習・介護実習 (第2版)」編集委員・執筆者一覧

### 編集委員 (五十音順)

**上原 千寿子** (うえはら ちずこ)
元・広島国際大学教授

**中司 登志美** (なかつかさ としみ)
福山平成大学福祉健康学部教授

### 執筆者 (五十音順)

**荒木 和美** (あらき かずみ) ……………………………………………… 第4章第6節
社会福祉法人相扶会相扶園・寿園次長

**池田 明子** (いけだ あきこ) ……………………………………………… 第5章第1節・第2節
広島国際大学健康科学部講師

**稲垣 貴洋** (いながき たかひろ) ……………………………………………… 第4章第2節
せんねん村通所部主任

**上原 千寿子** (うえはら ちずこ) ……………………………………………… 第1章・第5章第4節
元・広島国際大学教授

**梅木 康一** (うめき こういち) ……………………………………………… 第4章第4節
社会福祉法人椎原寿恵会特別養護老人ホーム真心の園施設長

**岡 京子** (おか きょうこ) ……………………………………………… 第3章第3節
新見公立大学地域福祉学科教授

**川原 奨二** (かわはら しょうじ) ……………………………………………… 第4章第7節
株式会社ゆず代表取締役

**久保田 トミ子**（くぼた とみこ）………………………………………………… 第6章
広島国際大学名誉教授

**柴川 義幸**（しばかわ よしゆき）……………………………………………… 第4章第2節
デイサービスせんねん村リーダー

**柴田 範子**（しばた のりこ）…………………………………………………… 第4章第8節
特定非営利活動法人楽理事長

**杉山 弘卓**（すぎやま ひろたか）……………………………… 第4章第3節・第5節
社会福祉法人シーアンドシー福祉会地域密着型特別養護老人ホーム万寿の杜施設長

**鈴木 俊文**（すずき としふみ）………………………………………………… 第7章
静岡県立大学短期大学部准教授

**駄賀 健治**（だが けんじ）……………………………………………………… 第4章第9節
医療法人社団中川会介護医療院グリーン三条事務長

**竹下 敬二**（たけした けいじ）………………………………………………… 第4章第11節
佐賀整肢学園こども発達医療センター在宅支援課課長

**永坂 由香**（ながさか ゆか）…………………………………………………… 第4章第2節
せんねん村デイ倶楽部副主任

**中司 登志美**（なかつかさ としみ）……………………………… 第2章・第3章第2節
福山平成大学福祉健康学部教授

**前山 由香里**（まえやま ゆかり）……………………………………………… 第3章第1節
佐賀女子短期大学地域みらい学科准教授

**眞鍋 誠子**（まなべ せいこ）…………………………………………………… 第5章第3節
今治看護専門学校副校長

**宮崎 一哉**（みやざき かずや）………………………………………………… 第4章第10節
社会福祉法人長興会長光園障害者支援センター園長

**山村 武尊**（やまむら たける）………………………………………………… 第4章第1節
株式会社プロエイド統括責任者

最新 介護福祉士養成講座 10
# 介護総合演習・介護実習 第2版

| 2019年3月31日 | 初 版 発 行 |
|---|---|
| 2022年2月1日 | 第 2 版 発 行 |
| 2025年2月1日 | 第2版第4刷発行 |

| 編　　集 | 介護福祉士養成講座編集委員会 |
|---|---|
| 発 行 者 | 荘村　明彦 |
| 発 行 所 | 中央法規出版株式会社 |
| | 〒110-0016　東京都台東区台東3-29-1　中央法規ビル |
| | TEL 03-6387-3196 |
| | https://www.chuohoki.co.jp/ |
| 印刷・製本 | サンメッセ株式会社 |
| 装幀・本文デザイン | 澤田かおり（トシキ・ファーブル） |
| カバーイラスト | のだよしこ |
| 本文イラスト | 小牧良次 |
| 口絵デザイン | 株式会社ジャパンマテリアル |

定価はカバーに表示してあります。
ISBN978-4-8058-8399-0

本書のコピー、スキャン、デジタル化等の無断複製は、著作権法上での例外を除き禁じられています。また、本書を代行業者等の第三者に依頼してコピー、スキャン、デジタル化することは、たとえ個人や家庭内での利用であっても著作権法違反です。
落丁本・乱丁本はお取り替えいたします。

本書の内容に関するご質問については、下記URLから「お問い合わせフォーム」にご入力いただきますようお願いいたします。
https://www.chuohoki.co.jp/contact/

## MEMO

MEMO

MEMO